A VIÚVA SILENCIOSA

OBRAS DO AUTOR PUBLICADAS PELA EDITORA RECORD

As areias do tempo
Um capricho dos deuses
O céu está caindo
Escrito nas estrelas
Um estranho no espelho
A herdeira
A ira dos anjos
Juízo final
Lembranças da meia-noite
Manhã, tarde & noite
Nada dura para sempre
A outra face
O outro lado da meia-noite
O plano perfeito
Quem tem medo de escuro?
O reverso da medalha
Se houver amanhã

INFANTOJUVENIS
Conte-me seus sonhos
Corrida pela herança
O ditador
Os doze mandamentos
O estrangulador
O fantasma da meia-noite
A perseguição

MEMÓRIAS
O outro lado de mim

COM TILLY BAGSHAWE
Um amanhã de vingança (sequência de
Em busca de um novo amanhã)
Anjo da escuridão
Depois da escuridão
Em busca de um novo amanhã (sequência de *Se houver amanhã*)
Sombras de um verão
A senhora do jogo (sequência de *O reverso da medalha*)
A viúva silenciosa
A fênix

SIDNEY SHELDON
& TILLY BAGSHAWE

A VIÚVA SILENCIOSA

Tradução de
Ângelo Lessa

15ª edição

EDITORA RECORD
RIO DE JANEIRO • SÃO PAULO
2025

CIP-BRASIL. CATALOGAÇÃO NA PUBLICAÇÃO
SINDICATO NACIONAL DOS EDITORES DE LIVROS, RJ

S548v
15ª ed.

Sheldon, Sidney, 1917-2007
    A viúva silenciosa / Sidney Sheldon, Tilly Bagshawe; tradução de Ângelo Lessa. – 15ª ed. – Rio de Janeiro: Record, 2025.

    Tradução de: The Silent Widow
    ISBN 978-85-01-11580-5

    1. Ficção americana I. Bagshawe, Tilly. II. Lessa, Ângelo. III. Título.

18-52635

CDD: 813
CDU: 82-3(73)

Meri Gleice Rodrigues de Souza – Bibliotecária – CRB/7/6439

TÍTULO ORIGINAL:
THE SILENT WIDOW

Copyright © 2018 by Sidney Sheldon Family Limited Partnership

Texto revisado segundo o novo Acordo Ortográfico da Língua Portuguesa.

Todos os direitos reservados. Proibida a reprodução, no todo ou em parte, através de quaisquer meios. Os direitos morais dos autores foram assegurados.

Direitos exclusivos de publicação em língua portuguesa somente para o Brasil adquiridos pela
EDITORA RECORD LTDA.
Rua Argentina, 171 – Rio de Janeiro, RJ – 20921-380 – Tel.: (21) 2585-2000, que se reserva a propriedade literária desta tradução.

Impresso no Brasil

ISBN 978-85-01-11580-5

Seja um leitor preferencial Record.
Cadastre-se no site www.record.com.br
e receba informações sobre nossos
lançamentos e nossas promoções.

Atendimento e venda direta ao leitor:
sac@record.com.br

Para Alice, com amor

PRÓLOGO

— Não! Por favor! Eu não posso...

Os olhos do velho se arregalaram de pavor quando ele viu a ponta da broca encostar na corda que o mantinha amarrado, esgarçando o material. Imaginou o metal espiralado penetrando sua carne, estilhaçando seus ossos enquanto era pregado na madeira.

Enquanto era crucificado.

Sabiam que ele tinha dinheiro, não é? Daria a eles o que quisessem — tudo que quisessem! Morto, não valia nada.

Já fazia quanto tempo que estava naquele armazém? Dias? Ou somente horas? As surras o apagavam constantemente, e, por isso, acabou perdendo a noção do tempo — só tinha consciência da dor que tomava conta de seu corpo: as queimaduras lancinantes na pele enrugada pela idade e fina como papel crepom, as costelas quebradas e os olhos e lábios inchados, os pequenos cortes de estilete em sua genital. Eles o torturaram e o humilharam das formas mais sádicas e imagináveis possíveis, tudo isso enquanto aquela jovem permanecia no canto da sala, indiferente, filmando tudo com o celular. *Puta desgraçada*. Ele a desprezava mais que todos, mais até que seus torturadores.

Era como se fosse um crescendo, e, naquele momento, chegavam ao *grand finale* com a furadeira. Pelo menos era isso que *ele* achava. O chefe do grupo. O mestre de picadeiro desse circo dos horrores.

O homem de olhos castanhos.

O demônio encarnado.

— Por favor!

Os soluços do velho se transformaram em gritos quando os torturadores ligaram a furadeira e caíram na gargalhada ao passá-la de mão em mão e aumentaram a potência da ferramenta, que ficava cada vez mais barulhenta.

— Eu faço tudo o que vocês quiserem! Ai, meu Deus, não! — Um excremento líquido quente jorrou de suas entranhas e escorreu pelas pernas trêmulas.

O homem de olhos castanhos sorriu.

— O que foi que você disse? — provocou, levando a mão bem cuidada à orelha. — Desculpe, amigo, não consigo ouvir você com o barulho dessa furadeira.

Ele ficou assistindo a tudo enquanto os homens cumpriam suas ordens, excitado, como de costume, com os gritos e as súplicas, com o sangue, e finalmente com o silêncio, assim que o show acabou. Excitado também com a jovem que filmava tudo para satisfazê-lo, conforme havia ordenado a ela que fizesse. Ele preferia matar mulheres, mas acabar com uma vida — qualquer vida — o fazia sentir um barato insuperável. Era a expressão máxima do poder.

No passado, aquele velho espancado que jazia sem vida na cruz tinha sido rico e poderoso. Mais poderoso que ele.

Ledo engano.

Olhe para ele agora. Parecia uma carcaça num abatedouro.

— Podemos retalhar o velho, chefe? — perguntou um dos capangas ao patrão.

— Não. — O homem de olhos castanhos deu um passo à frente. — Deixem ele aí. — Em seguida, sacou um maço de notas de cem dólares do bolso interno do casaco e o enfiou com violência na boca do cadáver.

O velho idiota nunca entendeu.

A questão nunca foi o dinheiro...

PARTE UM

CAPÍTULO UM

DRA. NIKKI ROBERTS
Brentwood, Los Angeles.
12 de maio, 11h.

Nunca chove em Los Angeles no mês de maio, por isso fico surpresa ao sentir uma leve garoa caindo em meus braços descobertos. A última surpresa que terei neste planeta. Mas tudo bem. Detesto surpresas.

Nosso jardim está lindo, exuberante e verde. Estou debaixo da magnólia que Doug plantou na primavera passada, apenas um mês antes do acidente. *Acidente.* Preciso parar de usar essa palavra. Agora eu sei que a morte do meu marido não foi causada por nenhum ato do destino. A noite em que Doug bateu o carro na Interestadual 405 e foi queimado vivo em seu amado Tesla: ali foi o começo de tudo.

Não que eu soubesse disso na época. Na época, eu não sabia de nada.

A pistola em minha mão, uma Luger 9mm, parece pequena e inofensiva, como um brinquedo. O sujeito que a vendeu para mim disse que era "uma ótima arma para uma mulher", como se eu estivesse comprando brincos ou uma echarpe de seda. Já tentei tirar minha própria vida, logo depois que Doug... depois de sua morte. Tomei comprimidos, uma dose mais que suficiente para morrer, mas dei azar. Minha faxineira, Rita, me encontrou e ligou para a emergência. Mas isso não vai acontecer desta vez. Desta vez minha arma de brinquedo vai fazer o trabalho direitinho.

Não tenho medo da morte. Nunca tive, ainda que, como psicóloga, já tenha tratado inúmeros pacientes que têm medo de morrer. É basicamente uma questão de controle. Medo do desconhecido. O que estou prestes a fazer é o ato derradeiro de controle, penso eu. Deixar o mundo da forma que você deseja é um luxo.

Nem todos têm essa chance.

Pessoas demais morreram por minha causa. Esta noite, outro homem bom e decente perdeu a vida. Um homem com quem eu me importava. Um homem que se importava comigo.

Isso não pode continuar. Preciso dar um fim nisso.

A chuva começa a apertar. Seco a mão na calça jeans para deixá-la menos escorregadia. Sem erros desta vez. Levo a pistola até minha têmpora e dou meia-volta para admirar a casa que Doug e eu construímos juntos. Uma casa de ripas de madeira pintadas de branco, típica da Costa Leste, com uma iluminação linda e uma varandinha romântica na suíte principal com vista para o mar. Nossa casa dos sonhos. Do tempo em que ainda tínhamos sonhos. Antes de nossa vida se tornar um pesadelo.

Fecho os olhos e vejo o rosto deles, um por um, como em um caleidoscópio.

Os que eu amava: Doug. Anne.

Os que eu poderia ter amado: Lou. *Nunca saberemos como teria sido.*

Os que eu decepcionei: Lisa. Trey. Derek. *Sinto muito, muito mesmo.*

Penso por último naqueles que odiei.

Vocês sabem quem são. Que apodreçam no inferno.

Começo a chorar. Sei que isso é errado. Queria que houvesse outro caminho.

Mas querer nunca consertou nada.

CAPÍTULO DOIS

CHARLOTTE
Dez anos antes.

Charlotte Clancy sentia a brisa morna de verão acariciar sua pele e, com ela, uma pontada de excitação. Uma parte dessa excitação era sexual, outra era de felicidade, e havia ainda aquela empolgação pouco familiar que sentia sempre que fazia algo ilícito. Impróprio. Até perigoso.

Charlotte não costumava ser o tipo de pessoa que fazia coisas impróprias. Aos 18 anos, era uma aluna que só tirava dez na escola, em San Diego, e o maior problema que já arranjara foi dar cola para sua amiga numa prova de história sobre as antigas civilizações mexicanas. Charlotte *adorava* o México — a história, a língua, a culinária. Tivera de implorar aos pais que a deixassem trabalhar na Cidade do México durante o verão como *au pair*.

— Não sei, Charlie... — disse seu pai, cético. Tucker Clancy era bombeiro e diácono da igreja episcopal local, o homem de família mais íntegro e conservador que alguém poderia conhecer. — A gente ouve cada história... Lá tem muitos sequestros. E tem as quadrilhas de traficantes... a gente lê notícias sobre pessoas sendo decapitadas e sabe lá Deus que outras atrocidades.

— É verdade, pai, mas essas coisas só acontecem em *certas* partes do México. Não aonde eu quero ir. Os lugares perigosos mesmo são El Salvador e Colômbia. E essa agência, a American Au Pairs International, é muito bem avaliada em relação à segurança. Tipo, não houve nenhum incidente em doze anos de atuação lá no México.

Tucker Clancy ouviu, orgulhoso, a filha tentar convencê-lo usando suas habilidades de negociação. Uma coisa podia se dizer sobre Charlie: ela nunca fazia nada pela metade. Como sempre, tinha todos os dados e números na ponta da língua. E era uma garota muito sensata.

Mas, no fim das contas, foi a mãe dela, Mary, quem acabou fazendo a balança pesar para o lado da filha.

— Também fico nervosa, querido — disse Mary a Tucker durante o jantar no Steak'n' Shake numa sexta-feira à noite. — Mas acho que não devemos deixar nossos medos privarem nossa filha. No próximo outono Charlie vai começar a faculdade, morar sozinha, tomar decisões por conta própria. Ela precisa de independência.

— A faculdade é em Ohio — retrucou o pai de Charlotte. — Pessoas não são decapitadas em Ohio.

Mary fez cara feia.

— Bom, segundo Charlie, nem na Cidade do México. E a mulher da agência falou de um jeito que me deixou bastante tranquila. A família que arranjaram para Charlie parece fantástica. É um casal de advogados, que mora em uma propriedade incrível... Vamos lá, Tucker. Deixe a menina viver um pouco.

Aquela conversa tinha acontecido três meses antes. Agora, já fazia dois meses que Charlotte estava no México, e de fato havia vivido *bastante*. Fumou o primeiro baseado, tomou o primeiro porre, traiu o namorado, Todd, pela primeira vez e (ela mal conseguia acreditar nisso, mesmo quando dizia para si mesma) se apaixonou por um homem casado.

Não era o pai da família para quem ela estava trabalhando, os Encerrito. Isso seria baixo e de mau gosto, e, além do mais, Charlotte adorava a *señora* Encerrito, sua chefe, e nunca faria isso com a mulher.

Não que estivesse fazendo algo correto. Sabia que ter um caso era errado. Na verdade, mais que errado. Era pecado, um pecado mortal. Charlotte vinha de uma "família de igreja" sólida, e não havia muito o que discutir quando o assunto era moral, sobretudo com relação a sexo. E não era como se não se importasse com isso. Ela se importava muito, se sentia culpada e tudo o mais. Mas, quando *ele* estava ali, nada disso tinha importância. Quando ele entrava na sala, quando olhava para Charlotte, quando dizia o nome dela e até quando ela ouvia a voz dele por telefone, tudo mais ia para o espaço. Sua precaução, seus valores, seu medo, seus arrependimentos. *Puf. Sumiam.* E quando ele a levava para a cama e fazia amor com ela? Meu Deus. Não havia palavras para descrever a felicidade, o êxtase total. Charlotte já havia transado com Todd centenas de vezes, mas nunca se sentira desse jeito. Nunca, nem em suas fantasias mais loucas, Charlotte Clancy poderia imaginar que o sexo pudesse ser tão maravilhoso. E daí que não fosse para o céu? Grande coisa. Tinha o paraíso ali mesmo, e seu nome era... *Shhh.* Ela deu uma risadinha. Não podia dizer o nome dele em voz alta. Nunca. Para ninguém.

— Isso que nós temos deve ficar em segredo, *mi cara* — dizia ele, toda vez que faziam amor. — Ninguém pode saber. Você entende?

Charlotte entendia. Ele era casado, muito, muito mais velho que ela e uma figura importante. Tinham de ser discretos. Mas não entendia todos os outros segredos que ele escondia dela. Os "encontros" misteriosos que o faziam desaparecer no meio da noite. As maletas recheadas de dólares que o vira entregar ao chefe de polícia local num dos hotéis de luxo da cidade.

— Você pode me contar, sabe? — dizia ela, provocante, ao pé do ouvido dele quando estavam deitados na cama. — Sei guardar segredo. Eu só... eu quero saber tudo sobre você. Quero fazer parte da sua vida o máximo que puder. Eu te amo tanto!

Ele sempre sorria, a beijava e garantia que também a amava e que achava esses pequenos rompantes "tão adoráveis quanto você". Mas nunca contava nada.

— É para a sua própria segurança — explicava ele, acrescentando um emocionante quê de perigo à situação, que já era empolgante por si só.

Resumindo, Charlotte Clancy estava se divertindo como nunca.

E aquela noite seria ainda mais incrível, se não a melhor de todas.

Seguindo o mapa que ele dera a ela — tão romântico! —, Charlotte saiu do carro e contornou a pé os milharais, descendo pelo terreno em direção à margem do rio.

Algumas noites antes, ela havia corrido um grande risco ao segui-lo com o Nissan compacto que os Encerrito arranjaram para ela usar durante seu tempo no México, os faróis dianteiros desligados para não ser vista, a apenas algumas centenas de metros dele. Era difícil enxergar naquelas estradas esburacadas — que, na verdade, não passavam de pistas de terra batida — por onde ele seguia desde que saíram da cidade, e, em certo ponto, ela começou a entrar em pânico, perguntando-se como voltaria para a cidade se o perdesse de vista. Então, nesse momento, a pista de terra deu lugar a uma clareira oculta por árvores, e ele parou o carro. Charlie conseguiu enxergar fileiras de galpões semicirculares que pareciam canos gigantes cortados ao meio, e, dentro deles, homens trabalhavam sentados a mesas, iluminadas por lamparinas antigas que faziam cada galpão cintilar levemente ao luar. Charlotte viu seu amante sair do carro e ir de galpão em galpão, inspecionando o trabalho. Tudo era muito fascinante, mas de onde estacionara não conseguia ver o que os homens estavam fazendo. Com uma coragem que não sabia ter até aquele momento, ela saiu do carro e andou até onde *ele* se encontrava. Estava a menos de dez metros da porta quando dois homens armados com submetralhadoras bloquearam o caminho dela.

Charlotte gritou tão alto que não duvidava que pudessem tê-la ouvido lá da cidade.

— Não atirem! Por favor!

Seu amante deu meia-volta com uma expressão que era um misto de choque e raiva estampada no rosto, mas que logo se transformou em sorriso, depois em risada.

— *Mi cara!* — Ele deu uma risadinha indulgente. — Você me *seguiu*?

— Eu... eu queria saber — gaguejou Charlotte, as pernas compridas ainda trêmulas pela visão das armas. — Você não me contava nada...

Ele gesticulou aos seus homens, permitindo a passagem dela, abriu os braços e deu um abraço apertado nela.

— Nunca imaginei que você fosse capaz disso. — Ele sorriu e fez carinho na cabeça de Charlotte como se ela fosse um cachorrinho fofo que lhe desobedecera. — Você é bem corajosa, hein? Percebo agora que subestimei você.

Charlotte se encheu de orgulho e alívio. Ele não estava com raiva. Estava satisfeito! Ela estivera certa ao correr o risco, certa ao mostrar a ele que era mais que uma garotinha boba, uma simples *au pair* com quem estava tendo um caso de verão.

— Venha. — Ele segurou-lhe a mão. — Já que está aqui, vou mostrar o lugar para você.

E ele lhe mostrou tudo, todo o funcionamento do império dele.

Cocaína.

Até a palavra soava perigosa para Charlotte, como que saída de um episódio de *Miami Vice*. Ninguém nunca lhe oferecera cocaína, ela nunca sequer vira a droga à sua frente. E agora, ali estava, no olho do furacão, vendo como era produzida. Era fascinante, e ele lhe mostrou tudo com orgulho, como se fosse uma fábrica qualquer ou um simples negócio que tivesse construído. Também era incrivelmente complicado.

Em um dos galpões, maços de folhas secas de coca estavam sendo moídos junto com cal antes de serem colocados em uma máquina que parecia um irrigador de jardim, numa potência mais fraca, para umedecer a mistura. Depois, o produto era levado para outro galpão e colocado em barris enormes que mais pareciam misturadores de cimento, onde adicionavam querosene. O terceiro galpão era o local de "extração". Ali, a cocaína era separada das folhas e submetida a um complicado processo que consistia em ser aquecida, filtrada, prensada, sifonada e misturada com ácido sulfúrico, antes de ser transferida para outro galpão, de onde saía um bloco amarelado e pegajoso que ele identificou como "pasta de cocaína". A pasta era, então, levada para o galpão de purificação, onde era misturada com amônia diluída e depois filtrada para produzir o hidrocloreto de cocaína.

Durante todo esse tempo, Charlotte escutou e assentiu, segurando a mão dele, agindo sempre como se aquela experiência fosse completamente normal para ela, o tipo de coisa que vivia fazendo em San Diego.

— Está chocada? — perguntou ele no fim do tour. — Ainda me quer, agora que sabe que sou um *criminoso*? — Ele abriu um sorriso ao dizer a palavra. Mas era verdade, pensou Charlotte. Ele era um criminoso.

— Eu sempre vou querer você — respondeu ela, encarando com adoração aquele homem de olhar fascinante. Em seguida, ele a levou ao carro dele e fez amor com ela ali mesmo, de uma forma tão apaixonada como nunca antes. Então, dirigiu lentamente de volta à cidade, seguido por Charlotte.

Depois disso, ela ficou sem notícias dele por quase uma semana. Estava começando a entrar em pânico, com medo de que algo tivesse acontecido, de ele ter decidido terminar tudo, até que recebeu uma mensagem naquela manhã: *Senti sua falta*, mi cara. *Me encontre aqui às 7 da noite*. Também enviou um link para um mapa e instruções sobre como chegar ao local. *Tenho uma surpresa para você!*

O coração de Charlotte acelerou. Ele nunca havia escrito nada assim antes. *Senti sua falta*. Aquilo não era do feitio dele — aliás, nem mapas e surpresas românticas. Algo havia mudado desde que ela descobrira a verdade. *Agora ele me vê como uma igual. Como uma parceira.*

Uma felicidade profunda tomou conta de Charlotte. Aquilo, afinal, era amor.

Ela estava quase chegando ao ponto de encontro, um lugar tão remoto e isolado que não havia a menor possibilidade de existir algo ali. *Talvez ele tenha armado um piquenique*, pensou Charlotte, imaginando uma toalha estendida com pratarias e taças de cristal, além de baldes de champanhe no gelo. Ela conseguia imaginá-lo fazendo aquele tipo de coisa. Era íntimo mas luxuoso. Diferente e especial, como ele. Charlotte tinha certeza agora de que seu futuro seria com aquele homem, apesar de ele ser casado, da diferença de idade e do que fazia para viver, do trabalho perigoso dele. Só não conseguia enxergar ainda como seria esse futuro. Como conciliaria seus pais e essa sua nova vida. Mas, ainda assim, estava confiante. Ela era Charlotte Clancy. Charlotte, a corajosa. *Ele* a havia subestimado, mas só porque ela subestimara a si mesma.

Eu posso ser o que eu quiser.

Frederique não entendia.

— Não vá, Charlotte. Não sozinha, pelo menos — implorara sua amiga quando Charlotte lhe mostrou o mapa "secreto". Frederique Zidane também era *au pair* e a única amiga próxima de Charlotte na Cidade do México. Ela sabia do namorado mais velho e casado, mas não o bastante para descobrir quem era ou o que fazia. — Esses lugares não são seguros nem de dia, que dirá à noite. Qualquer um que more aqui sabe disso. *Ele* com certeza sabe.

— Deixe de ser frouxa — retrucou Charlotte, dando uma risada. — Vou ficar bem.

Mas Frederique não estava rindo.

— Lá tem muitos bandidos. Estou falando sério. As pessoas são roubadas, sequestradas, assassinadas. As pessoas desaparecem naquele lugar.

— Bom, *eu* não vou desaparecer — insistiu Charlotte.

— E como sabe disso?

— Sei porque não vou estar sozinha. *Ele* vai estar lá. Ele vai me proteger.

Aquela foi a última conversa que Frederique Zidane e Charlotte Clancy tiveram.

CAPÍTULO TRÊS

LISA
Dias atuais.

— E então, Lisa? Como está a sua semana?

A Dra. Nikki Roberts se recostou na poltrona preta de couro e abriu um sorriso simpático para sua paciente.

Lisa Flannagan. Vinte e oito anos. Ex-modelo e, durante muito tempo, amante do septuagenário Willie Baden, o bilionário dono dos Los Angeles Rams. Viciada em Vicodin em recuperação. Narcisista.

— Para falar a verdade, muito bem. — Lisa sorriu para ela, juntou as palmas das mãos e curvou o corpo, num sinal de gratidão. — Namastê. Estou realmente bem com relação ao término com Willie. É como se eu estivesse em um lugar de luz, sabe?

— Que bom. Isso é ótimo! — Nikki assentiu com a cabeça, em um gesto encorajador. Gotas de chuva tamborilavam contra a janela. Aquela era sua última sessão do dia, graças a Deus. Tudo que ela queria era ir para casa. Desligar. Deixar a chuva embalar seu sono.

— Pois é, né? — disse Lisa com alegria. — Os conselhos que você me deu na última sessão me ajudaram taaaanto!

Lisa sempre falava daquele jeito: usando clichês e pontos de exclamação, como uma adolescente que acabara de engolir o primeiro livro de autoajuda e já se considerava uma pessoa "espiritualizada". Como psicóloga, e uma psicóloga muito bem-sucedida, Nikki não fazia julgamentos. Apenas observava e oferecia técnicas para ajudar sua paciente a mudar comportamentos nocivos e quebrar ciclos destrutivos.

Como pessoa, porém, a história era outra.

Como pessoa, ela julgava o tempo todo.

Lisa Flannagan era uma usuária de drogas. Uma destruidora de lares. Uma assassina de bebês. Uma piranha.

Sentada no sofá macio e confortável da Dra. Roberts, Lisa Flannagan desabafou.

— Eu saí do apartamento — anunciou, orgulhosa. — Eu consegui mesmo!

Meu Deus, que sensação maravilhosa! Era *tão* libertador estar em um lugar onde podia se abrir, ser compreendida e simplesmente colocar tudo para fora.

— O Willie ficou, tipo, em estado de choque. Ficou tão puto que achei que ia me bater. Começou a gritar, berrar e quebrar coisas.

— Ele te ameaçou? — perguntou Nikki.

— Ah, sim. Claro que ameaçou. Falou coisas do tipo: "Você não pode fazer isso comigo. Eu sou seu dono. Vou acabar com você. Você não é nada sem mim!" Mas eu estava supercalma. Ficava dizendo: "Não, meu bem. Você precisa entender. Isso é uma coisa que *preciso* fazer por mim. Tipo, tenho 28 anos, sabe? Não sou mais criança."

Lisa esperava ansiosamente a terapia de quarta à noite no luxuoso consultório da Dra. Roberts em Century City, da mesma forma como costumava ficar ansiosa para usar Vicodin ou transar com um dos jogadores negros enormes do time de futebol americano de Willie no apartamento que ele comprara para ela em Beverly Hills dois anos antes. Na época, ainda não percebia que ele estava sendo totalmente controlador, como se estivesse tentando comprá-la ou algo do tipo. A Dra. Roberts *super* abriu os olhos dela com relação a isso.

Ela também ajudou Lisa a perceber quanta força interior possuía. *Tipo*, parar de tomar os remédios foi um grande avanço. Willie tinha pagado a internação de Lisa na Promises, mas fora *Lisa* quem concordara em ir para a clínica de reabilitação, fora *Lisa* quem havia mudado a própria vida.

Sou uma boa pessoa.

Se consegui largar as drogas, também consigo largar Willie Baden.

Ela ficaria com o apartamento, claro. Ou melhor, ela o venderia e ficaria com o dinheiro. Faria o mesmo com o colar de safiras e diamantes da Cartier que Willie lhe dera de presente no aniversário de 25 anos. Era ótimo recomeçar, mas Lisa Flannagan não iria sair de um relacionamento de oito anos com um bilionário com uma mão na frente e outra atrás. Seria idiotice. Além do mais, Willie não precisava do dinheiro. E ela ainda havia agido com responsabilidade ao abortar o bebê, em vez de ter o filho e ficar vivendo de pensão pelo resto da vida, como muitas garotas teriam feito. Para Lisa, uma vez que Willie superasse o orgulho ferido, não haveria motivos para que os dois não se separassem amigavelmente.

Conforme falava e bebia a água aromatizada de pepino que estava em uma jarra na mesinha do consultório da Dra. Roberts, Lisa Flannagan dava umas olhadas rápidas na direção da mulher sentada à sua frente, a terapeuta em quem havia passado a confiar e que considerava praticamente uma amiga.

Dra. Nikki Roberts.

Como era a vida *dela* fora do consultório?

Graças ao Google, Lisa já sabia o básico: *Dra. Nicola Roberts, sobrenome de solteira Hammond, 38 anos. Formada na Universidade de Columbia com pós-graduação em psicologia na UCLA e estágio no Ronald Reagan Medical Center.*

Lisa se perguntou se foi lá que a Dra. Roberts havia conhecido o marido, o Dr. Douglas Roberts, um neurocirurgião especializado em distúrbios cerebrais causados pelo vício. Infelizmente, não podia perguntar. Fazer perguntas pessoais ao terapeuta era contra as regras.

O que sabia, de fato, era que o marido da Dra. Roberts havia morrido em um trágico acidente de carro no ano anterior, bem na época em que Lisa começara a fazer terapia. O *LA Times* chegou a noticiar a morte, porque, até onde se sabia, Doug Roberts tinha sido um cara fantástico, um homem importante para as instituições de caridade de Los Angeles, que lutava incessantemente para ajudar os viciados da cidade onde quer que os encontrasse, dos moradores de rua às mansões de Bel Air.

Era bizarro pensar que a mulher confiante, atraente e profissional diante dela, com seu cabelo castanho, liso e sedoso, com um corte bob — parecido com o cabelo de Lisa —, sua silhueta esbelta e seus olhos escuros e inteligentes, era na verdade uma viúva de luto, cuja vida particular provavelmente era um caos total.

Pobre Dra. Roberts, pensou Lisa. *Tomara que ela também tenha alguém com quem conversar.*

Ela merece ser feliz.

— Infelizmente por hoje nosso tempo acabou, Lisa.

A voz agradável e suave da terapeuta interrompeu o devaneio de Lisa. Ela olhou para o relógio na parede.

— Ai, meu Deus. Tem razão. *Incrível* como o tempo passa rápido aqui dentro. Você também não acha, Dra. Roberts?

— Às vezes, sim — respondeu Nikki com um sorriso diplomático.

Lisa Flannagan se levantou para ir embora.

— Não trouxe casaco? — perguntou Nikki. — Está caindo um temporal lá fora.

— Ah, é? — Lisa não tinha notado o barulho da chuva nas janelas. Ela estava usando uma minissaia jeans que mal cobria a parte superior das coxas e uma regata com as palavras "ALL YOU NEED IS LOVE", uma peça de roupa tão minúscula que mal conseguiria tapar o peito de uma criança, que dirá os seios fartos de Lisa.

— Desse jeito você vai ficar encharcada — disse Nikki, então se levantou e pegou o próprio casaco de chuva que estava pendurado na porta. — Tome, leve o meu.

Lisa hesitou.

— Não vai precisar dele?

Nikki negou com a cabeça.

— Estacionei meu carro no subsolo. Só vou precisar pegar o elevador. Pode me devolver na próxima sessão.

— Bom, se não tem problema... — Lisa pegou o casaco e abriu um sorriso. — Isso é *muito* legal da sua parte, Dra. Roberts. De verdade.

Ela apertou a mão da psicóloga. Eram pequenos gestos como esse, de quem faz mais do que o esperado, que realmente separavam a Dra. Roberts de outros terapeutas. Ela não estava ali pelo dinheiro. Ela realmente se importava com os pacientes. *Ela se importa comigo.*

O beco atrás do Century Plaza Medical Building estava frio, úmido e escuro. As pernas dele doíam por ter ficado tanto tempo agachado. Sentia a pele queimando e a garganta também. Cada respiração era como se estivesse inspirando lâminas afiadas, e cada gota de chuva parecia feita de ácido, como se uma pequena adaga flamejante cortasse sua carne, dilacerando seus nervos. Quando aquilo acabasse, teria o que precisava. A dor, aquela dor inimaginável, seria substituída por um êxtase extraordinário. Não duraria muito, mas tudo bem. Nada durava para sempre.

As ruas de Century City estavam abarrotadas de carros, mas as calçadas escorregadias encontravam-se desertas. Ninguém caminhava em Los Angeles, ainda mais na chuva.

Mas ela, sim. Às vezes.

Com certa frequência.

Será que ela sairia naquela noite?

Saia, saia de onde estiver!

De repente, ali estava ela. Foi muito repentino. Ele não estava pronto.

Seu coração começou a palpitar.

Ela fechou o casaco e abaixou a cabeça para se proteger da chuva. Não usava guarda-chuva. Andava rápido, cruzando o vão da porta em direção ao beco.

— Socorro! — Ele tentou gritar, mas estava rouco demais. Será que ela o ouviria? Ela tinha de ouvi-lo! — Socorro!

Lisa Flannagan se virou. Viu um vulto, um homem, ou talvez um garoto — ele era pequeno —, caído ao lado de latas de lixo.

— Por favor! — gritou de novo. — Ligue para a emergência. Fui esfaqueado.

— Ai, meu Deus! — Lisa pegou o telefone e se aproximou dele já digitando os números. — O que aconteceu? Você está bem?

O sujeito estava encolhido, abraçando a barriga. Deve ter sido ali que levou a facada. Ela se agachou ao lado dele e viu que usava um capuz ensopado, escondendo o rosto e o cabelo.

— Emergência. Em que posso ajudar?

— Preciso da polícia — respondeu Lisa ao telefone. — E de uma ambulância. — Ela encostou de leve no topo da cabeça do garoto, que estava inclinada para a frente. — Não entre em pânico. O socorro está vindo. Onde você está ferido?

Ele levantou a cabeça e sorriu. Lisa sentiu vontade de vomitar. O rosto por baixo do capuz não era humano. Era o rosto de um monstro, verde e podre, com pedaços de carne literalmente enroscados e pendendo dos ossos, como se fosse a pele de uma fruta rançosa. Ela abriu a boca para gritar, mas o som não saiu.

— Senhora, pode me dizer onde se encontra?

Ele percebeu o terror em seus olhos quando ela se agachou, boquiaberta. Ainda sorrindo, cravou a faca no fundo do seu abdome e girou a lâmina. Ah, nessa hora o grito saiu... Alto, agudo e apavorado. Ele puxou a faca e a cravou de novo, com tanta força dessa vez que o punho inteiro seguiu a arma até as entranhas dela, algum lugar quente, úmido e tentador.

— Senhora, está me ouvindo? Senhora? O que está acontecendo? Pode me dizer onde está?

*

A Dra. Nikki Roberts se recostou no couro macio do assento de seu Mercedes X-Class e esperou a porta da garagem abrir.

Se o trânsito deixasse, em vinte minutos estaria em casa, no bairro de Brentwood. Mais uma noite longa e vazia a aguardava, mas Nikki a preencheria com programas de TV bobos, uma garrafa de vinho Newton Merlot não filtrado e Zolpidem para dormir, e isso passaria. Tudo passaria.

Nikki se sentia culpada. Apenas metade dela esteve presente durante a sessão com Lisa. Talvez menos da metade. Não era justo com seus pacientes, quer gostasse da pessoa ou não.

A porta da garagem se abria centímetro a centímetro, numa lentidão agonizante.

Nikki seguiu devagar em direção ao beco.

Portas. Portas de garagem!

Lisa ouviu o rangido de engrenagens mecânicas e o ronco familiar de um motor de carro próximo. Seu sangue escorria da barriga e do peito. Não estava pingando, sangrando lentamente, mas escorrendo mesmo, como se fosse leite sendo despejado de uma garrafa. Ela não conseguia se mexer. Não conseguia ficar de pé ou correr. Só podia gritar, e era isso que fazia, de novo e de novo e de novo, a cada vez que o monstro cortava seus braços, seios e coxas. Ele já não estava tentando matá-la. Ao menos, não rapidamente. Estava brincando com ela, como o gato faz com o rato, deleitando-se com a agonia que provocava ao destruir o corpo perfeito de Lisa, pedacinho por pedacinho.

O ronco do motor ficou mais alto. A esperança invadiu o coração de Lisa.

Tem alguém vindo. Talvez seja a Dra. Roberts. Por favor, Deus, que ela me veja!

Lisa puxou o ar e gritou, com certeza o grito mais alto que alguém já deu. Ela conseguia ouvir o som do próprio sangue borbulhando na garganta e tinha a sensação de que seus olhos estavam prestes a saltar da órbita. Faróis iluminaram Lisa e o monstro como se estivessem em um palco.

As facadas pararam.

O motor também.

Lisa chorou de alívio. *Ela me viu!* Ouviu a faca do monstro bater no chão com um som metálico. Conseguia sentir a pulsação cada vez mais lenta e esperou o agressor correr ou as portas do carro se abrirem.

Segundos se passaram. *Dois. Cinco. Dez...*

Nada aconteceu.

Espere aí... o que está acontecendo?

O motor do carro foi religado.

Não!

Faróis iluminaram o beco.

Não! Por favor! Eu estou aqui! Por favor!

O Mercedes prata de Nikki atravessou o beco e fez uma curva lenta para entrar na rua.

Mãos apodrecidas e escamosas envolveram o pescoço de Lisa por trás. Diante de seus olhos, a faca brilhava no chão, escorregadia com seu sangue.

— Onde foi que paramos?

O último som que Lisa Flannagan ouviu foi a risada do monstro.

CAPÍTULO QUATRO

Carter Berkeley III olhou para as unhas que tinha pagado caro para fazer e resistiu à vontade de roê-las. Que diabos estava fazendo ali? Deveria estar falando com a polícia, não com a droga de uma terapeuta.

Então, obrigou-se a lembrar que a polícia não o ajudaria em nada. A polícia não tinha acreditado nele. Ninguém tinha.

Carter pensou nos dois guarda-costas armados que o esperavam no saguão e tentou se sentir melhor. Não funcionou. Então tentou imaginar sua terapeuta nua. *Isso* funcionou, pelo menos um pouquinho. A Dra. Nikki Roberts era uma mulher muito sexy. Carter imaginou a saia lápis cinza erguida até os quadris e a recatada blusa branca rasgada. Ele a imaginou...

— Carter? Está prestando atenção?

Ele se sobressaltou com a voz dela, depois corou e fechou a cara. Carter era um banqueiro de investimentos muito bem-sucedido, lindo, culto e rico. Estava acostumado a ver as pessoas ficarem a postos ao seu comando e correrem para atender a todos os seus desejos. Principalmente as mulheres. Não gostou nada de ser repreendido como se fosse um aluno bagunceiro.

— Conte de novo o que acha que viu ontem à noite — pediu a Dra. Roberts.

— Eu não "acho" que vi nada. Eu sei o que vi, está bem? Não sou maluco. — Incomodado, Carter passou a mão pelo cabelo louro espesso.

— Nunca dei a entender que fosse. — A voz da terapeuta soava calma. — Mas até as pessoas sãs podem se confundir vez ou outra, não é? Eu mesma me confundo às vezes.

— Bom, eu não — resmungou Carter.

Jesus. Todos iriam se arrepender quando ele estivesse morto. Quando esses desgraçados finalmente o pegassem e o enforcassem com um fio elétrico e batessem nele até matá-lo numa masmorra qualquer. Todos vão lamentar não terem escutado o que ele tinha a dizer: a polícia, a Dra. Roberts, todos eles.

Nikki se inclinou para a frente, prestando atenção enquanto seu paciente divagava sobre a mesma teoria da conspiração da qual tagarelava desde que começou a terapia, mais de um ano antes. Carter Berkeley acreditava estar sendo perseguido por assassinos anônimos. Nunca dava uma razão, muito menos apresentava evidências, apenas os devaneios elaborados de sua mente brilhante mas atormentada. Por mais que Nikki tentasse conduzi-lo por inúmeros caminhos lógicos, as paranoias de Carter persistiam. Na verdade, estavam piorando. Na semana anterior ele havia dito a Nikki, com toda a seriedade do mundo, que Trey Raymond, o garoto simpático que administrava o consultório dela e tomava conta da recepção do Century Plaza, era um espião "que trabalhava para os mexicanos".

— Você não pode confiar nele. O que realmente sabe sobre Trey, Dra. Roberts?

— O que *você* sabe sobre ele, Carter? — rebatera Nikki.

— O bastante. Sei o bastante — anunciara Carter, enigmático, e mais uma vez não apresentou nenhuma evidência.

Não estou conseguindo fazer Carter evoluir, pensou Nikki, triste. *Talvez ele até esteja piorando por minha causa. O que estou fazendo aqui?*

No fundo, ela sabia a resposta. Ela estava ali — trabalhando, no escritório, tratando pacientes — porque não tinha outro lugar para estar. Nenhum lugar além da própria casa, sozinha, sem Doug, sem respostas. Essa perspectiva era insuportável.

Insuportável.

A palavra fez Nikki voltar no tempo.

Fazia apenas um ano, mas parecia uma vida inteira.

Eles estavam em uma mesa no Luigi's, e Doug sorria para ela enquanto devorava o espaguete ao vôngole como se não comesse havia semanas, falando a mil por hora, como sempre fazia quando os dois estavam juntos.

— "É insuportável." O que as pessoas querem dizer quando falam isso? — perguntou Doug. — Meus pacientes vivem me dizendo: "É insuportável, doutor. Não estou aguentando." Como se lhes restasse alternativa.

Nikki e Doug Roberts haviam se casado fazia sete anos, e estavam juntos pelo triplo desse tempo. Mas a empolgação de estar na companhia do outro, de falar, de compartilhar ideias, sentimentos e experiências nunca perdeu força. Nem um simples almoço com Doug era chato.

— Acho que estão falando metaforicamente — comentou Nikki, brincando com sua salada de caranguejo.

A comida do Luigi's era uma delícia, mas até as saladas eram calóricas. Doug podia ter dificuldade para ganhar peso, mas, desde que fizera 38 anos, Nikki passou a perceber cada vez mais que precisava cuidar de seu corpo. Não havia nada pior que achar que finalmente estava grávida e depois perceber que a barriga redonda era uma horrível gordura acumulada com a meia-idade.

— Elas querem dizer que não deveriam ter que suportar. É doloroso. Não se esqueça: estamos falando de viciados desesperados.

— Tem razão. — Doug assentiu com a cabeça e sugou o último fio de macarrão antes de pegar a cestinha de pães. — Acho que às vezes só fico um pouco frustrado. Porque, no fim das contas, é oito ou oitenta. Você quer melhorar ou não? Quer morrer ou não? É isso. As escolhas são essas.

Para alguém de fora, talvez Doug Roberts parecesse um profissional sem compaixão por seus pacientes viciados, mas Nikki sabia que ele podia ser tudo, menos isso. Doug estivera ocupado com a clínica para usuários de metanfetaminas e opioides que estava montando em Venice com seu amigo da época da faculdade, Haddon Defoe, e dera uma fugida para almoçar com Nikki. Ajudar os viciados mais incorrigíveis e desamparados de Los Angeles havia se tornado a paixão de Doug Roberts. Era o trabalho da sua vida.

— Enfim, chega de falar de mim. — Ele lançou um olhar apaixonado a Nikki. — Como foi sua manhã, meu amor? Fez outro teste?

— Ainda não. — Nikki baixou a cabeça, tímida, e olhou para a metade da comida que deixara no prato. — Talvez hoje à noite.

— Por que não agora?

— Porque não. Se der negativo, vou me sentir um lixo e ficar distraída nas sessões com meus pacientes da tarde.

Doug esticou o braço por cima da mesa e apertou a mão de Nikki.

— Talvez dê positivo, meu bem. Não tem motivo para não dar.

— É. — Nikki forçou um sorriso. — Não tem motivo.

Tirando o fato de que nas últimas seis vezes que tentamos deu negativo. E a cada mês que passa meus óvulos ficam mais velhos e desgastados. E algum deus cruel, alguma força maligna fora do nosso controle, parece ter decidido que nunca seremos pais.

Afinal, tirando um filho, ela e Doug tinham tudo. Um casamento maravilhoso e cheio de amor. Dinheiro. Status. Carreiras bem-sucedidas e gratificantes. Ótimos amigos. Famílias fantásticas. Em que universo alternativo eles mereceriam ter aquilo tudo e ainda ter filhos?

— Eu te amo, Nik.

— Também te amo.

— Vai acontecer. Ainda temos tempo. Muito tempo.

Isso mesmo, pensou Nikki. *Ainda temos tempo.*

*

— Dra. Roberts — chamou Carter Berkeley, parecendo irritado. — Você sequer está me escutando?

— Claro que sim. — Nikki repetiu tudo o que seu cliente havia acabado de falar. Havia muito tempo tinha aprendido a artimanha da "escuta superficial", ou seja, utilizar o cérebro em várias tarefas simultâneas. Neste caso, isso significava que ela memorizava as palavras de Carter enquanto se concentrava em outra coisa completamente diferente. Era um truque que Doug havia lhe ensinado.

Por que parecia que tudo remetia a Doug?

— Bem, já que nosso tempo está quase acabando, por que não terminamos com um exercício de atenção plena? — sugeriu Nikki, recuperando o controle da sessão com muita habilidade. — Pode colocar os dois pés retos no chão?

Quando Carter Berkeley foi embora, Nikki saiu do consultório e dirigiu-se ao saguão.

Trey Raymond, assistente pessoal, gerente do escritório e braço direito de Nikki, estava atualizando arquivos de pacientes. Não que houvesse muito o que atualizar. Desde a morte de Doug, os pacientes vinham abandonando o consultório de Nikki aos montes. Talvez achassem que o luto fosse contagioso. Ou que a perda dela poderia deixá-la menos focada, menos eficaz como terapeuta. Talvez estivessem certos. Qualquer que fosse o motivo, Nikki estava com apenas quatro pacientes regulares, em vez dos vinte que atendia um ano antes.

Inevitavelmente, eram os quatro mais desesperados, os que simplesmente não conseguiam parar de ir.

Carter Berkeley, o banqueiro paranoico, que ia uma vez por semana.

Lisa Flannagan, a amante iludida, que geralmente ia duas vezes por semana.

Anne Bateman, a violinista insegura, paciente mais frequente de Nikki, que comparecia praticamente todo dia. Era um exagero que alguém comparecesse tantas vezes à terapia, mas, assim como muitas pessoas, Nikki tinha dificuldade em dizer não à jovem e linda Anne.

Na verdade, ela se preocupava com a frequência com que pensava em Anne e com a importância que a paciente estava ganhando em sua vida.

Por fim, havia Lana Grey, uma atriz, que geralmente atrasava os pagamentos — isso quando pagava. A pobre e perdida Lana. No passado, fora uma estrela relativamente conhecida na TV, mas agora estava arruinada e praticamente falida.

— Lana não é sua cliente — dizia Trey a Nikki toda vez. — Clientes pagam. Ela é seu ato de caridade. Sua causa perdida.

— Ah, é? Minha causa perdida... — Nikki sorria. — Nesse caso você é o que, então?

— Eu? — Trey abria um sorriso. — Ah, eu sou o santo padroeiro das causas perdidas. Mas você não pode se livrar de mim, doutora. Porque eu vou continuar voltando como se fosse um bumerangue.

Nikki então dizia que não queria se livrar dele. Que não sabia como ficaria sem ele. E era tudo verdade, mas não porque precisasse de um gerente. A verdade era que Trey Raymond significava o último elo de Nikki com seu marido. Doug tinha ajudado Trey, tirado o jovem das ruas e mudado a vida dele. Fizera o mesmo por inúmeras outras pessoas ao longo dos anos, mas, por algum motivo, Trey era diferente. Doug o amava como se fosse um filho.

O filho que nunca consegui dar a ele...

Quando acabou de atualizar os arquivos, Trey olhou de esguelha para Nikki e perguntou:

— Está indo para casa, doutora?

— Acho que sim. — Nikki hesitou, procurando motivos para ficar.

— Precisa de mim para alguma coisa?

— Não. — O jovem abriu um sorriso, exibindo dentes brancos que se destacavam em contraste à sua pele negra. — Pode deixar que eu tomo conta de tudo.

— Tem certeza?

— Absoluta. Qualquer problema eu ligo para você.

*

Quando chegou à rua, Nikki precisou semicerrar os olhos. O sol estava ofuscante no céu limpo da Califórnia, torrando tudo o que via pela frente, vingando-se da chuva inesperada do dia anterior.

Nikki costumava adorar a chuva, mas agora odiava. A chuva a fazia se lembrar de Doug, da aflição, da tristeza e da raiva — meu Deus, e que raiva! — que nunca iriam desaparecer. Ela imaginou as rodas do Tesla dele escorregando pela autoestrada. O pânico que ele sentiu ao ser arremessado contra os automóveis que seguiam na direção contrária. Nikki imaginou o pé de Doug pisando freneticamente no pedal de freio inútil. Será que ele gritou? *Espero que tenha gritado.*

Na cabeça de Nikki, até aquele dia, ela e Doug haviam sido felizes no casamento. Extremamente felizes.

Mas era óbvio que se enganara. Aquele foi o dia em que tudo havia sido revelado. Toda a ilusão tinha sido desfeita, e o que sobrou para Nikki foi a verdade nua e crua. Uma verdade horrível.

E agora Doug estava morto, e ela estava sozinha. Sua vida se transformara em um pesadelo eterno de perguntas sem resposta e suposições. Até o dia do acidente, Nikki não acreditava que seria possível amar, sentir saudade e odiar tanto alguém ao mesmo tempo. Mas ali estava ela, imersa nas três emoções, lutando para simplesmente chegar ao fim do dia.

Até certo ponto, o trabalho servia de consolo. Mas, assim como Doug com seus viciados, às vezes Nikki se sentia tão frustrada com os pacientes que queria agarrá-los pelo pescoço e sacudi-los.

Pelo amor de Deus, supere isso.

PARE DE CHORAMINGAR!

Ela não costumava ser assim. Intolerante. Arrogante. Crítica.

O luto a mudara.

Lisa Flannagan era um bom exemplo disso. Nikki não a via com bons olhos nem aprovava suas escolhas. Por outro lado, ao contrário de Carter

Berkeley, pelo menos Lisa realmente queria mudar. Embora, também ao contrário de Carter, ela fosse tão idiota, tão completa e profundamente burra que conseguir fazê-la enxergar a mais simples correlação entre seus comportamentos, pensamentos e emoções era como tentar ensinar cálculo a um animal. Será que foi a frustração que deixara Nikki tão deprimida após a sessão com Lisa na noite anterior? Ou foi outra coisa? Talvez inveja. Inveja da perspectiva positiva de Lisa. Da felicidade, da esperança de sua paciente. Esperança era algo que Nikki Roberts não tinha mais, nem um resquício dela. Após a sessão da noite anterior, ela se sentira tão chateada enquanto dirigia até o beco chuvoso que precisara parar o carro para se recompor. Depois foi para casa, matou uma garrafa inteira de vinho (aquilo havia se transformado em um hábito noturno) e caiu na cama, esgotada demais até para chorar. Para sua perplexidade, dormiu profundamente e só acordou perto das nove horas da manhã seguinte. Estava enjoada, porém mais descansada do que tinha se sentido em meses.

A boa noite de sono fizera milagre em seu humor, injetando uma pequena onda de euforia que a ajudara a enfrentar aquela manhã. Pelo menos até a hora da sessão exaustiva com Carter Berkeley, que a deixou novamente desanimada. Mas, assim que acabou, Nikki se esforçou para recuperar o bom humor de mais cedo.

Quando entrou em casa, tirou os sapatos e ligou a televisão no noticiário antes de subir correndo para se trocar. Por mais patético que fosse, o ruído de fundo da TV ou do rádio a fazia se sentir menos solitária, principalmente à noite. Na suíte principal, tirou as roupas do trabalho — saia, sapatos de salto, blusa de seda — e colocou o short e o tênis. Nikki decidiu que, naquela noite, iria correr na praia. Não fazia isso havia bastante tempo, desde muito antes do acidente de Doug. Na época, que parecia ser outra vida, correr na praia costumava fazê-la se sentir feliz. Livre. Abençoada. Não esperava sentir nada disso hoje. Era pedir demais. Mas sair e se mexer seria melhor do que ficar prostrada dentro de casa. Afinal, se até Lisa Flannagan, que parecia ter sofrido uma lobotomia, podia dar um passo à frente naquela vida egocêntrica de menina mimada, Nikki também podia.

A voz monótona do apresentador zumbia ao fundo enquanto Nikki descia as escadas. Ouvia as notícias com apenas parte da atenção focada na televisão.

"O corpo de uma jovem foi encontrado esta tarde, parcialmente escondido pelo mato próximo da autoestrada 10", dizia o âncora. "As informações divulgadas até agora sugerem que a vítima, uma mulher branca de aproximadamente 30 anos, foi torturada e esfaqueada diversas vezes."

Será que era a imaginação de Nikki ou o apresentador estava mesmo se atendo aos detalhes macabros?

"Segundo a polícia, os ferimentos no rosto da vítima são tão graves que ainda não foi possível realizar a identificação do corpo."

Nikki fez uma careta e pegou uma garrafa de água da geladeira. *Jesus Cristo. Como tem psicopata por aí.*

"Agora, vamos falar de esporte. O Los Angeles Rams acaba de arranjar um grande problema..."

Nikki desligou a televisão. Então abriu a porta e começou a correr sob a luz do fim de tarde que ainda brilhava forte.

Ela estava perto da Sunset Boulevard quando o celular tocou. Nikki interrompeu a corrida e atendeu, ofegante.

— Alô.

Era Trey. Ele chorava e soluçava tanto que Nikki mal conseguia entendê-lo. Ela entrou imediatamente no modo terapeuta.

— Tente respirar, meu querido. Acalme-se. — Logo em seguida ouviu duas longas respirações roucas e trêmulas. — Ótimo. Agora, pode me explicar o que aconteceu?

— Lisa! — exclamou Trey, abruptamente. — Lisa Flannagan.

Trey sempre tivera uma queda por Lisa. Nikki percebia. A forma como ele olhava para a paciente quando ela ia ao banheiro, o sorriso tímido que ele abria toda vez que ela ia à sua mesa pagar pela sessão.

— O que tem ela? — perguntou Nikki, num tom de voz gentil. — Seja lá o que aconteceu, não pode ser tão grave assim, Trey.

— Ela está morta! — exclamou ele, aos prantos.

Um zumbido baixo começou a soar nos ouvidos de Nikki. Ela observou o trânsito se arrastar à sua frente como se estivesse em um sonho.

— Como assim?

— Como assim... ela está morta. Foi assassinada! — Trey começou a chorar descontroladamente. — Eu soube pelo noticiário.

Os joelhos de Nikki fraquejaram. Ela havia visto Lisa ontem, viva, bem e cheia de planos para o futuro. Aquilo não podia ser verdade.

— Tem certeza?

— Absoluta. Ah, meu Deus, doutora. Que coisa horrível! Um psicopata retalhou Lisa inteira e jogou o corpo à margem da estrada!

Nikki arfou. A matéria do noticiário que ela ouvira antes de sair de casa! Sobre a jovem encontrada na autoestrada 10. Era *Lisa*?

— Dra. Roberts? Dra. Roberts, está me ouvindo?

A voz chorosa de Trey saía pelo fone de ouvido do celular, mas Nikki não respondeu.

A culpa foi tomando conta dela. Enquanto invejava a esperança e a juventude de Lisa, enquanto *julgava* sua paciente, Lisa tinha sido... *Ah, meu Deus.*

Nikki tentou não pensar no assunto, mas as imagens terríveis que se amontoavam em seu cérebro não paravam de surgir.

— Falo com você amanhã, Trey — disse ela, com a voz rouca, e desligou.

Mais um pesadelo acabava de começar.

CAPÍTULO CINCO

— Estamos procurando a Dra. Roberts. Dra. Nicola Roberts. É uma pergunta simples, meu filho. Ela está ou não?

Os dois policiais estavam diante da mesa de Trey Raymond, com uma postura ameaçadora. Pelo menos para ele parecia ameaçadora. Por outro lado, tratava-se de policiais, e Trey era negro e ex-traficante de metanfetamina em Westmont, o "Corredor da Morte" da Zona Sul de Los Angeles. É claro que jamais se daria bem com eles.

— Ela está com uma paciente no momento.

Um dos policiais — o mais baixo, gordo e velho, com lábios brancos e úmidos como uma larva — encarou Trey com uma expressão de puro desprezo.

— Ali dentro? — perguntou, apontando com a cabeça para a porta do consultório de Nikki.

Ele não usava uniforme nem havia mostrado o distintivo a Trey. Aliás, nenhum dos dois. Mas o homem falava com a autoridade inata e cheia de soberba de um policial. Em momento algum Trey pensou em pedir sua credencial.

— Sim, ali dentro — respondeu Trey. — Mas, como eu disse, a Dra. Roberts está com uma paciente. Não pode ser interrompida durante uma sessão.

— Ah, é mesmo? — O policial gordo abriu um sorriso desagradável e começou a se dirigir à porta.

— Pare com isso, Mick — disse o colega dele, um sujeito mais alto e atraente, pondo a mão em seu ombro. — A gente pode esperar.

— Esperar? — Lábios de Larva ficou furioso, mas seu colega o ignorou, sorriu para Trey e se sentou no sofá de couro italiano da sala de espera. Em seguida, pegou um exemplar da revista *Psychology Today*. — São cinquenta minutos, certo? O tempo da sessão? Eu me lembro da época que minha mulher me largou.

— Qual delas? — Lábios de Larva parecia irritado, claramente insatisfeito em ter sido coibido na frente de Trey.

— Todas. — O colega sorriu. — Foi uma desgraça com todas.

Lábios de Larva não retribuiu o sorriso. Em vez disso, sentou o traseiro grande numa poltrona e ficou bufando de maneira agressiva. Quando mais novo, Trey conhecera milhares de policiais de Los Angeles como aquele homem: racistas por instinto, daqueles que faziam marcha pela vida dos policiais, mas, quando viam um negro, atiravam primeiro e pensavam depois. Ou nem pensavam. O preconceito estava tão estampado ali que aquele policial poderia simplesmente tatuar uma suástica na testa de uma vez. Até onde Trey sabia, o colega de Lábios de Larva talvez fosse tão podre quanto ele, mas pelo menos era bem mais educado e escondia melhor o racismo. Talvez achasse que arrancaria mais informações da Dra. Roberts se bancasse o bonzinho com o funcionário dela.

Trey Raymond se deu conta de que havia aprendido muita coisa trabalhando no consultório de uma psicóloga.

— Quanto tempo falta? — perguntou Lábios de Larva em tom de exigência, olhando para o relógio na parede com raiva, como se ele fosse o culpado por sua impaciência.

— A sessão termina daqui a quinze minutos — respondeu Trey.

Ele presumiu que a polícia estava ali para fazer perguntas sobre Lisa, o que o deixou ainda pior. Sentiu nojo só de pensar naqueles idiotas revirando a vida particular dela feito urubus bicando uma carcaça.

Trey tinha visto muitas mortes quando era mais novo. Muitos assassinatos também, mas eram causados por tiroteios, violência entre gangues, e onde Trey cresceu aquilo tornara-se uma realidade. Triste, claro. Mas não chocante.

O caso de Lisa era diferente. Ela não fazia parte daquele mundo. Era branca, rica e linda e pertencia a um mundo igualmente branco, rico e lindo onde esse tipo de merda não acontecia. A Dra. Roberts também vinha desse mundo. Trey não, mas tinha sido convidado para o mundo delas por Doug, o marido da Dra. Roberts, antes de ele morrer. Mais do que convidado. Recebido de braços abertos. Como um filho.

Aqueles policiais filhos da puta não tinham nada o que fazer ali, trazendo o mundo sombrio em que viviam para aquele universo iluminado.

— Aceita algo para beber? — perguntou Trey ao policial mais educado.

— Não, obrigado.

— Pega uma Coca para mim — respondeu o gordo, sem parar de olhar para o celular. Um "moleque" não pronunciado ficou pairando no ar.

Trey cerrou os punhos sob a mesa. Morreu de vontade de recusar, de dizer ao sujeito que não tinham Coca, infelizmente. Mas um instinto de sobrevivência profundamente enraizado entrou em ação. *Não mexa com policiais. Ao menos, não na cara deles.*

No consultório de Nikki, Anne Bateman voltou a cruzar as pernas esguias sob a saia longa de linho. Todos os movimentos dela eram tão graciosos, cuidadosos e tranquilos... *Como os de uma bailarina*, pensou Nikki, admirada. Na noite anterior havia sonhado com Anne outra vez — seus sonhos não eram claramente eróticos, mas sem dúvida eram meio obsessivos, meio voyeurísticos. *Talvez ser uma violinista virtuosa não seja tão diferente de ser uma bailarina*, pensou Nikki. De qualquer forma, Anne parecia dançar pela vida ao som de uma música interna, uma rapsódia de sua própria autoria.

— Ela era sua paciente, não era? Como eu — perguntou Anne.

— Você sabe que não posso falar sobre isso — respondeu Nikki, em tom simpático.

Assim como todo mundo, Anne tinha assistido às matérias terríveis sobre o assassinato de Lisa Flannagan no noticiário, e aquilo a deixara nervosa. Era compreensível que quisesse conversar sobre o assunto.

— Não precisa me contar — disse Anne baixinho, olhando para o próprio colo. — Eu sei. Cruzei com ela no corredor centenas de vezes. Pobre mulher.

— Pois é — concordou Nikki. Ela também se sentia péssima. Lisa estava tão esperançosa ao final da última sessão, tão focada no futuro. Um futuro que, no fim das contas, não existia.

Agora era tarde demais para ajudar Lisa Flannagan, mas Nikki ainda podia ajudar Anne Bateman. A linda, inebriante Anne. Na verdade, Nikki sentia que Anne era a única paciente que ela estava *de fato* ajudando de forma consistente. Violinista prodígio, dona de uma posição cobiçada na Orquestra Filarmônica de Los Angeles com apenas 26 anos, Anne já era extremamente bem-sucedida. Embora, em determinados aspectos, fosse um pouco infantil, em outros já havia vivido muito mais do que se imaginava para sua idade. Quando adolescente, viajara e tocara pelo mundo inteiro e acabou se casando jovem com um homem muito rico, carismático e bem mais velho.

Anne era uma garota atraente — pequena, frágil e com um jeito de boneca. Tímida e meiga durante as conversas normais, com o violino na mão se transformava em uma mulher frenética e apaixonada, completamente perdida no próprio talento. Muitos homens se sentiam atraídos por ela no palco, por sua pele de porcelana e seus olhos enormes cor de chocolate, assim como por sua intensidade ao tocar. Mas seu marido a cobiçara com um desejo obsessivo. Depois que os dois se casaram, ele a levou para sua enorme propriedade, como se ela fosse uma princesa de conto de fadas, e cobriu-a de presentes, roupas, atenção e adoração, raramente permitindo que saísse de sua vista.

Anne precisou de muita coragem para deixá-lo e voltar para sua cidade natal, Los Angeles. Não que não o amasse, mas havia se casado muito jovem, e sua personalidade mudara nesse meio-tempo. Além do mais, a música a chamava, e a cada dia que passava o chamado se tornava mais insistente. O colapso do casamento foi o que levou Anne a procurar a terapia, e rapidamente ela e Nikki desenvolveram um forte laço. Ao longo dos últimos três meses, Anne havia passado a contar com o apoio e os conselhos de Nikki em quase todos os aspectos de sua vida.

— Não precisa ficar assustada — garantiu Nikki. — O que aconteceu com Lisa foi horrível, mas não tem nada a ver com você. Não internalize isso. O fato de ter visto Lisa no consultório não significa nada. Não liga você a ela.

— Não. — Anne abriu um sorriso tímido. — Tem razão. Estou sendo boba.

— Não está. A morte é um acontecimento traumático, ainda mais quando acontece de uma forma tão violenta. Mas você ainda está processando o próprio trauma, Anne. Só estou dizendo que você não deve absorver os traumas dos outros.

O tempo delas havia acabado. Relutante, Nikki abriu a porta. A maioria dos pacientes apertava sua mão ao final da sessão, mas Anne sempre lhe dava um abraço apertado, como uma criança abraça a mãe antes de entrar na escola. Era um gesto íntimo demais, inapropriado para uma relação entre paciente e terapeuta, mas Nikki não tinha coragem de acabar com o hábito. A verdade é que ela gostava da dependência de Anne. Ela gostava de tudo sobre Anne Bateman.

Dessa vez, porém, Nikki ficou tensa quando Anne a abraçou.

Dois homens estranhos a aguardavam na sala de espera, observando atentamente.

Nikki se desvencilhou depressa dos braços de Anne e a conduziu à saída antes de virar-se para os dois homens.

— Posso ajudá-los? — perguntou, bruscamente.

Um dos homens, o mais novo, se levantou e estendeu a mão educadamente.

— Detetive Lou Goodman, da polícia de Los Angeles. E esse é o detetive Mick Johnson.

Nikki apertou a mão de Goodman.

— Imagino que estejam aqui por causa do que aconteceu com Lisa, certo? Foi uma coisa horrível. — Ela ofereceu a mão ao colega de Goodman, mas o homem baixo e corpulento se desviou dela com raiva.

— Aqui não — vociferou ele, num tom grosseiro, olhando desconfiado para Trey. — Na sua sala.

Nikki ficou irritada. *Qual o problema dele?* Tinha a vaga lembrança de já tê-lo visto antes, mas não sabia dizer exatamente onde.

— Tudo bem — concordou bruscamente, então conduziu os dois à sua sala, pediu que se sentassem e fechou a porta.

Na recepção, Trey esperou ouvir os três começarem a conversar para pegar o telefone.

— Tem dois policiais aqui! — sussurrou, quase chorando. — O que eu faço? Estou assustado, cara.

A voz do outro lado da linha começou a falar.

Trey escutou e assentiu, tentando se acalmar.

Eles não sabem.

Ninguém sabe.

Fique tranquilo.

O detetive Mick Johnson observava e escutava atentamente enquanto a Dra. Nikki Roberts respondia às perguntas de seu colega.

Quando foi a última vez que Nikki viu Lisa Flannagan?

No dia em que ela foi morta.

Lisa mencionou algo naquela sessão, ou em sessões anteriores, sobre estar sendo ameaçada ou temer pela própria segurança?

Não.

Nikki sabia de alguém que pudesse ter qualquer razão para perseguir Lisa ou querer agredi-la?

Não.

Goodman fez todas as perguntas com educação e aceitou todas as respostas monossilábicas de Nikki sem questionar ou tecer comentários, apenas escrevendo tudo em seu caderninho, como se fosse um estudante anotando o que a professora falava.

Johnson assistia à cena com um silêncio reprovador. Não confiava em Nikki nem gostava dela. A vaca arrogante nem se lembrava dele! Mas ele se lembrava dela. Sempre se lembraria. Observando-a ali, toda segura de si e cautelosa, afastando dos olhos o cabelo castanho escuro brilhoso enquanto falava com Goodman, Johnson sentia a raiva queimar seu peito como se tivesse bebido ácido.

— Dra. Roberts, talvez a senhora tenha sido a última pessoa, fora o assassino, a ver a Srta. Flannagan com vida — disse Goodman, inclinado para a frente. Pelo olhar intenso com que encarava Nikki, era óbvio que estava encantado com ela. — Precisamos entender o que aconteceu exatamente, tanto nesse consultório como depois que ela saiu.

— Eu entendo, detetive. Só não sei como posso ajudar. A sessão foi boa, como eu disse. Lisa parecia feliz. Tinha terminado com o namorado...

— Namorado? Você quer dizer *sugar daddy* — interrompeu Johnson. — Willie Baden?

Essas foram as primeiras palavras que o baixinho irritado pronunciou desde que se sentou. A malícia em sua voz era inegável. A ideia de uma jovem linda como Lisa se oferecendo sexualmente para um velho nojento como Baden claramente o excitava, ou no mínimo o divertia.

— Isso — respondeu Nikki, com toda a calma.

— Mas, só para deixar claro, ela não tinha um "namorado". Ela estava dormindo com um velho rico, marido de outra mulher, por dinheiro — insistiu Johnson, deixando Goodman de cara feia e Nikki com uma expressão horrorizada. — Basicamente, ela era uma puta de luxo, certo?

— Não sei por que ela estava com ele. Minha função não é ficar julgando meus clientes, detetive — retrucou Nikki com tranquilidade, reprimindo o nojo do sexismo descarado daquele sujeito. — Só sei que na sessão de ontem Lisa me contou que havia decidido deixar Willie e parecia se sentir muito bem com isso. Eu diria que ela saiu daqui feliz, esperançosa.

— Ela tinha planos de se encontrar com alguém depois da terapia? Talvez um amigo. Alguém veio pegá-la? — perguntou Goodman, olhando de cara feia para Johnson ao retomar as perguntas.

— Não — respondeu Nikki. — Foi embora sozinha. Em geral ela vinha de carro para as sessões, mas, na quarta-feira, não.

Os detetives se entreolharam.

— Sabe o motivo?

Nikki balançou a cabeça.

— Não. Sinto muito. Só me lembro disso porque estava chovendo e ela me falou que iria embora a pé, então emprestei meu casaco para ela.

Esquecendo a raiva por um momento, o detetive Johnson se endireitou na cadeira, interessado.

— Ela estava usando o casaco quando saiu?

— Sim.

— Pode descrever o casaco, Dra. Roberts? Com o máximo possível de detalhes.

Nikki fez o que o policial pediu. Era um casaco de chuva normal, mas os dois homens pareciam fascinados por ele.

— Obrigado, Dra. Roberts — disse Goodman, com um sorriso simpático. — A senhora nos deu informações muito úteis.

Nikki percebeu que Goodman tinha um jeito intenso de falar, e sua atenção se focava inteiramente nela, de maneira um tanto lisonjeira, que a fazia se sentir a única pessoa na sala. Não era exatamente um flerte, mas não estava muito longe disso.

Por outro lado, seu colega, o detetive Johnson, era completamente sem graça. O sujeito ainda fez mais algumas perguntas antes de irem embora e nem sequer lhe agradeceu. Mas até ele parecera entusiasmado com a informação sobre o casaco. *Será que ele era tão importante assim?*

Assim que os detetives foram embora, Trey bateu à porta do consultório.

— Desculpe, doutora. Fiquei sem saber o que fazer — disse, ansioso. — Sei que você não ia querer que interrompessem a sessão, mas acho que o sujeito mais velho não gostou nem um pouco de eu ter mandado que esperassem lá fora.

Nikki pôs a mão no ombro de Trey para tranquilizá-lo.

— Não se preocupe, Trey. Você fez tudo certo. Como *você* está? Sei que gostava da Lisa.

— Estou bem, acho — murmurou, meio sem jeito. — Quer dizer, estou triste, né? Chocado.

— Eu também.

— Ela era tão linda.

— É. Ela era.

— Em momentos assim eu gostaria que o Dr. Douglas estivesse aqui, sabe? — soltou ele, sem pensar.

Nikki pareceu angustiada. Trey baixou a cabeça.

— Ah, me desculpe, doutora. Eu não devia ter dito isso, pelo menos não para você.

— Tudo bem, Trey — disse Nikki, em tom amável. — Você sente saudade. Eu também. Não quero que ache que o nome do Doug é um tabu aqui dentro. Ele odiaria isso.

Mais tarde, quando Trey foi para casa, Nikki ficou no consultório, sentada, pensando sozinha por um bom tempo.

Ela pensou em Doug, no que ele teria achado de tudo isso.

Pensou em Lisa e na tragédia que era sua morte.

Pensou no detetive raivoso, Johnson. *Ela estava dormindo com o marido de outra mulher. Era uma puta.*

Nikki entendia a raiva. Desde a morte de Doug, ela era sua companheira constante.

Então, ela enfiou a mão no bolso e pegou o cartão que o outro detetive lhe dera. O educado. Detetive Lou Goodman.

Lou.

Quanto tempo demoraria, perguntou-se Nikki, até ele procurá-la novamente?

CAPÍTULO SEIS

A médica-legista Jenny Foyle recolocou o plástico sobre o corpo de Lisa Flannagan e voltou a atenção para os dois detetives. Com 50 e poucos anos, cabelo despenteado curto e grisalho, silhueta atarracada e o rosto sem maquiagem, Jenny não era nenhuma beldade, mas era inteligente, intuitiva, tinha um humor mordaz, além de ser incrivelmente habilidosa em sua função.

— Você quer dizer que só uma das facadas a matou? — perguntou Mick Johnson.

— Sim, a que atingiu o coração. As outras foram superficiais. Foram desferidas apenas para ferir, machucar, mas não para matar.

Lou Goodman ergueu uma sobrancelha bem delineada.

— Todas as oitenta e oito?

Jenny suspirou.

— Infelizmente, sim.

Muitas pessoas preferiam Lou Goodman a seu colega de trabalho, provavelmente porque Lou era bonito, charmoso e, ao contrário de Mick Johnson, não parecia que seu maior desejo era dar um soco na cara de alguém. Mas Jenny Foyle não se sentia assim. O charme do detetive Goodman não surtia efeito nela. Como uma nova-iorquina de ascendência irlandesa, Jenny sempre tivera uma queda pelo detetive Johnson. Claro que ele não tinha charme algum nem era um modelo de beleza, mas Jenny gostava das camisas permanentemente manchadas daquele homem corpulento, do seu senso de humor grosseiro e da objetividade intransigente. Numa cidade onde o estilo valia mais que o conteúdo e num departamento em que o politicamente correto extrapolara os limites, a médica-legista sempre enxergara Mick como um colírio para os olhos.

— Então ela foi torturada? — perguntou Mick. — É isso que está querendo dizer?

— É exatamente isso que *estou* dizendo. Ela foi torturada e ficou incapacitada de reagir, provavelmente pelo medo, mas também pelos ferimentos físicos. Depois foi carregada e, mais tarde, morta. Por fim, foi levada para o local onde foi largada.

Os três fizeram uma pausa para observar o corpo disforme que havia sido Lisa Flannagan, agora coberto por um plástico. Uma jovem linda com uma vida inteira pela frente, reduzida a uma carcaça mutilada.

Goodman quebrou o silêncio.

— E você tem certeza dessa linha do tempo?

— Tenho.

— Porque...?

— Porque a taxa de cicatrização mostra claramente que o ferimento fatal ocorreu horas depois das primeiras lesões. E porque, apesar de termos encontrado uma grande quantidade de sangue na cena do crime, ela ainda é pequena para sustentar a hipótese de a vítima ter sido esfaqueada no coração naquele local — respondeu Jenny, impassível.

— Não há indicação de violência sexual? — perguntou Goodman.

Jenny balançou a cabeça.

— Não.

— E ela não tentou reagir? — perguntou Johnson, em voz baixa.

— Bem... — Jenny tirou as luvas de borracha e se permitiu abrir um leve sorriso. — No começo, pensei que não. Como eu disse, ela devia estar apavorada. Mas no fim do exame encontrei uma amostra minúscula, minúscula *mesmo*, de tecido sob uma das unhas.

Johnson franziu as sobrancelhas.

— Por que tão minúscula? — perguntou. — Se ela o arranhou para lutar pela própria vida, não teria que haver mais?

— De fato. — O sorriso de Jenny se abriu ainda mais. — O que me leva a pensar que o assassino cortou as unhas e esfoliou os dedos dela. Após a morte.

— Jesus. — Goodman se retraiu.

— Mas deixou algum vestígio? — perguntou Johnson, animado. — Que sorte a nossa!

— Espero que seja. Como eu disse, a amostra era minúscula. E também... estranha. — Os polícias esperaram Jenny explicar. — As células são diferentes de tudo o que eu já vi. Pareciam ser de carne podre.

Goodman ergueu uma sobrancelha.

— Podre?

— É, podre. — Jenny pigarreou meio sem jeito. — De alguma coisa... alguém... morto.

O detetive Johnson estreitou os olhos.

— Você acha que essa garota foi assassinada por um cara morto?

— Não — respondeu Jenny, inexpressiva. — Isso seria impossível.

— Então o que significa? — perguntou Goodman.

— Só estou dizendo que as células que encontrei são incomuns. E que não posso garantir que a qualidade ou a quantidade do material encontrado na unha nos dê uma amostra de DNA boa o suficiente para levantar um possível suspeito.

— Talvez nosso assassino seja um zumbi. — Mick Johnson deu uma cotovelada na cintura da médica-legista. — Os mortos-vivos estão entre nós!

Jenny deu uma gargalhada.

— E eu diria que você é a prova morta-viva disso, Mickey. Quando eu tiver mais novidades, avisarei vocês, mas isso é tudo por enquanto, rapazes. Tomem cuidado lá fora.

*

Do lado de fora do Departamento de Medicina Legal de Boyle Heights, os detetives digeriram em silêncio as descobertas bizarras da médica-legista. Claro que o comentário de Johnson sobre o assassino ser um zumbi foi uma piada, mas como exatamente uma amostra de tecido de um cadáver fora parar na unha de Lisa Flannagan?

Percebendo que precisava dizer algo, Goodman tentou se concentrar nos fatos.

— Então, estamos procurando por três locais — comentou. — Tortura. Assassinato. Desova.

Johnson murmurou em concordância, assentindo com a cabeça.

— Três locais — disse ele.

— Acho melhor focarmos nisso primeiro.

— Concordo.

Muitas coisas irritavam Mick Johnson a respeito do colega sagaz, jovem e ambicioso com quem trabalhava, mas tinha de dar o braço a torcer: Lou Goodman possuía uma mente organizada, mesmo nas circunstâncias mais malucas.

Eles voltaram para a viatura e estavam prestes a dar partida quando Jenny Foyle saiu correndo do prédio na direção deles, balançando os braços como uma lunática.

Johnson abaixou o vidro da janela.

— Esqueceu alguma coisa? Que outras informações você tem para nós, Jenny? Marcas de presas de vampiro no pescoço da garota? — perguntou, em tom sarcástico.

— Rá rá. — Ofegante por causa do esforço, a médica-legista entregou a Johnson uma folha de papel. — Parece que vocês deram sorte, Mick. Os resultados dos testes de DNA acabaram de chegar. Parece que o nosso zumbi tem nome.

CAPÍTULO SETE

Lou Goodman dirigia sozinho em direção a Pacific Palisades. Muito tempo atrás ele e Johnson haviam feito um acordo em relação às investigações nos casos de homicídio: Goodman sempre lidava com as pessoas ricas, de classe alta e escolarizadas, enquanto Johnson tratava com a "ralé", como Lou chamava — talvez não tão de brincadeira assim — as testemunhas de classes menos favorecidas. O sistema não era perfeito. Johnson era ótimo ao lidar com brancos de baixa renda, e os anos de experiência na Divisão de Entorpecentes fizeram-no desenvolver uma boa relação com algumas das comunidades latinas mais violentas. Mas, nos bairros negros, Mick Johnson ainda era um policial estilo velha guarda. A antipatia entre ambos os lados era recíproca.

E isso era um problema.

Mas não o problema do dia.

A visita do dia era o bairro nobre Pacific Palisades. As ruas largas e as mansões multimilionárias eram exatamente o território com o qual Lou Goodman estava acostumado. Ali, Goodman se sentia em casa.

"Vire à direita na Capri Drive", instruiu o Google Maps. Goodman obedeceu, passando por casas tão suntuosas que pareciam de mentira. "Mansão" é um chavão que os corretores de imóveis de Los Angeles usavam o tempo todo, mas aquelas casas faziam jus à palavra: palácios de dez, quinze, vinte quartos com calçadas amplas e áreas verdes idilicamente bem cuidadas. Empregadas uniformizadas, todas elas latinas, entravam e saíam apressadas das propriedades pelos portões laterais, algumas para passear com os cachorros, outras para tirar o lixo ou receber uma encomenda. Goodman viu um buquê de flores praticamente do tamanho de uma pessoa sendo entregue numa das casas e, em outra, uma van lotada de balões de hélio com as palavras "Feliz aniversário de 9 anos, Ryan!"

Ryan é um sortudo. Goodman relembrou o próprio aniversário de 9 anos, quando foi com o amigo Marco a um rinque no gelo em White Plains. Que dia fantástico tinha sido aquele! Um dos últimos dias realmente felizes de sua infância, antes de seu pai ir à falência e sua família rapidamente entrar numa espiral de pobreza, miséria e perda. Quando Lou completou 10 anos, seu pai já estava morto. Mas ele não pensava mais nessas coisas. Havia treinado a mente para se lembrar apenas dos bons momentos, os momentos felizes. Desde cedo também havia aprendido que, embora o dinheiro nem sempre comprasse felicidade, a falta dele sempre trazia sofrimento. O pai de Lou mal compreendia o que significava ser rico de verdade. Greg Goodman se sentira rico quando se viu dono de uma empresa e de uma casa com garagem e um grande quintal. A perda desses modestos bens acabara com ele.

Mas o filho de Greg era diferente. Lou Goodman sabia muito bem o que era ser rico de verdade e sabia das coisas horríveis que as pessoas são capazes de fazer para alcançar e manter a riqueza.

"Seu destino está à frente", informou o Google Maps com uma voz animada. "Você chegou!"

Alguém certamente chegou ao seu destino, pensou Goodman, observando a mansão colossal em estilo grego clássico na Capri Drive, 19.772, também conhecida como Residência dos Grolsch.

Durante o longo trajeto de Boyle Heights até ali, Goodman conseguira ler por alto as informações que recebera sobre a família. Nathan Grolsch havia feito uma fortuna com descarte de lixo nos anos 1980.

Deu um pé na bunda da primeira mulher e das duas filhas e, depois dos 50 anos, se casou de novo, dessa vez com Frances Denton, uma miss que mal tinha idade para casar. Nathan e Frances tiveram um filho, Brandon. De acordo com o relatório, o garoto havia completado 19 anos três dias atrás — o mesmo dia que Lisa Flannagan foi assassinada.

Se o resultado do teste de DNA entregue por Jenny Foyle estiver certo, Brandon Grolsch passou o grande dia retalhando Lisa Flannagan até matá-la e depois jogou o corpo à margem da autoestrada como se fosse um saco de lixo. Ou isso ou, sabe-se lá como, outra pessoa tinha dado um jeito de colocar partes minúsculas da pele de Brandon sob a unha de Lisa, o que parecia improvável para Goodman, não importasse como tentasse analisar a situação.

Goodman apertou o botão do interfone na enorme entrada. Dois leões de pedra o encaravam com um olhar inexpressivo do alto dos pilares de mármore que ladeavam o portão à esquerda e à direita do detetive.

— Sim? — atendeu uma mulher, cuja voz estalava com o ruído do interfone.

— Boa tarde. — Goodman pigarreou. — Eu sou o detetive Louis Goodman, da polícia de Los Angeles. Estou aqui para falar com Brandon Grolsch.

— Só um momento, por favor. — A mulher tinha sotaque mexicano. *Deve ser a governanta.* Goodman ouviu um chiado, depois o interfone ficou mudo. Estava prestes a tocar de novo quando de repente os portões se abriram com um rangido, revelando a casa e os jardins em toda a sua glória.

Ele seguiu pela calçada de ardósia que ia do portão até a escada, passando por uma ostentosa fonte de mármore, e subiu os degraus da entrada até a porta da frente. Vasos de oliveiras flanqueavam a entrada, e uma antiga lamparina de bronze cintilava acima do pórtico. O lugar parecia mais um hotel de luxo do que uma residência particular, talvez um pequeno Ritz Carlton, ou um Four Seasons.

— Entre, por favor.

A governanta, que de fato era mexicana, conduziu-o por um lobby bem iluminado até uma pequena sala de estar. Goodman analisou o ambiente ao seu redor. A decoração era nitidamente feminina — sofás brancos, cortinas em um tom de rosa pastel, almofadas com estampas de flores e mantas creme com franjas. Um grande vaso com peônias embelezava uma mesinha de centro vazia, e uma vela com uma fragrância doce e enjoativa havia sido acesa. Figos, talvez.

— A Sra. Grolsch virá em um minuto. Aceita um chá?

— Não, *gracias*.

Goodman sorriu. Estava prestes a prender o filho dessa família por suspeita de assassinato. Não parecia certo fazer isso tomando chá.

— Brandon está em casa?

A governanta olhou para o chão, nervosa.

— A Sra. Grolsch já está vindo — murmurou e saiu da sala antes de Goodman fazer mais alguma pergunta. Minutos depois, a porta voltou a se abrir.

— Detetive? Desculpe por fazer o senhor esperar. Meu nome é Fran Grolsch.

A mulher diante de Goodman não se parecia nada com o que ele esperava: gorducha e fora de forma, com um rosto redondo e olhos inchados, típicos de quem é viciado em analgésicos. Ninguém seria capaz de dizer que se tratava da mesma Frances Grolsch das fotos que Goodman vira no Google Images, de quando ela havia ganhado um concurso de beleza. Naquela tarde ela usava uma roupa de ginástica cor-de-rosa toda manchada da Juicy Couture que estava sobrando um pouco no traseiro e tinha prendido o cabelo ralo e oleoso com um elástico barato. Se Goodman tivesse de escolher uma palavra para descrevê-la, seria derrotada. Até sua voz parecia exausta, cada palavra, alongada — "Meu nooooome é Fraaaaan" —, como se o esforço para pronunciar a palavra seguinte fosse grande demais.

— Você está aqui para falar sobre o Braaaaandon? — Ela se jogou em um dos sofás.

— Isso mesmo. Seu filho está em casa, Sra. Grolsch?

— Nãããão. — Frances Grolsch fechou os olhos e não deu mais nenhuma informação.

Essa mulher precisa de ajuda, pensou Goodman.

— Sabe quando ele deve estar de volta?

Ela abriu os olhos, mas não respondeu.

— Senhora?

Goodman ficou completamente constrangido quando Frances Grolsch escancarou a boca e soltou um uivo longo e baixo, um gemido de agonia pavoroso e animalesco que se prolongou, cada vez mais alto. Goodman ouviu uma porta bater no corredor e passos pesados se aproximando. Segundos depois a porta se abriu e um idoso alto de terno escuro entrou como um furacão.

— Mas que diabo é isso, Franny? Cale a boca! Você parece uma porra de uma sirene de ataque aéreo. Estou tentando trabalhar. — Em seguida o velho se virou para Goodman e vociferou: — Por que ela está chorando? E quem diabos é você?

Goodman mostrou o distintivo. O velho o examinou sem se deixar impressionar.

— Homicídios? — perguntou o velho, fazendo cara feia. — Quem morreu? Franny, já mandei CALAR A BOCA! — gritou ele com a mulher, que saiu, aos prantos, correndo da sala.

— O senhor é Nathan Grolsch, imagino — retrucou Goodman, fazendo o máximo para assumir o controle da situação. Não era uma tarefa fácil com aquele sujeito intimidador e tirânico.

— Claro que sou Nathan Grolsch — resmungou o velho. — A questão é: quem diabos é você?

Goodman mostrou o distintivo novamente.

— E daí? Por que está aqui? — perguntou Grolsch, indiferente. — Eu sou um homem ocupado, sabia?

— Preciso falar com seu filho Brandon.

Grolsch revirou os olhos.

— Foi por isso que ela abriu o berreiro? — Ele apontou a cabeça para a porta por onde sua mulher saíra correndo. — Você perguntou a ela sobre Brandon?

— Sr. Grolsch, o senhor sabe onde seu filho está? — perguntou Goodman, de forma incisiva. Estava começando a ficar irritado com o comportamento do velho. — Uma jovem foi brutalmente assassinada e precisamos eliminar seu filho da lista de suspeitos.

— Bom, não vai ser difícil. Ele morreu.

— Como é? — perguntou Goodman, incrédulo.

Não havia registro da morte de Brandon Grolsch nem de seu desaparecimento.

— Overdose — anunciou Nathan Grolsch, com a maior naturalidade. — Há uns oito meses a mãe dele recebeu uma carta de uma "amiga" que assistiu à cena. Que amigona, não é? Fran ainda não aceitou. Acha que um dia Brandon vai entrar pela porta da frente, como se fosse o filho pródigo retornando à casa. — Ele bufou, ironizando a ideia.

— Oito meses atrás vocês receberam a notícia de que seu filho morreu e de lá para cá nunca pensaram em notificar as autoridades? — perguntou Goodman, ainda incrédulo.

— Notificar o quê? — Nathan Grolsch deu de ombros. — Não há corpo, não há provas. Olha, meu filho era um viciado, está bem? Um merdinha inútil e mentiroso que jogou a vida no lixo por causa das drogas. Esse é o começo e o fim da história. Brandon estava morto para mim muito antes de aquela carta chegar.

Uau, pensou Goodman. *Que sujeito encantador. Com um pai desses, não me surpreende que o garoto tenha se perdido na vida.*

— A Sra. Grolsch ainda tem a carta?

— Não. Eu a queimei. — Os olhos claros e remelentos do velho brilharam de raiva. — Aquela vadia enxerida da Valentina Baden nunca devia ter entregado a carta, para começo de conversa. Ela devia saber que aquilo ia enlouquecer a Fran. Foi melhor para todo mundo eu ter me livrado daquela coisa. Colocou um ponto final nessa história lamentável.

— Valentina Baden? — perguntou Goodman, a mente raciocinando rápido. — A mulher de Willie Baden?

— É. Ela coordena uma instituição de caridade para crianças desaparecidas. Acho que em algum momento Fran concluiu que Brandon estava "desaparecido", e Valentina deve ter metido o bedelho. Seja como for, foi ela quem entregou a carta, então você pode ir em frente e "eliminar" Brandon da investigação.

— Infelizmente não é tão simples assim, Sr. Grolsch — disse Goodman, satisfeito por provocar uma expressão de profunda irritação no rosto do velho. — Temos provas que ligam Brandon diretamente à vítima de um assassinato. E, como o senhor mesmo disse, não há provas de que seu filho morreu. Não há corpo. E, como a carta foi queimada, também não há evidências concretas além da sua *palavra*.

O tom de Goodman deixou claro quanto considerava a palavra de Nathan Grolsch.

— Qual o nome da garota que morreu? — Nathan Grolsch suspirou fundo.

— Lisa Flannagan.

— Nunca ouvi falar. — Grolsch deu de ombros.

— Era amante de Willie Baden — explicou Goodman. — Entre outras coisas. Mundinho pequeno esse, hein?

Por um breve instante, uma expressão de surpresa tomou conta do rosto de Grolsch, mas ele se recuperou rapidamente.

— Não tão pequeno. Pelo que sempre ouvi falar, Baden já dormiu com metade das beldades de Los Angeles. Deve ser por isso que a esposa dele precisa fazer caridade para se distrair. Olha, sinto muito, detetive, mas realmente não posso ajudar. Meu filho está morto, quer você acredite ou não.

— Seja como for, vou precisar saber quando, exatamente, o senhor o viu pela última vez. Quem eram os amigos dele. Os traficantes de quem comprava. Onde passava o tempo.

— Não sei nada disso — respondeu Nathan Grolsch, ríspido. — Acho que a minha mulher talvez se lembre de alguns dos lixos ambulantes com quem ele andava — acrescentou com má vontade. — Fique à vontade para perguntar a ela, detetive, mas, como pôde ver, Frances não está no melhor momento do dia. Agora, se me dá licença, preciso me trocar. Meu técnico de raquetebol está prestes a chegar.

Ao dizer isso, Nathan Grolsch saiu da sala sem nem sequer apertar a mão de Goodman.

Goodman demorou alguns instantes para se recompor antes de voltar para o corredor e abordar a governanta.

— Me leve ao quarto de Brandon.

Ele percebeu o pânico no rosto da governanta, que olhava de um lado para outro, à procura do Sr. Grolsch, com medo de concordar sem a aprovação do patrão. Goodman mostrou o distintivo e repetiu a instrução com um tom de voz que deixava claro que aquilo não era um pedido. Relutante, ela o conduziu escada acima, apontou com a cabeça para o quarto e saiu dali o mais rápido possível.

O cômodo era grande e iluminado e, pela decoração, parecia o quarto de um menino. Goodman sentiu uma pontada de tristeza. Havia tanto carinho ali, tanta inocência e esperança, traços da criança feliz que Brandon Grolsch deve ter sido, antes de ter o futuro roubado pelas drogas. A cadeira da mesa em formato de bola de futebol americano. Os pôsteres de Lamborghinis nas paredes. Os troféus de natação e caratê espremidos entre os livros sobre heróis da NFL e exploração espacial. A almofada gigante em formato de B escorada na cama para adolescentes da Pottery Barn.

Quando foi que tudo começou a dar errado?

Um barulho fez Goodman dar meia-volta. Com os olhos ainda inchados de tanto chorar, a mãe de Brandon estava parada à porta, ansiosa.

— Brandon tinha um computador? Ou um celular? — perguntou Goodman.

Ela assentiu com a cabeça.

— Os dois. Mas vendeu ambos muito antes de ir embora. Você sabe como é quando os garotos têm problemas, não é?

Goodman fez que sim. Ele sabia como era.

Frances Grolsch deu uma olhada, distraída, pelo quarto do filho.

— Talvez ele tenha arranjado outro telefone... acho que ele deve ter arranjado.

— Sra. Grolsch, seu marido acredita que Brandon está morto. Ele me disse que a senhora recebeu uma carta...

— Nós não temos certeza! — interrompeu Frances, torcendo os dedos sem parar sobre o colo, como se estivesse tentando tirar as últimas gotas de água de um pano de prato. — A carta não estava nem assinada. Talvez tenha sido um engano.

— Mas então *existiu* uma carta mesmo, certo?

Ela assentiu, completamente deprimida.

— E foi a Sra. Baden quem lhe entregou a carta?

Outro aceno de cabeça. Em seguida, mais lúcida que antes, ela continuou:

— Ele pode estar mesmo morto, detetive. Tenho consciência disso. Não sou idiota. Ele costumava me ligar duas, três, quatro vezes por semana, qualquer que fosse seu estado. De repente no verão passado as ligações pararam de uma hora para outra. — Os olhos dela ficaram marejados. — Mas, até que não reste dúvida, até eu ter cem por cento de *certeza*, não vou perder as esperanças. Você entende, não é?

— Entendo. E por isso é tão importante descobrir o que aconteceu com Brandon, Sra. Grolsch. Precisamos saber disso para nossa investigação. E a senhora também, de uma forma ou de outra. Certo?

Ela assentiu com um movimento enérgico.

— Havia outros adultos com quem ele pudesse ter entrado em contato após sair de casa? Quando parou de ligar para a senhora. Talvez um professor da escola, um orientador, ou até um médico?

Frances Grolsch suspirou fundo.

— Brandon não gostava de professores. Teve vários terapeutas, mas acho que não entraria em contato com nenhum deles.

De repente, Goodman teve um insight.

— Ele já teve uma terapeuta chamada Dra. Nicola Roberts?

Frances franziu o cenho e pensou por um instante. Depois, fechou os olhos, como se o esforço fosse demais para ela, e balançou a cabeça.

— Acho que não. Não me lembro desse nome. — Em seguida, olhou para Goodman. — Afinal, o que o senhor está investigando? Brandon pode ter se metido em confusão, detetive?

Goodman encarou aquela mulher arrasada e solitária, que estava casada com um homem que a maltratava e passava os dias numa prisão enorme e suntuosa que chamava de casa. *Suspeito que Brandon esteja metido em confusão há muito, muito tempo*, pensou ele.

— Ainda não temos certeza de nada, senhora — respondeu em voz alta, tirando um cartão do bolso e pressionando-o na mão fria e úmida da mulher. — Mas, caso se lembre de alguma coisa, qualquer coisa que possa ajudar, por favor, me ligue.

Frances murmurou em concordância, atordoada.

Goodman saiu da casa e entrou na viatura. Tinha sido uma visita bastante esclarecedora. Estava claro que ele e Johnson precisavam conversar com o Sr. *e* a Sra. Baden o quanto antes. Mas, enquanto dirigia, o que mais o atormentava e lhe dava calafrios era a atmosfera tóxica do lar dos Grolsch.

Pobre Brandon.

Era em famílias assim que nasciam os monstros.

Não há dinheiro que compense uma vida deprimente e sem amor.

Ao passar pela casa vizinha, com os balões de aniversário ainda do lado de fora, Goodman se viu fazendo uma oração silenciosa para Ryan, que estava completando 9 anos.

Boa sorte, garoto. Acho que você vai precisar.

CAPÍTULO OITO

— Treyvon? *Trey!*

A voz de Marsha Raymond ecoou pelo corredor da casinha de um andar na Denker Avenue. Marsha havia se mudado para lá dois anos antes com o filho, Trey, e a mãe, Coretta, após a casa onde moravam ter sido incendiada. Certa noite, os Hoovers, uma das piores gangues de Westmont, jogaram um coquetel molotov pela janela do quarto de Marsha Raymond. Sem motivo algum. Não havia rixa nem inimizade. Simplesmente aconteceu.

Foi uma época ruim em todos os sentidos, quando Treyvon ainda usava drogas e traficava para financiar o vício. Desde então muitas coisas boas aconteceram. Eles se mudaram para aquele lugar. Trey parou de usar drogas. Arranjou um emprego. Os Raymond tinham de agradecer ao Dr. Douglas, *que Deus o tenha*, e à sua linda mulher, Nikki, por tudo isso. Às vezes, pensava Marsha, Deus realmente escrevia certo por linhas tortas.

— TREY! — gritou ela, esforçando-se para ser ouvida em meio à música alta. — Tem visita para você! Vem aqui!

Haddon Defoe o esperava no corredor e sorriu ao ver a mãe de Trey, uma mulher formidável, invadir o quarto do filho e arrancá-lo à força de lá. Trey Raymond havia evoluído muito desde que Haddon o conhecera na clínica de reabilitação, quando ficara sob os cuidados de Doug. E não só Trey. A família inteira. Na época o garoto era um viciado esquelético, desesperado, com um olhar esbugalhado, o corpo coberto de feridas. Tinha convulsões violentas. Ninguém melhor que Haddon sabia como era raro uma intervenção dar certo, sobretudo com garotos vindos de antros como Westmont, garotos tão viciados como Treyvon Raymond. Mas, vez ou outra, dava tudo certo. Trey era um desses raros casos.

— E aí, cara! — Haddon levantou a mão para fazer um high five enquanto Marsha segurava o filho por trás e o empurrava para fora do quarto. — Como vai?

— Bem, cara — respondeu Trey, orgulhoso. — Vou bem. Não estava esperando sua visita.

— Eu estava de passagem.

Ele deu uma piscadinha e ambos riram. Westmont não era o tipo de bairro por onde um homem como Haddon Defoe "passava". Os dois podiam até ter a mesma cor de pele, mas vinham de mundos bem diferentes. Haddon havia crescido em Brentwood, era filho de um médico com uma professora de história da UCLA. Os jovens negros na clínica Roberts-Defoe em Venice apelidaram-no de "Obama", uma referência à sua criação culta e privilegiada e aos seus gostos "de branco", incluindo uma paixão por música barroca clássica e uma obsessão por filmes mudos dos anos 1920. Não havia nada que Haddon Defoe não soubesse sobre Charlie Chaplin, mas seu conhecimento sobre as letras de Tupac Shakur era absolutamente nulo. Trey, por outro lado, era resultado de um relacionamento adolescente entre sua indomável mãe, Marsha Raymond, e um imprestável encrenqueiro chamado Billy James, que havia sumido da vida deles muito tempo antes e que Trey imaginava que estivesse preso ou morto.

— Sério, Dr. Defoe, está tudo bem mesmo? — perguntou Trey, levando-o à minúscula sala de estar. — Por que está aqui?

Haddon colocou a mão no ombro do garoto.

— Está tudo bem, Trey. Só queria saber como você estava. Sei que Doug gostaria que eu fizesse isso.

Trey assentiu com gratidão. Doug Roberts fora quase como um pai para ele, o mais perto que chegara de ter um. Sentia muita saudade dele. Haddon Defoe foi o melhor amigo do doutor, o que o tornava parte da família aos olhos de Trey.

— Como vão as coisas no trabalho? Como está a Nikki? — perguntou Haddon.

— Desde o assassinato, você diz?

— Que assassinato? — perguntou Haddon, parecendo confuso.

— Sério que você não ficou sabendo? — Trey franziu o cenho. — Você não assiste ao noticiário, cara?

Então Trey relatou a Haddon o que tinha acontecido com Lisa Flannagan e contou que a polícia havia aparecido no consultório de Nikki.

— Lisa era paciente da Dra. Roberts.

— Essa não foi a garota que encontraram à margem da autoestrada? A amante de Willie Baden? — perguntou Haddon, estupefato.

— Ela era muito mais que isso — respondeu Trey, na defensiva. — Lisa era uma pessoa maravilhosa, de verdade. A polícia acha que a Dra. Roberts pode ter sido a última pessoa a vê-la com vida. Além do assassino, é óbvio.

— Óbvio. — Haddon parecia distraído. — Como eles eram?

— Quem?

— Os detetives que apareceram no consultório de Nikki.

— Ah, você sabe... Eram policiais. Um até parecia gente boa, acho. Mas o parceiro dele era um sujeito baixinho, gordo, de ascendência irlandesa. Um sujeito desagradável. E além de tudo, racista. Dava para ver nos olhos dele.

Haddon Defoe assentiu, ainda pensativo.

— E como Nikki ficou? Ela e a garota eram próximas?

Trey deu de ombros.

— Não sei. Acho que não muito. A Dra. Roberts parece bem. Quer dizer, está triste, como todo mundo. Foi um choque.

— Imagino.

Eles conversaram por mais alguns minutos, então Haddon foi embora, apesar de Marsha ter insistido que ficasse para o jantar.

— Tem muita comida aqui — garantiu ela. — Anda, Dr. Defoe. Está ocupado com o quê?

— Infelizmente tenho que ir ao escritório. — Haddon abriu um sorriso triste. — Você não faz ideia de quanta papelada ainda me espera hoje à noite.

Era mentira, assim como a declaração de Marsha Raymond de que podia alimentar uma boca a mais. Mesmo com o salário de Trey entrando na conta, a família mal conseguia sobreviver, e Haddon sabia disso.

— Esse aí é um bom homem — comentou a avó de Trey, Coretta, cambaleando até o quintal bem a tempo de ver o Dr. Defoe partir em seu luxuoso carro elétrico. — Você não sabe a sorte que tem, Treyvon.

— Eu sei, sim, vó. — Trey deu um beijo no alto da cabeça cada vez mais calva da avó. — Acredite em mim, eu sei.

Foi legal da parte de Haddon dar uma passada na casa de Trey. Atencioso.

Ao mesmo tempo, uma pequena parte dele achou a visita suspeita. Por que tinha escolhido justo aquela noite para ir a Westmont? Fazia um ano que Doug Roberts havia morrido e ele nunca havia "feito uma visitinha" antes. E por que todas aquelas perguntas sobre Nikki e a polícia? Será que era coincidência mesmo o fato de o Dr. Defoe ter aparecido ali logo depois da morte repentina de Lisa Flannagan? E será que Haddon *realmente* não sabia nada a respeito do assassinato?

Trey se serviu de um prato grande de asinhas de frango do El Pollo Loco enquanto tentava deixar de lado seus medos irracionais. *Estou sendo paranoico. O que Haddon Defoe poderia saber?* Minutos depois, seu celular vibrou. Ele ficou tenso ao ler a mensagem.

— O que foi, meu bem? — perguntou Marsha Raymond. Após tantos anos sofrendo com o vício de Trey, ela havia aprendido a ficar atenta às reações do filho.

— Nada — respondeu ele com um sorriso.

— Tem certeza?

Ele assentiu e guardou o celular.

— Era do trabalho. Eu me esqueci de fazer uma coisa.

Depois do jantar, Trey lavou a louça e tirou o lixo. Era importante fazer o que sempre fazia e não demonstrar sua pressa. Ele sabia que a mãe ficaria preocupada se algo parecesse esquisito. Só quando terminou de limpar a cozinha foi que ele pegou o casaco, do jeito mais casual possível.

— Vou dar uma saída — avisou.

Como que por instinto, ela semicerrou os olhos.

— Vai aonde?

Trey não usava drogas havia dois anos, mas sempre que ele dizia "Vou dar uma saída" Marsha ainda ficava temerosa. Era provável que nunca mais conseguisse ficar tranquila com aquela frase.

— Só vou dar uma volta, mãe. — Ele deu um beijo na bochecha dela.

— Uma volta? No nosso lindo bairro? — Ela ergueu uma sobrancelha.

Trey deu uma risada.

— Preciso de um cigarro. Hoje foi um dia muito louco, sabe? Não vou demorar.

— Está bem, meu amor. — Marsha se obrigou a relaxar. Afinal, ele era adulto. Não podia ficar controlando tudo que o filho fazia. — Cuidado lá fora.

— Pode deixar, mãe.

O vento frio da noite incomodava Trey Raymond enquanto ele caminhava pela Denker Avenue. Ele estava tenso como uma corda de violão esticada até o limite, prestes a arrebentar a qualquer momento.

Ele esperou dobrar a esquina e sair do campo de visão da casa, então pegou o celular e releu a mensagem.

Esteja na esquina da Vermont com a 135th em 1 hora.

Isso era tudo que a mensagem dizia. Mas foi o suficiente para que Trey soubesse quem a enviara e o que significava. Queria chorar, mas as lágrimas não saíam. Era tarde demais para isso.

Ele já conseguia vislumbrar a esquina — estava a menos de cinquenta metros. À exceção de duas prostitutas chapadas, encostadas no muro de uma loja de conveniência, o lugar estava deserto.

O celular vibrou de novo. Desta vez, era uma foto.

Quando clicou para abri-la, sentiu a bile subir pela garganta. Era o tronco de uma mulher — pelo menos o que sobrara dele — coberto de facadas. Os seios estavam à mostra e tinham sido cortados e abertos de um jeito grotesco, como um frango desossado pronto para ser recheado.

Lisa? Ou seria outra pessoa, uma pessoa nova? Outra vítima?

Sob a imagem havia duas palavras: *Anda logo*.

Trey começou a correr. Chegou ao ponto de encontro sem fôlego, mas não havia ninguém ali. Nenhum carro, nenhuma pessoa, nada. Só as prostitutas sentadas no meio-fio. Ele se agachou perto delas, balançou o ombro de uma e perguntou:

— Tinha alguém aqui? Você viu alguém esperando aqui agora há pouco?

A garota o encarou sem expressão no rosto, as pupilas dilatadas como o pulsar de uma estrela prestes a morrer. Em seguida, Trey tentou falar com a amiga dela, que estava quase desmaiada.

— Por favor! — Ele conseguia ouvir o desespero na própria voz, e isso o assustou. — Estou procurando uma pessoa. É muito importante.

De repente, a segunda garota se empertigou, como um robô cujas baterias haviam acabado de ser trocadas.

— E parece que encontrou, meu bem! — Ela sorriu. — Atrás de você!

Trey se virou bem a tempo de sentir o eletrochoque queimar seu peito. A dor foi lancinante. Ele caiu para trás e bateu a cabeça no concreto.

Então tudo ficou preto.

CAPÍTULO NOVE

— Dois pares.

Lou Goodman colocou os pares de 10 e 8 na mesa de fórmica. Mick Johnson era viciado em pôquer mano a mano. Goodman havia aprendido a jogar para tentar se aproximar de seu colega mais velho. Até então não tinha funcionado, mas continuava tentando.

— Straight. — Johnson abriu um sorrisinho presunçoso e mostrou a sequência de 6 a 10. — Acho que o café da manhã vai ser por sua conta hoje.

E o infarto vai ser pela sua, meu amigo, pensou Goodman, observando o parceiro começar a atacar a segunda pilha colossal de panquecas do Denny's, que estava encharcada de melado e chantilly.

Os detetives tinham escapado da delegacia juntos para comparar o progresso que fizeram — ou a falta dele — no caso do assassinato de Lisa Flannagan. O ex-amante de Flannagan, o dono bilionário do LA Rams Willie Baden, ainda não tinha voltado de sua viagem a Cabo São Lucas. Foi muito conveniente para ele que estivesse no México na noite em que Lisa foi morta, aproveitando as férias com sua leal e resignada mulher, Valentina, e agora o casal certamente pretendia ficar por lá até que a ofensiva cobertura da imprensa sobre o caso dele com Lisa perdesse a força. Goodman havia comentado com Johnson a respeito da ligação entre Valentina Baden e a mãe de Brandon Grolsch, Frances.

Mas um telefonema rápido para a instituição de caridade de Valentina não oferecera nenhuma informação útil, o que deixou os detetives sem alternativa: teriam de esperar o retorno dos Baden.

Johnson também não chegara a lugar nenhum. Não encontrara nada a respeito da família da garota morta — ela não tinha irmãos, e ambos os pais já haviam falecido; o detetive só encontrou uma tia em Reno que não via Lisa desde que a sobrinha tinha 6 anos. Para piorar, Goodman não conseguiu avançar na investigação para estabelecer se Brandon Grolsch estava vivo ou morto, muito menos descobrir como o DNA dele foi parar na unha de Lisa. Assim como os pais de Brandon, nenhum de seus velhos amigos e suas ex-namoradas tinha notícias dele havia oito meses, e ninguém soube informar nada nas clínicas de reabilitação e abrigos por onde Brandon havia passado e com os quais Goodman entrou em contato. Embora não quisesse dar o braço a torcer para Nathan Grolsch sobre qualquer assunto, parecia cada vez mais provável que o filho dele estivesse mesmo morto. Infelizmente, "provável" não era o suficiente.

A única outra pista que Goodman e Johnson tinham conseguido se revelou uma decepção. Houve muita empolgação quando foram encontradas tiras de tecido da roupa de Lisa perto de onde acharam o corpo. Mas o laudo foi inconclusivo. O temporal incomum que caiu perto da hora da morte dela tinha levado quaisquer traços de DNA. Com isso, a única pista restante foram as intrigantes células de Brandon na unha de Lisa. Até o momento não havia sinal do casaco desaparecido da Dra. Roberts — que a psicóloga afirmou ter emprestado à paciente na fatídica noite — nem da arma do crime.

No todo, não havia sido exatamente um começo triunfante.

— Não confio naquela psicóloga — comentou Johnson, colocando as cartas de baralho de lado e levando garfadas de panqueca até a boca escancarada. Ele dizia aquilo toda vez que discutiam o caso. — Acho que a gente devia conversar com ela de novo.

Goodman fez cara feia. A obsessão e a aversão crescentes de Johnson pela Dra. Nikki Roberts, a bela terapeuta da vítima, eram quase tão desanimadoras quanto a falta de evidências no caso.

— E dizer o quê? — perguntou Goodman, exasperado.

— A gente podia pedir as anotações dela — murmurou Johnson, colocando mais chantilly sobre a pilha de panquecas. — Anotações das sessões com a vítima.

— Sem um mandado, impossível. As informações compartilhadas entre médico e paciente são confidenciais.

Johnson bufou, com desdém.

— Ela não é médica! Não passa de uma porra de uma charlatã. Aquela mulher tem tanto treinamento médico quanto as tarólogas de Venice Beach.

— Isso não é verdade, Mick. Não entendo por que a odeia tanto.

— Você não conseguiria entender — resmungou o homem.

— Como assim?

— Ela é atraente — respondeu Johnson, curto e grosso. — Você gosta de mulheres atraentes.

— E você não?

Goodman pôs a xícara de café frio de lado. Tudo no Denny's era repulsivo para ele. Não entendia por que tantos colegas pareciam adorar aquele lugar.

— Enfim, não interessa se ela é atraente ou não — continuou ele. — A questão é que ela não tem nada a ver com a história. Ela é uma distração, não tem importância. Precisamos nos concentrar em falar com os Baden e também encontrar Brandon Grolsch.

Johnson grunhiu, evasivo. Logo em seguida seu telefone interrompeu seu silêncio mal-humorado.

— Alô?

Goodman ficou observando enquanto Johnson pousava o garfo devagar no prato e parava de comer. Ele escutava com atenção o que estava sendo dito do outro lado da linha. Após uma eternidade, Johnson disse, abruptamente:

— Tudo bem. Estamos a caminho agora mesmo.

E desligou.

— O que foi isso? — perguntou Goodman.

— Você se lembra de Treyvon Raymond? — perguntou Johnson, empurrando a cadeira para trás. — O pretinho arrogante do consultório da Dra. Roberts.

— O recepcionista? Claro. O que tem ele?

— Alguém o encontrou a menos de um quilômetro de onde encontraram Lisa Flannagan. Nu. Múltiplos ferimentos a faca, incluindo um no coração.

— Puta merda. — Goodman soltou o ar lentamente. — Então temos um serial killer.

— Não, ainda não. — Johnson se levantou e caminhou pesadamente em direção à saída.

— Como assim?

— Treyvon Raymond ainda está vivo.

CAPÍTULO DEZ

Localizado no coração de West Hollywood, o Hospital Cedars-Sinai sempre foi sinônimo de celebridade e glamour. Frank Sinatra e River Phoenix morreram ali, os filhos de Michael Jackson nasceram ali, e Britney Spears deu entrada na ala psiquiátrica de lá após surtar e raspar a cabeça.

No entanto, o Cedars também era um hospital movimentado, localizado numa área central, cuja emergência era a mais requisitada de Los Angeles. Diariamente, pessoas comuns vítimas de acidentes de carro ou overdose entravam pelas portas do hospital. Ambulâncias chegavam carregando todo tipo de dor e sofrimento humano, de queimaduras a ferimentos a bala, passando por vítimas de estupro e violência doméstica. Alguns dos melhores cirurgiões e especialistas também se encontravam ali. Um deles, o Dr. Robert Rhamatian, um iraniano magro e de fala mansa, havia acabado operar Trey Raymond — ou o que sobrara dele — quando os detetives chegaram.

— Quando poderemos falar com ele? — perguntou Goodman ao cirurgião, ansioso. — É fundamental descobrirmos o que ele sabe.

O Dr. Rhamatian suspirou fundo. Estava esgotado após seis horas exaustivas de trabalho e sem a menor paciência para dois policiais petulantes fazendo exigências.

— Acho que o senhor não está entendendo, detetive — disse, com uma paciência que não tinha. — O Sr. Raymond está gravemente ferido. Ele foi sedado, e é por isso que parece tão tranquilo agora. Fizemos o possível e a operação foi bem-sucedida, mas o dano no ventrículo esquerdo é enorme.

Goodman o encarou, sem entender.

— Ele levou uma facada no coração — esclareceu o cirurgião. — Demos o nosso melhor, mas não tenho certeza se ele vai sobreviver.

— Mais um motivo para falarmos com ele — retrucou Johnson, mal-humorado. — Pode acordar o garoto?

— Não. — O cirurgião lançou um olhar enojado ao policial suado, que vestia uma camisa com manchas de melado. — Não posso.

— Ele falou alguma coisa antes da cirurgia? — perguntou Goodman, torcendo para conseguir alguma informação útil antes de Johnson aborrecer o cirurgião de vez. — Estava consciente? Desculpe pressioná-lo, Dr. Rhamatian, mas temos razões para crer que quem fez isso com Treyvon Raymond pode ter assassinado uma jovem dias atrás. Se ele viu quem o atacou ou conseguiu se lembrar de qualquer coisa, é muito importante que o senhor nos conte.

— Eu entendo — disse o Dr. Rhamatian. — Mas infelizmente não sei o que aconteceu antes da cirurgia. É melhor falarem com os paramédicos que o socorreram. Vou pegar os nomes deles para vocês. Ei! — O cirurgião se virou e olhou feio para Johnson, que estava tentando abrir a porta da sala de UTI. — Que merda você pensa que está fazendo? Você não pode entrar aí.

— Ah, mas você vai descobrir que posso, sim — retrucou Johnson, agressivamente. — Vou fazer umas perguntinhas a esse moleque enquanto ele está vivo, quer você queira ou não.

— Já disse que ele está sedado. Não vai escutar nada.

— Então não vou incomodá-lo, certo? Olha, doutor, o senhor já fez seu trabalho. Agora, vamos fazer o nosso.

O Dr. Rhamatian lançou um olhar a Goodman, que parecia perguntar: "Você não pode fazer alguma coisa?"

— Sinto muito — murmurou o detetive, mas não fez nada para impedir Johnson, que abriu a porta e entrou na sala.

— Eu também sinto — disse o cirurgião, irritado. — É pelo bem do garoto... Isso é uma atrocidade.

Ele saiu bufando de raiva, e era óbvio que estava indo chamar reforços. Goodman correu atrás de Johnson.

— Precisava ser tão escroto? — perguntou Goodman. — O sujeito estava ajudando a gente.

— Não estava, não.

Johnson não tirou os olhos do leito onde Trey Raymond estava deitado, prostrado e imóvel. O peito do garoto, envolto numa bandagem, subia e descia em um ritmo lento e estável com a ajuda de um aparelho que parecia o cruzamento de uma máquina de filmes de ficção científica dos anos 1960 com um aspirador de piscina, de onde descia um tubo longo e corrugado. Os braços, o pescoço e as bochechas estavam cobertas de ferimentos superficiais a faca, exatamente como Lisa, e o rosto estava tão machucado que se encontrava irreconhecível. Não espanta que o assassino tenha dado Trey como morto.

— O garoto está morrendo, Lou. Você sabe disso. É agora ou nunca.

— Eu sei — concordou Goodman, taciturno. — Mas...

De repente, Johnson começou a bater palmas, as mãos gordas fazendo um estrondo ao se chocarem centímetros acima do rosto impassível de Trey.

— Acorde! — gritou. — Diga quem fez isso com você. TREY!

— Mick, espera aí...

— Eu mandei ACORDAR, SEU MERDA DO CARALHO! — berrou Johnson. — Abre a PORRA DESSES OLHOS!

— Jesus Cristo. — Goodman agarrou Johnson pelos ombros e o puxou para trás. — Pare. Deixe o garoto em paz. Qual é o seu problema?

Johnson deu meia-volta e, por um instante, parecia prestes a dar um soco na cara do parceiro. Porém, antes que pudesse agir, Trey abriu os olhos de súbito e soltou um grito de pânico.

— Eu não sei! — Seus braços começaram a se contorcer freneticamente. — Por favor! Ai, meu Deus! EU NÃO SEI!

Sua cabeça se debatia de um lado para o outro. Ele gritou de novo, e foi então que um gorgolejo horrível veio do fundo da sua garganta. Até Johnson ficou assustado. Uma das máquinas começou a apitar. Um grupo de enfermeiras e médicos entrou correndo no quarto no momento em que Trey afundou bruscamente na cama, sem reação.

— Quem deixou vocês entrarem? — vociferou um residente para Goodman e Johnson. — Só a equipe médica tem permissão para entrar aqui. Saiam!

Por um instante, Johnson hesitou. Mas, por fim, acabou seguindo Goodman para fora da sala.

No corredor, Goodman se voltou para o colega.

— Que merda foi aquela? A gente pode ser processado por isso! E se a família do garoto prestar queixa?

Johnson soltou uma gargalhada.

— E daí se prestar?

Era impossível não notar o tom racista de suas palavras. A insinuação tácita de que ninguém daria ouvidos a gente como Marsha Raymond, uma mãe pobre e negra de Westmont. Não pela primeira vez, Goodman sentiu uma onda de verdadeira aversão pelo homem com quem era obrigado a trabalhar.

Johnson começou a seguir em direção à saída.

— Aonde você vai? — perguntou Goodman.

— Voltar para a delegacia. É óbvio que o garoto não vai sobreviver. Esse aí já era. Pelo menos agora a gente tem certeza de uma coisa.

— Tem?

— Claro. É o mesmo assassino. Supondo que Trey morra, são duas vítimas em uma semana, ambas atacadas e desovadas exatamente do mesmo jeito.

— Ok. — Goodman ainda não tinha entendido por que esse fato óbvio havia deixado seu colega tão satisfeito.

— Então agora me diga — continuou Johnson, devagar. — Quem é a *única pessoa* que conecta as duas vítimas?

A ficha caiu.

Foi difícil ter de admitir, mas, desta vez, Johnson tinha razão.

Até onde sabiam, Lisa Flannagan e Trey Raymond tinham apenas uma coisa em comum.

Ambos eram próximos da Dra. Nikki Roberts.

CAPÍTULO ONZE

Mais cedo, naquele mesmo dia, Nikki Roberts se sentou em sua cama, ofegante. A camiseta estava grudada no corpo, ensopada de suor, e ela tremia, sentindo calafrios como se tivesse acabado de ser retirada da água gelada. O relógio na mesinha de cabeceira marcava 4:52 da manhã. Exausta, ela afundou a cabeça de volta nos travesseiros.

Foi o mesmo sonho que andava tendo havia meses — uma variação dele, na verdade: Doug está em perigo, à beira da morte, e grita por Nikki, implorando por ajuda. Mas ela não o ajuda, e, por sua culpa, ele morre. Em alguns sonhos, Doug está se afogando, e ela fica parada, apenas observando. Às vezes ele está num carro desgovernado, e Nikki tem uma espécie de controle remoto que pode ativar os freios, mas se recusa a usá-lo. Na versão dessa noite, os dois caminhavam numa trilha no alto de um penhasco em Big Sur, e de repente Doug escorregou e ficou pendurado no precipício. Desesperado, ele estendeu o braço, implorando a Nikki que segurasse a mão dele, que o puxasse e o levasse de volta à segurança. Mas, desta vez, em vez de simplesmente se recusar ou ignorá-lo, Nikki soltou os dedos de Doug, um a um, empurrou-o para a morte e ficou assistindo ao corpo dele se espatifar nas rochas lá embaixo. Ela o matou. E o pior de tudo foi que, no sonho, se sentiu eufórica com a tremenda sensação de poder desse ato.

Horas depois, Nikki, ainda abalada, encontrou-se com sua amiga Gretchen Adler para um *brunch* em Melrose.

— Tive aquele sonho de novo — contou, assim que se sentaram no café Glorious Greens.

— Com o Doug?

Nikki assentiu.

— Só que dessa vez foi pior.

E então relatou seu último pesadelo à amiga enquanto um garçom bonito esperava para anotar seus pedidos. Nikki pediu o de sempre: ovos pochés, torrada e um *latte* triplo. Já Gretchen preferiu um smoothie de couve com beterraba que tinha uma aparência horrível e uma tigela de alguma coisa com grãos germinados. Gretchen era a amiga mais antiga de Nikki — as duas se conheciam desde o ensino médio — e uma pessoa incrível, mas havia passado a maior parte da vida adulta lutando contra a balança. Estava sempre falando sobre uma nova dieta, ainda que nunca tivesse conseguido emagrecer. A dieta da vez era a crudivegana.

— Você parece exausta — comentou Gretchen. — Se está com dificuldade para dormir, deveria pensar em se tornar vegana, ou pelo menos começar a comer alimentos crus à noite, antes de se deitar. O que você jantou ontem?

— Um hambúrguer.

— Viu? — Gretchen se recostou na cadeira, satisfeita por ter comprovado o argumento. — Carne vermelha. É certeiro para dar pesadelo.

— É mesmo?

— É. Tirando queijo. Ai, meu Deus. Não era um cheeseburger, era? — Gretchen arfou de maneira dramática.

Nikki deu uma gargalhada e confessou que sim, infelizmente, tinha sido um cheeseburger. No entanto, não acreditava realmente que pudesse culpar a dieta pelos pesadelos.

— Bom, então por que você acha que é?

— Não sei. Culpa, talvez.

Gretchen não acreditou.

— Que bobagem. Por que você se sentiria culpada? A morte de Doug foi um acidente.

— Eu sei.

— Você foi uma esposa maravilhosa, Nikki.

— Uma esposa maravilhosa e infértil — acrescentou Nikki, melancólica.

Gretchen fez cara feia.

— Ah, pare com isso. Era você que se importava com isso, muito mais do que o Doug.

É mesmo? Nikki já não se lembrava mais.

— Talvez seja raiva, então. Talvez eu ainda sinta tanta raiva dele que meu subconsciente esteja tentando aliviar a pressão me fazendo assassinar cruelmente meu já falecido marido.

— Sabe o que eu acho? Acho que vocês psicólogos só falam besteira. É apenas um sonho. Não significa nada. Quer dizer... Meu Deus, Nik, você está vivendo num estresse dos infernos. É natural que seu subconsciente perca um pouco o controle. O que você precisa é de uma distração.

— Como o quê? — perguntou Nikki, cansada.

— Bom... — Gretchen se inclinou para a frente com um ar conspiratório. — Imagino que você esteja por dentro de toda essa história sobre sua pobre paciente assassinada e Willie Baden, certo?

Ela se abaixou, enfiou a mão na bolsa e tirou uma cópia da edição mais recente da *Us Weekly*. Fotos tiradas por paparazzi mostravam o dono dos LA Rams, barrigudo e caquético, em uma praia no México. Ao lado delas estavam imagens sensuais de Lisa Flannagan da época em que era modelo. Entre as fotos e três páginas de uma matéria sensacionalista sobre o caso dos dois, intitulada "A traição de Baden", havia algumas fotos de Valentina Baden, a mulher de Willie.

Nikki analisou as imagens. A Sra. Baden devia ter uns 60 e poucos anos e era uma mulher atraente para a idade. Era magra, elegante e tinha um cabelo louro-acinzentado curto e bem cortado. Mas, ao mesmo tempo, parecia acabada e assustada em todas as fotos tiradas por paparazzi, nas quais usava a saída de praia como escudo e se escondia por trás de óculos de sol enormes.

Enquanto folheava a revista, Nikki balançou a cabeça, irritada.

— Pobre mulher. Por que não a deixam em paz?

Gretchen deu de ombros.

— Eles nunca deixam ninguém em paz, você sabe muito bem disso. E Valentina Baden pode ser tudo menos pobre.

— Você sabe o que eu quis dizer.

— Eu sei, mas suspeito que você também esteja errada com relação a isso. Tenho para mim que ela está mais do que acostumada a esses casos. Quer dizer, não é como se essa garota que foi assassinada tivesse sido a primeira amante dele.

— Desgraçado — murmurou Nikki entre os dentes.

— Talvez eles tenham uma espécie de "acordo" — sugeriu Gretchen, brincando. — Vai ver Valentina é uma predadora com um harém de jovens amantes.

— Não tente diminuir a culpa dele — retrucou Nikki. — Isso é coisa de *homem*. Foi *ele* quem fez a merda, não ela.

Gretchen se encolheu com a fúria repentina da amiga. Afinal, nenhuma das duas conhecia os Baden pessoalmente. Tudo não passava de fofoca; era o tipo de coisa que a antiga Nikki adorava. Antes de a morte de Doug tirar toda a alegria dela.

— Às vezes eu não entendo você — comentou Gretchen em voz baixa.

— Como assim?

— Achei que você ficaria furiosa ao ver que a mídia está focando no caso dela com Willie Baden em vez de se concentrar no assassinato. Quer dizer, a coitada da sua paciente está morta. A história não deveria ser sobre o crime? Mas, em vez disso, você parece mais preocupada com a mulher de Baden, que não está morta e sabia muito bem onde estava se metendo!

— Ninguém se casa achando que vai ser traído — retrucou Nikki em tom áspero. — E, além do mais, Lisa Flannagan está morta. Não pode mais ser magoada. Ao contrário de Valentina Baden. — Em seguida, fincou o dedo com raiva na revista. — Quer dizer, *ela* é a única inocente aqui. Lisa não era inocente! Acredite, eu conheci essa garota. Era uma egoísta, narcisista e mentirosa que dormia com o marido de outra por dinheiro.

Gretchen não disse nada, mas um sentimento de profunda inquietação tomou conta dela, algo que se tornara frequente em seus encontros com Nikki. Desde a terrível noite do acidente de carro de Doug, Gretchen vinha assistindo à amiga ser corroída pela tristeza e pela raiva. As circunstâncias da morte do marido mudaram Nikki. Transformaram-na numa mulher mais dura. Mais fria. Menos tolerante. Gretchen esperava que a mudança fosse temporária.

— Bom, se serve de consolo, acho que Valentina Baden é mais durona do que você imagina — disse Gretchen, tentando amenizar o clima. — Antes de se casar com Willie ela era mulher de um figurão do mercado financeiro e levou toda a grana dele quando os dois se separaram.

— Sério? — indagou Nikki, intrigada. A raiva pareceu se dissipar. Nikki sempre ficava fascinada com o vasto conhecimento de Gretchen sobre as fofocas de celebridades. — Como *você* sabe dessas coisas?

— Eu li. Na verdade, Valentina teve uma vida incrível. Cresceu na Cidade do México, e, durante a adolescência, a irmã mais nova dela desapareceu e nunca mais foi encontrada. Dá para imaginar? Ela deu entrevistas sobre o assunto. A família presumiu que a menina havia morrido, mas nunca teve certeza absoluta. Ela pode ter sido estuprada, sequestrada ou qualquer outra coisa.

— Que horrível! — exclamou Nikki, lamentando. — Deve ter sido uma tortura.

— Pois é. E Valentina nunca teve filhos, mas usou o dinheiro do marido para fundar uma instituição de caridade que ajuda a encontrar pessoas desaparecidas. Você se lembra do caso Clancy?

Nikki vasculhou a memória. *Clancy.* O nome era vagamente familiar.

— Uma *au pair* americana que desapareceu na Cidade do México — explicou Gretchen. — Tem uns dez anos isso.

A lembrança voltou de repente.

— Ah, lembro, sim! Acho que vi o pai dela na TV. Ele não era bombeiro, ou coisa assim?

— Isso. Bom, foi o dinheiro de Valentina Baden que levou o pai à TV e despertou a atenção do público para a busca pela garota. Acho que Valentina se interessou especialmente por este caso por causa da coisa toda da Cidade do México e da irmã dela. Charlotte era o nome da garota. Charlotte Clancy.

— E ela foi encontrada?

Gretchen balançou a cabeça.

— Nunca. Foi igualzinho ao caso da irmã de Valentina. A eterna falta de informações. Enfim, eu só contei tudo isso para mostrar a você que a mulher de Willie Baden já viveu um inferno muito pior que o atual. É pela sua paciente que eu lamento. Ela morreu tão jovem!

— Ela era jovem, sim — concordou Nikki, suavizando o discurso.

— E estava tentando dar um jeito na vida, sabe? Não é que eu não me sinta mal pelo que aconteceu com Lisa...

— Acha que Willie deu um fim nela? — interrompeu Gretchen, empolgada. — Acha que, sei lá, ele apagou Lisa?

Nikki fechou a revista e soltou uma gargalhada.

— Acho que você andou assistindo a muitos episódios de *Família Soprano*, Gretch. "Apagou"?

— É sério! Quer dizer, ele é rico o suficiente para isso, não é? Aposto que conhece pessoas que conhecem pessoas...

— Willie não fez isso. Eles já tinham terminado. Embora ele tenha ficado irritado com o término — comentou, pensando na última sessão com Lisa. Ela se lembrou do relato casual da paciente, que dissera que Baden havia quebrado louças e feito ameaças.

— Viu? — Gretchen se empolgou com o assunto. — Ele tinha um motivo.

— Acho que não foi Willie Baden. Ninguém gosta de levar um pé na bunda, então é claro que o orgulho dele estava ferido. Mas nunca tive a impressão de que Lisa tinha medo dele.

— Talvez devesse... — disse Gretchen. — Bom, se não foi Willie, quem *você* acha que foi?

Por um momento, Nikki lançou um olhar estranho e intenso à velha amiga.

— Não faço ideia — respondeu. — Por que todo mundo acha que eu sei quem matou Lisa Flannagan?

Gretchen deu de ombros.

— Você era a terapeuta dela.

— Os pacientes não nos contam tudo, sabia? Tenho certeza de que um dos investigadores do caso acha que estou escondendo alguma coisa.

Gretchen fez cara feia.

— Por que ele pensaria uma coisa dessas?

— Quem sabe? — retrucou Nikki, agradecendo ao garçom quando ele colocou os ovos pochés diante dela. — É um sujeito baixinho, cheio de testosterona e ódio. Dá para ver que me odeia. Ele não disse isso com todas as letras, mas eu não me surpreenderia se me considerasse suspeita do crime.

— Não seja ridícula!

— Mas *é* ridículo? — perguntou Nikki, distraída. — Eu fui a última pessoa a ver Lisa com vida, afinal de contas.

— Bom, sim, mas...

— E todos nós temos um lado sombrio. Não esqueça que ontem à noite eu empurrei meu marido de um penhasco. E *gostei*. — Nikki fez uma pausa, então abriu um enorme sorriso.

Gretchen respirou fundo.

Ok. Foi uma piada. Ela está brincando.

O humor negro é um mecanismo de defesa natural para quem está de luto. Gretchen podia não ser terapeuta, mas até ela sabia disso. Ainda assim, estava se tornando cada vez mais difícil, e até assustador, entender o que se passava na cabeça de Nikki. Piada ou não, havia alguma coisa de errado com ela, e essa coisa parecia estar piorando, e não melhorando.

Além de tudo pelo qual Nikki estava passando, dava para ver que o assassinato a deixara ainda mais estressada. Mais um golpe e a amiga poderia surtar de vez.

Quanto antes pegassem o maníaco que cometeu o crime, melhor.

CAPÍTULO DOZE

Eram cinco da tarde quando Haddon Defoe chegou ao hospital. Pegou o elevador até o quinto andar, passou pela Clínica de Reabilitação de Dependentes — onde trabalhava duas vezes por semana — e atravessou o corredor às pressas, rezando para não ser tarde demais. Mas, quando as enfermeiras o conduziram à sala de espera, ele sentiu uma dor no peito. Isso só podia significar uma coisa.

O rosto molhado de lágrimas de Marsha Raymond imediatamente confirmou as piores suspeitas de Haddon.

— Ele se foi, Dr. Defoe. — A mãe de Trey balançava a cabeça, o lábio inferior tremendo. — Tem uns quinze minutos. Eu estava sentada lá, segurando a mão dele, e de repente o coração simplesmente parou de bater. Ele não falou mais nenhuma palavra desde que aqueles policiais foram embora hoje de manhã. O médico disse que eles nunca deveriam ter aparecido aqui.

Como que por instinto, Haddon puxou a mulher chorosa e a abraçou. Seus pensamentos estavam a mil. Era muita coisa para assimilar. Só se passara uma hora e meia desde que recebera a ligação de Marsha, contando uma história confusa sobre Trey ter sido sequestrado, esfaqueado e internado e implorando a Haddon que fosse ao hospital. Ele pegou o carro e, enquanto seguia para o Cedars o mais rápido que podia, pensou em Trey e no que podia ter acontecido e pensou também em seu velho amigo Doug Roberts, que amava o garoto como se fosse um filho. Como Doug teria lidado com tudo aquilo? E agora Haddon estava ali, mas era tarde demais. Trey Raymond havia morrido. Mas não antes de a polícia aparecer no hospital e interrogá-lo, desafiando as ordens do médico. A situação toda era uma confusão.

— O corpo dele tinha mais de *cinquenta cortes*! — disse Marsha, ainda chorando ao se afastar de Haddon e afundar numa poltrona. — Deram uma facada no coração, tiraram a roupa dele e o jogaram à margem de uma estrada. Devem ter pensado que ele estava morto.

É, refletiu Haddon. *Devem ter pensado.*

— Quem faria uma coisa dessas, Dr. Defoe? Quem faria isso com o meu bebê?

— Não sei, Marsha — murmurou Haddon. — Sinto muito.

— Não quero *seus sentimentos*. — A cabeça da mulher ergueu-se, os olhos intensos com a raiva. — Eu quero saber POR QUÊ. Quero saber QUEM. Meu Trey nunca fez mal a ninguém, doutor. Ele cometeu erros no passado, sim, todos nós sabemos disso. Mas estava *limpo*. Era um bom garoto. Tinha uma vida nova, um futuro pela frente! A Dra. Roberts... — Sua voz falhou, e a torrente de lágrimas voltou a deslizar por seu rosto, impedindo-a de concluir o pensamento.

— A polícia disse alguma coisa? — perguntou Haddon, baixinho.

Marsha negou com a cabeça, ainda desconsolada.

— A Nik... a Dra. Roberts sabe?

Ela negou novamente.

— Ninguém sabe. Só você. Você é o primeiro. O corpo dele ainda nem esfriou, doutor!

Uma enfermeira apareceu na entrada quando Marsha recomeçou a chorar, mas Haddon fez um gesto para dispensá-la.

— Sou amigo da família, enfermeira. Eu cuido disso. — Em seguida, virou-se para Marsha e continuou. — Quer que eu fale com a polícia e dê a notícia a Nikki?

Marsha Raymond secou os olhos com um lenço e assentiu.

— Obrigada. — Ela fungou. — Eu gostaria, sim. Preciso voltar para casa. Minha mãe está esperando notícias. E depois, acho... os preparativos...?

— Não se preocupe com nada disso — disse Haddon, em um tom suave. — Deixe que cuido de tudo. Eu falo com a polícia e vejo como devemos proceder. Concentre-se em Coretta. Eu sinto muito mesmo, Marsha. Ele era um jovem muito especial.

Em meio às lágrimas, a mãe de Trey Raymond conseguiu dar um sorriso de gratidão.

— Você é um homem bom, Dr. Defoe. Obrigada por vir.

— Não há de quê. — Haddon a abraçou novamente. — Me ligue se precisar de qualquer coisa.

Nikki mal tinha saído do chuveiro quando ouviu a campainha. Ela enrolou uma toalha no cabelo molhado, como um turbante, e colocou o roupão enorme de Doug, que ainda usava quando precisava se sentir próxima dele, antes de descer as escadas correndo.

— Haddon! Que surpresa agradável!

Ela ficou desconcertada ao ver o velho amigo e ex-sócio de Doug à porta. Embora mantivessem contato e se encontrassem vez ou outra para tomar um café, Haddon Defoe não aparecia ali desde o funeral de Doug. Talvez Nikki estivesse imaginando coisas, mas sempre notava uma certa tensão quando encontrava Haddon por acaso, como se tivesse vergonha de ficar perto dela sem Doug. Hoje, porém, a tensão no rosto dele mostrava que havia algo além do constrangimento de sempre.

— Olá, Nikki. — Ele pigarreou. — Posso entrar?

— Claro. — Ela conduziu Haddon até a cozinha, incomodada com a estranha formalidade dele. — Está tudo certo, Haddon? Você não me parece bem.

— Infelizmente, tenho uma péssima notícia para lhe dar, mas queria que soubesse logo por mim antes de a polícia entrar em contato, como suspeito que fará — informou Haddon, soturno. — Nikki, sinto muito, mas Trey Raymond morreu.

Nikki ficou em silêncio. Ela esticou o braço, em busca de apoio no balcão central da cozinha, então se sentou lentamente num banquinho. Sentia-se fraca.

Aquilo não podia estar acontecendo. Trey também?

— O que aconteceu? — perguntou, por fim, com a voz rouca e seca.

— Bom... — Haddon evitou encará-la. Olhou para o chão, para as janelas, para qualquer lugar, menos para Nikki. — Não sei de todos os detalhes. Saí do hospital e vim direto para cá. Mas parece que ele foi assassinado. Esfaqueado diversas vezes, morto com um golpe fatal no coração.

Nikki balançou a cabeça. *Não. Isso deve ser algum engano.*

— Ele foi encontrado nu à margem da estrada. Muito perto de onde...

— Pare — interrompeu Nikki, balançando a cabeça como se quisesse afastar aquela terrível verdade. — Por favor, eu não posso. Não pode ser. De novo, não.

Haddon se aproximou dela. Em seu íntimo, sempre achara a esposa de Doug uma mulher extremamente atraente. O que o encantava era sua combinação rara de força e vulnerabilidade, uma ambição somada a uma espécie de carência intensa. É claro que era de Doug que Nikki sempre precisou, não de Haddon. Doug, que nunca se dera conta da joia que tinha. Mas Doug havia morrido, e Haddon estava ali, assim como Nikki, a pele ainda molhada do banho, os olhos escuros se enchendo de lágrimas, se transformando em dois oceanos de tristeza...

Ele tentou tocar o braço de Nikki para reconfortá-la, mas ela se afastou com um movimento repentino, como se ele fosse uma cobra prestes a dar o bote.

— O que mais você sabe? — indagou Nikki. — Me conte tudo.

Haddon abriu os braços.

— Isso é tudo que sei. Como eu disse, vim direto do hospital. Ele foi encontrado com vida, e acho que ainda havia a esperança de que...

A voz de Haddon foi perdendo força. A pobre Nikki estava pálida com o choque.

— Por quê? — perguntou ela. — Por que alguém ia querer fazer mal **a um garoto** desse jeito? Não entendo.

— Ninguém entende. Ainda. Marsha Raymond me pediu para falar com a polícia no lugar dela, então pretendo ir à delegacia assim que sair daqui. Espero descobrir mais informações lá. Sinto muito, Nikki.

Ela se voltou para ele de súbito, com uma raiva irracional.

— Por que *você* sente muito?

Em um instante, ela foi de médico a monstro, transformando-se totalmente em outra pessoa. Haddon ficou tão desorientado que demorou um momento para responder.

— Eu só quis dizer... você já passou por muita coisa — respondeu, corando. — E sei que você e Doug amavam Trey como se fosse um filho. Só estou preocupado com você. Tem alguém para quem eu possa ligar? Não quero deixar você sozinha aqui desse jeito.

Nikki piscou lentamente, como se estivesse acordando de um sonho e vendo Haddon pela primeira vez. Quando voltou a falar, estava calma.

— Não precisa ligar para ninguém. Estou bem. É só o choque. Vou ficar bem. Foi muito gentil da sua parte vir até aqui. De verdade.

Ela o abraçou e se recompôs para acompanhá-lo à saída. No caminho, falou sobre amenidades e então acenou quando ele partiu.

Assim que Haddon foi embora, Nikki fechou a porta e se recostou nela, ofegante.

Então agora são dois.

Lisa Flannagan, de quem ela nunca gostara de verdade.

E Trey Raymond, a quem amara, ainda que por causa de Doug.

Duas vidas destroçadas. Os dois, brutalmente assassinados no auge da juventude.

Pobre Trey.

Nikki esperou ser atingida pela dor, pela torrente de sentimentos que seria apropriada para o momento, mas, em vez disso, se sentiu estranhamente entorpecida. É curioso como o luto é capaz de fazer isso com as pessoas. Desligá-las como se fossem um interruptor.

Exausta, subiu a escada sozinha.

Sempre sozinha.

CAPÍTULO TREZE

Valentina Baden tomou outro gole de seu espresso e se recostou na poltrona, satisfeita. Adorava Cabo San Lucas, adorava a casa que ela e o marido tinham lá, com sua sacada caiada na suíte master, que tinha vista para os jardins elegantes, para as quadras de tênis e, mais adiante, para o mar límpido azul-piscina. Antes de Willie comprar o LA Rams, eles costumavam ir muito a Cabo. Mas, desde então, ele ficou obcecado com aquela maldita equipe de futebol americano e tirá-lo de Los Angeles tornou-se muito difícil.

E não era só o Rams que vinha prendendo Willie a Los Angeles. Também tinha a garota, Lisa, aquela vadia ridícula com quem ele estava saindo nos últimos oito anos, correndo pateticamente atrás dela como um cachorrinho perdido.

Mas isso acabou. Valentina deu um sorriso satisfeito. *A garota morreu. E já foi tarde.*

Se fosse ser justa, precisava admitir que Willie e sua jovem amante já não estavam bem. Mesmo antes da morte prematura de Lisa Flannagan, Willie havia sugerido que ele e Valentina voltassem ao México juntos.

— Nós deveríamos passar um tempo na nossa casa antes que o povão tome conta do lugar — dissera Willie durante um jantar um mês antes, como se não fosse nada de extraordinário. — Passar umas semanas em Cabo. Talvez mais, dependendo de como estiverem os negócios.

Ao que parecia, Willie vinha negociando duas propriedades: uma em Punta Mita e outra na Cidade do México, cidade natal de Valentina. O plano dele era viajar a trabalho durante a semana e voltar a Cabo aos sábados e domingos.

— Você gostaria disso, não é, meu amor? — perguntou Willie em tom sedutor. — Passar o verão inteiro no México?

Valentina respondeu que adoraria. E a verdade é que tinha gostado mesmo, apesar da irritação inesperada de ser seguida pelos paparazzi, que pareciam um enxame de moscas após o inconveniente assassinato de Lisa Flannagan e a revelação na imprensa de que a modelo morta tinha sido a mais recente amante de Willie.

Valentina havia lido os detalhes da pavorosa morte de Lisa e os poucos "fatos" que a imprensa tinha conseguido garimpar sobre seu relacionamento com Willie, mas os Baden não haviam discutido uma palavra sobre o assunto. Fazia muito tempo que Valentina não dava mais a mínima para as atividades extraconjugais de Willie. Na verdade, se alguma garota estava disposta a dormir com ele em troca de algumas joias insignificantes e um apartamento qualquer na parte pobre de Beverly Hills, era um favor que fazia a Valentina, pois mantinha aquele sapo repugnante longe da cama *dela* e permitia que ela curtisse seu estilo de vida esbanjador em paz. Isso sem contar sua liberdade.

De todo esse episódio, a única parte que incomodava Valentina Baden era o fato de a polícia de Los Angeles ter pedido para falar com ela e com Willie "o mais rápido possível", chegando ao ponto de solicitar que ela voltasse imediatamente aos Estados Unidos, algo que não tinha a menor intenção de fazer. Valentina não estava com a menor vontade de falar com a polícia sobre o assassinato da vadia de Willie — nem sobre qualquer outra coisa, aliás. Em sua amarga experiência, a polícia não ajudava em nada quando *alguém* precisava *deles*, mas, quando *eles* precisavam *da pessoa*, não pensavam duas vezes antes de incomodá-la.

Valentina tomou o restinho da xícara de café, pegou o binóculo que Willie deixava na sacada para observar pássaros e mirou seu amado esposo, que estava na quadra de tênis com o novo treinador, Guillermo.

Os dois formavam um par ridículo. Guillermo era alto, jovem e atlético, exatamente o tipo de homem que atraía Valentina, com os ombros largos subindo e descendo dentro da roupa de tênis branca, a brisa batendo no cabelo escuro e espesso enquanto ele se movimentava como uma gazela. E, no outro lado da quadra, havia Willie: baixinho, gordo e completamente careca, imitando os movimentos do jovem treinador, seus membros frágeis e cheios de manchas de idade executando uma paródia grotesca do forehand que Guillermo fazia sem o menor esforço.

Ele é velho e nojento, pensou Valentina. *Está suando feito um porco, pronto para ir para o abatedouro.*

Mas ela precisava admitir: Willie respeitara sua parte do acordo. Os cartões de Valentina não tinham limite de crédito. Todo ano, ele fazia doações generosas à instituição de caridade dela, a Desaparecidos, sem nunca se dar o trabalho de procurar descobrir como "funcionava" o lugar. Assim como a pobre María, a irmã de Valentina que havia desaparecido fazia tanto tempo, Willie sabia ser digno de confiança no que realmente importava. Além do mais, raramente exigia algo de Valentina, sexual ou socialmente, ao contrário do que Richard, seu ex-marido, costumava fazer. E ainda havia o fato de, pelo menos até então, ele ser muito discreto nos casos extraconjugais.

Se aquela imbecil da Lisa tivesse ficado de bico calado em vez de se gabar aos quatro ventos sobre seus encontros com Willie, talvez ainda estivesse viva. Ela havia até aberto o coração para uma terapeuta, a incrivelmente fotogênica Dra. Nicola Roberts. No fim das contas, foi Lisa Flannagan quem acabou se tornando o porco abatido, ao passo que Willie, seu amante ancião, continuou vivo, suando e ofegante, sofrendo com a artrite e agindo de forma egoísta.

Paciência. Todos nós fazemos nossos sacrifícios, pensou Valentina Baden, irônica. *Nossos pactos com o diabo.*

Ela só torcia para que, em algum momento, o humor de Willie melhorasse, de preferência antes de voltarem para Los Angeles e encararem a tormenta que os aguardava.

*

Lá embaixo, na quadra de tênis, Willie Baden secou a testa e lançou um olhar carrancudo ao treinador.

— A última bola foi dentro! — reclamou enquanto dobrava o corpo, apoiando as mãos nos joelhos, ofegando com o esforço.

— Se o senhor diz... — retrucou o garoto, Guillermo, com ar indulgente.

Babaca condescendente, pensou Willie.

Guillermo era um professor talentoso, mas tinha tanta daquela arrogância típica da juventude que seu corpo quase brilhava. Os jogadores de Willie no Rams também eram assim, a maioria deles. Arrogantes. Lisa também era arrogante. *Aquela piranha narcisista que apodreça no quinto dos infernos.* Ela havia realmente acreditado que poderia apagar Willie de sua vida quando se cansasse dele, como se pudesse simplesmente desligar um interruptor, que poderia jogá-lo fora como um brinquedo quebrado. Mas foi Lisa quem acabou sendo jogada fora, atirada à margem da estrada como uma boneca de pano. E agora era ele, Willie, quem estava pagando o preço por isso, sendo perseguido por fotógrafos aonde quer que fosse e vendo seu nome ser arrastado na lama. Era uma dor de cabeça que ele preferia ter evitado.

— Willie!

Glen Foman, o advogado de Willie, acenava para ele da lateral da quadra.

— Precisamos conversar! — gritou Glen. — Pode fazer uma pausa?

Sem dizer uma palavra, Willie entregou a raquete a Guillermo e saiu irritado da quadra.

— O que foi agora? — vociferou, abrindo a tampa da garrafa d'água com a mão trêmula e tomando um gole demorado.

— Terminei de redigir nosso depoimento — disse o advogado, sem se deixar intimidar pela grosseria do cliente. — Você precisa dar uma olhada. Acho que devemos voltar para Los Angeles amanhã e ir à polícia voluntariamente.

Willie negou com a cabeça.

— Você vai ler o depoimento que preparamos — continuou Glen, ignorando-o — e deixar a imprensa tirar fotos. Eu lido com qualquer pergunta...

— Não podemos ir embora amanhã — interrompeu Willie.

Glen Foman seguiu o olhar dele até a sacada da suíte master da casa, onde viu a mulher de seu cliente sentada, lendo um jornal, tão calma e tranquila quanto Lady Macbeth.

Ele está com medo dela, pensou Glen. *Mesmo com a iminência de uma possível acusação de assassinato, ele não quer irritar Valentina.*

— A Sra. Baden não precisa voltar — garantiu Glen. — Vamos só nós dois. Podemos fazer um bate e volta e estar aqui de novo em menos de vinte e quatro horas.

— Não. A polícia também quer falar com ela.

— Desde quando? — Glen fechou a cara. — Willie, você tem que me contar essas coisas. Eu sou seu advogado. Querem falar com ela sobre o quê?

— Como eu vou saber? — berrou Willie. — Enfim... o problema não é só Valentina. Também tenho negócios aqui, na Cidade do México. Negócios importantes, com pessoas que não gostam de ficar esperando.

— Bom, os negócios podem esperar — retrucou Glen, curto e grosso. — Você precisa falar com a polícia, Willie. Ficar escondido só faz você parecer culpado.

O olhar nervoso de Willie disparou de seu advogado para a sacada da suíte master, depois para os próprios pés.

Ele parece um rato preso numa armadilha, pensou Glen.

Será que era apenas a esposa que Willie temia? Ou havia algo mais? Se Willie Baden não fosse um sujeito tão desagradável, talvez Glen tivesse se apiedado dele.

Willie levantou a cabeça e olhou para o advogado com uma expressão desolada.

— Só quero que isso tudo acabe.

— Então acabe logo com tudo.

— Não é tão simples. — Willie massageou as têmporas. — Como eu disse, meus parceiros comerciais daqui não são o tipo de gente que vale a pena irritar.

— Nem me conte — pediu Glen, erguendo a mão. — Não preciso saber disso, está bem, Willie? Porque, se ainda não percebeu, o assassinato da sua namorada já é um baita problema para você no momento.

— Tenho lido nas matérias o nome de uma terapeuta, uma tal de Roberts. Evidentemente, Lisa estava falando com ela. Você acha...?

— Está tudo resolvido. Já estou cuidando dessa merda, ok, Willie? Você precisa confiar em mim, mas também precisa seguir meu conselho. Volte para Los Angeles *com a sua mulher*, já que a polícia também a intimou. Fale apenas o que está escrito no depoimento, nem mais nem menos que isso. Mostre-se disposto a colaborar.

Willie titubeou. Seus velhos olhos remelentos ergueram-se e miraram a casa outra vez, mas Valentina já não estava mais lá.

— Quer que eu fale com a Sra. Baden? — ofereceu-se Glen.

— Não. Pode deixar que eu falo. Mas, o que quer que aconteça, precisamos estar de volta no máximo na sexta. Esse negócio na Cidade do México é mais importante do que você imagina, Glen.

— Até sexta estaremos de volta — assentiu o advogado. — Tem minha palavra de honra. Agora vá fazer as malas.

CAPÍTULO CATORZE

— Me diga, por favor, Sra. Roberts. Quanto tempo a senhora passou sem trabalhar após a morte do seu marido?

Por baixo da mesa da sala de interrogatório, Nikki cravou as unhas com força na palma das mãos e contou até dez. *Não posso deixar esse sujeito me tirar do sério. Não posso deixar que me provoque. Se eu fizer isso, vou dar a ele o que quer.*

— Novamente, detetive Johnson, é *doutora* Roberts — corrigiu ela, no tom mais suave e condescendente possível. — Parece que o senhor anda com dificuldade para se lembrar disso. Sempre teve problemas de memória? Ou isso apareceu com a idade?

O rosto e as papadas de Johnson coraram até ficarem praticamente roxos, enquanto seu parceiro tentava conter o riso. Goodman notou que, ao contrário da Dra. Roberts, Johnson não demonstrava nenhum autocontrole quando provocado, mordendo a isca de Nikki como se fosse um peixe esfomeado.

— Ah, não tenho dificuldade nenhuma para me lembrar de qualquer coisa, senhora. Só prefiro não enaltecer sua profissãozinha de merda com um título que significa algo realmente sério para algumas pessoas. Nós dois sabemos que a senhora não é doutora de verdade.

Mick parece uma salsicha que foi cozida por tanto tempo que está prestes a explodir, pensou Goodman, espantado com a grosseria do parceiro. Johnson tinha problemas com as mulheres em geral, mas por algum motivo em particular aquela parecia fazer aflorar o que havia de pior dentro dele.

Goodman não conseguia entender por quê. Para ele, a Dra. Roberts estava ainda mais bonita naquela tarde, com uma saia lápis e uma blusa de seda combinando. A roupa era da mesma cor de sua pele bronzeada, o que dava uma impressão excitante, mesmo que efêmera, de nudez. Seu jeito calmo e controlado também era atraente, pelo menos aos olhos de Lou Goodman. Ele gostava de mulheres capazes de manter o autocontrole.

— Responda à pergunta. Quanto tempo ficou sem trabalhar? — insistiu Johnson, irritado.

— Umas seis semanas.

— Parece muito tempo.

— É mesmo? — perguntou Nikki, o rosto inexpressivo.

— É, sim. Por outro lado, a maioria das pessoas precisa trabalhar para viver. Ao contrário da senhora, que só fica brincando do que quer e quando quer, não é, Sra. Roberts? Não teve que se preocupar com dinheiro depois da morte do seu marido. Ele partiu deixando a senhora rica.

Nikki enrijeceu, apesar de estar tentando manter o autocontrole. O que aquele idiota estava insinuando?

— Nunca tive problema com a minha situação financeira quando Doug estava vivo, Sr. Johnson. A morte dele não mudou em nada a minha conta bancária.

— Hmmm — resmungou Johnson, desdenhoso. — E quando Treyvon Raymond começou a trabalhar para a senhora?

Nikki respirou fundo. Ainda não havia tido tempo de processar a realidade da morte de Trey e certamente não estava nem um pouco satisfeita em ter de falar sobre o assunto com aquele policial desleixado.

— Não me lembro exatamente.

— Foi depois de a senhora voltar a trabalhar ou antes do acidente do seu marido?

— Um pouco depois — respondeu Nikki, então se virou para Goodman.
— Não entendo o que essas perguntas têm a ver com os assassinatos. Vocês não deveriam estar lá fora tentando descobrir quem matou Lisa e Trey em vez de estarem aqui me interrogando sobre datas de admissão?

— É exatamente isso que estamos tentando fazer — retrucou Johnson, irritado. — Trabalhando com a tese de que os dois crimes têm a mesma autoria, primeiro precisamos encontrar um elo entre as vítimas. E adivinha só, nós temos um. — Ele se recostou na cadeira e apontou um dedo atarracado para Nikki. — A senhora, *Dra.* Roberts.

— O senhor acha que *eu* matei Lisa? E Trey? — perguntou Nikki a Johnson. Ele já estava escancarando os lábios gordos para responder, quando Goodman se adiantou e cortou o colega.

— Claro que não — respondeu, com toda a calma. — Mas a senhora é um elo. Um fator em comum, se assim preferir. Existe a possibilidade, uma grande probabilidade, inclusive, de que o assassino tenha uma ligação pessoal ou profissional com a senhora. Talvez, seja um ex-paciente. Ou até um atual. Na sua área de atuação, é normal lidar com pessoas extremamente perturbadas. Alguma pode ter ficado obcecada pela senhora e pelos que estavam à sua volta? Talvez até de forma violenta?

Nikki reconheceu que era possível, em tese, mas não conseguia pensar em ninguém. Ao contrário de muitos de seus colegas, ela nunca havia sido atacada, embora um ou dois pacientes provavelmente já houvessem desenvolvido uma ligação amorosa doentia com ela. Ter fantasias românticas com o terapeuta era algo bastante comum, mas raramente resultava em dois corpos mutilados e uma investigação de homicídio, se é que isso já havia acontecido alguma vez.

— Vamos precisar dos seus registros sobre os pacientes, novos e antigos — informou Goodman com delicadeza.

— Claro — murmurou Nikki, distraída por um momento.

— Todos eles — acrescentou Johnson em tom agressivo. — Na íntegra. E nada dessa palhaçada de "confidencialidade entre médico e paciente".

— Embora talvez não seja um paciente — acrescentou Goodman rapidamente, antes que aquilo virasse um bate-boca entre seu colega e a testemunha mais importante do caso. — A senhora consegue pensar em algum inimigo que possa ter, doutora? Alguém que pudesse querer ferir pessoas próximas à senhora?

— Não. — Nikki esfregou os olhos como se estivesse tentando acordar de um pesadelo. — Não, não consigo imaginar mesmo. Quer dizer, isso é ridículo. Que tipo de inimigos?

— Ex-amantes? — sugeriu Goodman, hesitante.

Nikki balançou a cabeça sem se sentir ofendida.

— Não. Só tive meu marido — respondeu com firmeza.

— Sócios descontentes?

— Não! — negou ela, com uma expressão irritada. — Sem querer ofender, detetive, mas tem alguém lá fora torturando as pessoas até a morte com uma faca de caça. Ninguém faz isso por causa de algo que deu errado. Isso é coisa de psicopata.

Johnson, que permanecera em silêncio desde que Goodman o interrompera, de repente perguntou:

— Quem falou em faca de caça?

Nikki hesitou por um instante.

— Não sei. Acho que vocês disseram. Ou talvez eu tenha escutado no noticiário.

Johnson lançou um olhar desconfiado para Goodman, mas não comentou nada.

Goodman continuou com as perguntas de bom policial, interrogando Nikki sobre seu relacionamento com Trey Raymond. Ela respondeu com confiança e naturalidade, explicando que Doug e Haddon cuidaram de Trey primeiro, depois ela passou a fazer o mesmo. E falou que todos estavam orgulhosos de ver a guinada que o garoto havia conseguido dar na própria vida.

— Especialmente Doug — acrescentou Nikki, com lágrimas nos olhos pela primeira vez desde que Haddon lhe dera a terrível notícia da morte de Trey. — Sabe, eu e meu marido não conseguimos ter filhos.

Os olhos bondosos azuis de Goodman pareciam encorajar confidências. Pelo jeito, Nikki nem lembrava que Johnson estava na sala.

— Acho que Doug via Trey como um filho substituto. Depois que Doug... Quando ele morreu, tentei manter essa conexão. Foi quando ofereci o trabalho a Trey no consultório. Ele era bom no que fazia — acrescentou, com um sorriso triste.

— Entendi — disse Goodman. — Obrigado, Dra. Roberts. Acho que isso é tudo o que precisamos saber por ora.

— Não saia da cidade — vociferou Johnson enquanto Nikki colocava o casaco.

Ela nem se deu o trabalho de reagir ao comentário sequer com um olhar, muito menos com uma resposta.

— Uma última coisa — acrescentou Goodman como quem não queria nada, enquanto conduzia Nikki para fora da sala de interrogatório. — Já teve um paciente chamado Brandon Grolsch?

— Não. — Nikki estava com uma expressão neutra, sem dar sinal algum de reconhecer o nome. — Nunca ouvi falar.

— Tudo bem.

Goodman sorriu, escondendo a decepção. Os dois policiais estavam desapontados. Uma ligação direta entre Nikki Roberts e Brandon Grolsch teria sido uma enorme ajuda no momento, ainda mais depois da mensagem que Jenny Foyle, a médica-legista, havia enviado a Johnson mais cedo naquele dia. Ela tinha confirmado que os dois fios de cabelo encontrados em uma das várias feridas de Trey Raymond tinham o DNA de Grolsch. Para Johnson, isso só podia significar duas coisas: ou o garoto estava vivo ou — uma hipótese mais perturbadora, porém mais de acordo com as evidências — o assassino de Lisa Flannagan e Trey Raymond também tinha mexido com o cadáver de Brandon Grolsch.

— De qualquer forma, muito obrigado pela ajuda, doutora — agradeceu-lhe Goodman. — Entraremos em contato.

Nikki já havia saído do edifício e estava no meio do estacionamento quando ouviu o detetive Johnson chamá-la, ofegante.

— Espere!

Nikki parou e deu meia-volta, tentando aplacar a desagradável sensação de ter levado uma pancada no peito. *O que foi agora?*

— Seu casaco. — Johnson gesticulou para o casaco de chuva clássico bege que ela estava usando.

— O que tem?

— Esse não é o casaco que a senhora disse ter emprestado a Lisa Flannagan? — Johnson respirava com dificuldade. — Na noite em que ela foi morta.

Nikki o encarou com curiosidade.

— A senhora o descreveu nos mínimos detalhes durante o depoimento. Casaco de chuva até o pé, feito de lona impermeável, cor de areia, cinto com fivela. — Ele voltou a apontar a cabeça para o casaco.

Nikki fixou seu olhar por um instante naquele porco nojento, grosseiro e suado. Johnson claramente acreditava que a pegara no flagra, que tinha levado a melhor sobre ela de alguma forma. Como se isso fosse possível. Nikki sorriu.

— Isso mesmo, *Sr.* Johnson. Eu tenho dois.

— "Isso mesmo, Sr. Johnson. Eu tenho dois." Vadia arrogante.

A imitação de Johnson — com direito a um rebolado exagerado e uma jogada de cabelo displicente — não tinha melhorado com o terceiro shot de tequila.

Ele e Goodman estavam no Rico's, um pé-sujo nos arredores do Sunset Boulevard muito popular entre o pessoal da Divisão de Homicídios. Rico Hernandez, dono do bar que levava seu nome, era um ex-policial de Los Angeles e adorava receber os antigos colegas para as noites de jogos e bebedeiras até altas horas. Naquela noite, Goodman e Johnson estavam numa mesa com duas outras duplas: Hammond e Rae, também conhecidos como Laurel e Hardy, os piadistas da divisão; e Sanchez e Baines, uma das poucas duplas mistas do departamento — embora Johnson tivesse suas dúvidas se Anna Baines poderia ser chamada de mulher.

— Estou te falando, Lou, a doutora boazinha está com merda até o pescoço nesta história! — queixou-se Johnson.

Goodman revirou os olhos.

— Não, não está.

— Você não acha que a terapeuta pode estar envolvida, Lou? — perguntou Bobby Hammond, tomando um gole de sua Corona com uma expressão pensativa. — Quer dizer, Mick tem um bom argumento.

— E que argumento é esse? — indagou Goodman.

Bobby deu de ombros.

— Parece que muita gente próxima a ela anda morrendo.

— Começando pelo marido — concordou Davey Rae. — Não vamos nos esquecer dele.

— Foi um acidente! — retrucou Goodman, quase gritando. O que era aquilo? A festa anual da Associação de Teóricos da Conspiração?

O fato era que, desde que a médica-legista encontrou aquelas bizarras "células mortas" na unha de Lisa Flannagan, a Divisão de Homicídios inteira ficou fissurada pelo caso do "Assassino Zumbi". A maioria dos casos que aqueles detetives pegavam envolvia tiroteio entre gangues, situações de violência doméstica que saíam dos limites ou negociações de drogas que deram errado. Poucos tinham o glamour daquele caso, se é que algum já havia tido: uma psicóloga linda e famosa, seu protegido negro e jovem e sua paciente — a modelo amante de um bilionário. Acrescente-se a isso o misterioso DNA zumbi encontrado na primeira vítima, e o resultado é um thriller de tirar o chapéu. Não era certo que Goodman e Johnson guardassem aquilo tudo para si mesmos.

— Odeio ser o adulto chato e estraga-prazer da mesa que vai jogar um balde de água fria nas teorias de vocês — disse Goodman, arrastando as palavras. — Mas os fatos são: a) Nikki Roberts não tinha motivo algum para cometer nenhum dos dois assassinatos. Nenhum *mesmo*. E b) ela é uma mulher de 1,60m e não deve pesar mais que 45 kg. Treyvon Raymond tinha 1,88m e pesava 84 kg de puro músculo. Vocês estão me dizendo que ela dominou, sequestrou, esfaqueou e se livrou do garoto? Duvido muito.

— Talvez alguém a tenha ajudado — supôs Johnson. — Vai ver ela contratou alguém.

— É, e talvez Angelina Jolie esteja prestes a entrar aqui e chamar você para sair, Mick — provocou Anna Baines enquanto bebia o restante de sua cerveja. — Em tese é possível, mas nada provável.

Todo mundo explodiu em risadas.

— Lou tem razão — acrescentou ela. — Você não tem prova alguma contra a psicóloga.

Johnson se levantou, empurrando a cadeira para trás com raiva e fazendo uma barulheira.

— Ainda não tenho — retrucou ele, irritado. — Mas vou conseguir. Ela não tem álibi, e *eu* acho que está mentindo descaradamente. Então vão se foder. — E com isso, ele saiu furioso.

— Eita. — Anna se virou boquiaberta para Goodman. — Qual é o problema dele?

— Estava torcendo para que vocês soubessem me dizer. — Goodman suspirou. — Todos aqui o conhecem há mais tempo que eu. Mick está obcecado com a Dra. Roberts. Ele a odeia, mas se recusa a me contar por quê.

— Talvez eu tenha uma ideia do motivo — disse Pedro Sanchez em voz baixa.

Sanchez era um homem de poucas palavras, ao contrário de sua colega, Anna Baines. Raramente emitia uma opinião, mas, quando o fazia, em geral valia a pena escutar.

— De vez em quando essa tal de Roberts costumava ser chamada como perita.

— Está dizendo que ela fazia avaliações psiquiátricas? — perguntou Goodman.

— Isso mesmo. Em geral, em casos de narcóticos. Ela e o marido tinham envolvimento com os viciados do centro da cidade... ofereciam agulhas novas, davam aconselhamento, essa porra toda. Eram esquerdistas até o último fio de cabelo.

Mick já foi da Divisão de Entorpecentes, pensou Goodman.

— Ela já testemunhou em algum dos antigos casos de Johnson?

— Não sei. Isso você teria que perguntar a ele. Mas sei que ela não era muito fã da força policial, o que em tese não a faria cair nas graças de Mick. Você sabe como ele é rancoroso.

Sem dizer mais nada, Goodman deixou uma nota de vinte na mesa e saiu correndo. O que Sanchez havia dito era interessante, mas o que o fez ir atrás de Johnson foi outro pensamento que acabara de lhe ocorrer.

— Mick! — gritou ele em meio à escuridão.

Johnson deu meia-volta. Por sorte, ainda estava no estacionamento, onde cambaleava bêbado, esperando o Uber.

Goodman foi direto ao ponto.

— Digamos que a Dra. Roberts *esteja* envolvida.

— Ela está — balbuciou Johnson. — Tenho certeza disso.

— Mas e se não for do jeito que você está pensando? E se o assassino estivesse atrás dela?

Johnson revirou os olhos.

— Essa de novo, não. Já conversamos sobre isso.

— Lisa Flannagan estava usando o casaco *dela* quando saiu do consultório naquela noite.

— Isso segundo *ela* — murmurou Johnson. — Olha, eu estava tão empolgado quanto você com a possibilidade de o casaco ser uma pista, mas não encontramos nada. Só temos a palavra da Dra. Roberts.

— Sim, e por que ela mentiria sobre isso? Admita, você não consegue pensar numa razão.

Johnson grunhiu. Era verdade, ele não conseguia. Ainda.

— Estava escuro, chovendo. Lisa saiu do consultório da Dra. Roberts com o casaco emprestado. Elas têm a mesma altura. O mesmo corte de cabelo. Se o assassino se aproximasse por trás...

— Ok, ok! — interrompeu Johnson, aborrecido. — Já entendi.

— É possível.

— Certo. É possível. Mas e quanto a Treyvon Raymond? Sua teoria não funciona tão bem com ele, não é? Homem, 1,88m e tão preto quanto a noite.

— Talvez Trey tenha sido morto porque era próximo de Nikki. Ela costumava testemunhar nos casos de entorpecentes, não é? Com isso deve ter feito muitos inimigos. Ela e o marido, aliás.

Johnson semicerrou os olhos.

— Como você sabe disso?

— Eu sou detetive, cara — esquivou-se Goodman, para não colocar Sanchez no meio da história. — Eu descubro essas merdas. Talvez um traficante irritado, alguém contra quem a Dra. Roberts tenha testemunhado, tenha matado Lisa por acidente, pensando que era a doutora. E talvez Trey tenha descoberto quem é o traficante.

— Ele também era detetive? — Johnson ergueu uma sobrancelha, cético.

— Ah, para... — insistiu Goodman. — Essa hipótese é possível, não é, Mick?

Johnson refletiu sobre aquilo em silêncio, desanimado. A última coisa que queria era considerar Nikki Roberts vítima. Mas ele tinha de admitir que a teoria de Goodman era, no mínimo, possível.

— Podemos manter a mente aberta quanto a isso? É só o que estou pedindo — insistiu Goodman.

— Tudo bem — consentiu Johnson, de má vontade. — Mas essa coisa de mente aberta tem que ser uma via de mão dupla.

— Como assim?

— Como assim que *não temos certeza* de que Roberts não está mesmo por trás disso. Ela ainda é uma suspeita em potencial. E que tal esse cenário? Roberts odiava Lisa Flannagan, mas ninguém sabia disso.

— Por quê? — perguntou Goodman, verdadeiramente estupefato.

— Lisa era uma interesseira, uma destruidora de lares. Talvez Roberts desaprovasse o estilo de vida da paciente.

— Ah, espere aí, cara... Essa teoria não tem muita força.

— Será? Sabemos que Lisa abortou o filho de Baden. Roberts não pode ter filhos, certo? Isso é uma coisa importante para mulheres.

— Falou o grande conhecedor das emoções femininas — retrucou Goodman, sarcástico.

— Vai ver ela sentiu tanta inveja, tanta raiva dessa coisa do bebê, que ficou maluca — continuou Johnson, ignorando o colega. — Surtou. E se transformou numa assassina.

Resistindo ao desejo de revirar os olhos, Goodman decidiu terminar a conversa antes que as teorias conspiratórias de Mick saíssem completamente de controle.

— Certo, certo, vamos manter a mente aberta como uma via de mão dupla. O que acha de amanhã começarmos a falar com os pacientes da Dra. Roberts? Eu pego uma metade, você pega a outra.

— Tudo bem.

O Uber de Johnson finalmente apareceu. Goodman ficou observando o parceiro sentar seu corpo fora de forma no banco traseiro do Toyota. De repente, decidindo aproveitar a oportunidade naquele raro momento de concordância entre os dois, enfiou a cabeça pela janela aberta do carro.

— Última coisa, Mick. Existe algo pessoal entre você e Nikki Roberts?

Johnson sorriu, parecendo se divertir com a pergunta.

— Algo que eu deva saber... — insistiu Goodman.

Johnson simplesmente se recostou no banco e fechou os olhos com o sorriso divertido ainda estampado no rosto corado de tanto beber.

— Boa noite, Lou — despediu-se, fechando a janela. — Durma bem.

Nikki dirigiu por um bom tempo após sair da delegacia.

Não queria ir para casa, mas também não sabia para onde ir, então pegou a autoestrada 10 até o mar e subiu a costa sem rumo. Lembranças de Trey passavam em sua cabeça repetidamente, sem parar.

Na primeira vez que Doug o levou para casa, Trey estava magro e sujo como um cachorro de rua, tremendo por causa da abstinência. Ele conquistou o coração de Nikki de cara, do jeitinho que Doug sabia que iria acontecer.

— Oi, Nik. Esse aqui é um amigo meu, Treyvon. Será que a gente pode dividir o frango para três?

Desde o começo, Trey fez com que Doug e Nikki se unissem ainda mais — a compaixão em comum por aquele pobre garoto abatido fortaleceu os laços de amor entre os dois, consolidando-os como uma equipe.

Ela pensou na cerimônia de graduação de Trey em Palos Verdes, após completar as dezesseis semanas do programa de desintoxicação, em que dançaram ao som de "Feeling good", de Nina Simone.

Naquele momento, Nikki trocou olhares com Doug por cima do ombro de Trey e sorriu. Doug sorriu para ela também, e Nikki se sentiu tão feliz, tão cheia de amor por Doug e pelo milagre que ele tinha ajudado a realizar para aquele garoto incrível. Um garoto que ela havia aprendido a amar como se fosse seu próprio filho.

Era uma lembrança maravilhosa, mas havia sido arruinada pelo que aconteceu desde então — cortada, mutilada e destruída, assim como Trey. E Lisa.

Um milhão de minúsculos cortes. E então uma facada final, fatal, no coração.

A morte de Doug e o choque provocado por tudo o que ela descobrira depois tinham sido as facadas finais no coração de Nikki. Tão profundas, tão graves que por um tempo ela acreditou que não iria sobreviver. Mas sobreviveu. Sobreviveu, juntou os cacos e seguiu em frente. E continuava seguindo, mesmo no meio desse novo pesadelo.

Tortura e terror.

Assassinato e mentiras.

Eu deveria ligar para a mãe de Trey, pensou Nikki, mas não conseguia criar coragem. Ela estava sofrendo tanto que não seria capaz de lidar com o sofrimento de outras pessoas. Talvez fosse um pensamento egoísta, mas era a verdade. Nikki conhecia os próprios limites.

Ela continuou dirigindo por um bom tempo. Quando chegou à sua casa já era tarde, muito tarde, e não conseguia se lembrar de onde havia estado. Isso vinha acontecendo com muita frequência. As lâmpadas da entrada da garagem estavam acesas, acionadas por um temporizador, cintilando alegremente como se tudo no mundo estivesse às mil maravilhas. Nikki trancou o carro, caminhou até o painel de controle do alarme na porta de entrada e estava prestes a digitar o código de acesso quando percebeu que a porta já estava entreaberta.

Ela congelou. Era segunda-feira. A faxineira, Rita, costumava ir às segundas. Será que ela havia se esquecido de trancar a porta ao sair? Isso nunca havia acontecido. Nenhuma vez em seis anos. Rita era muito confiável.

Alguém deve ter invadido a casa.

Nikki sentiu o coração começar a palpitar.

E se a pessoa ainda estiver lá dentro?

Pensou em voltar para o carro e fugir. Ligar para a polícia. Pedir ajuda. Mas então um sentimento inesperado tomou conta dela: raiva.

Esta é a minha casa. Meu refúgio. Não vou sentir medo aqui. Me recuso.

Ela escancarou a porta e ligou as luzes da entrada.

— Olá? — chamou, em voz alta. — Tem alguém aí?

Foi de cômodo em cômodo, fazendo o máximo de barulho possível, como um alpinista torcendo para afugentar os leões da montanha.

— Olá?

Minutos depois, respirou aliviada. Não tinha ninguém ali. E, até onde podia ver, nada havia sido roubado ou tocado. Na verdade, a casa parecia impecável.

Pelo jeito foi Rita mesmo.

Após se servir de um copo grande do uísque que guardava na despensa, Nikki subiu para o quarto, orgulhosa de si mesma por não ter sucumbido aos seus medos. Só depois de tirar a roupa e entrar debaixo das cobertas foi que ela percebeu.

A foto de seu casamento.

A foto dela com Doug em uma moldura prateada que ficava na mesinha de cabeceira, apesar de toda a dor que causava.

Havia desaparecido.

CAPÍTULO QUINZE

LANA

Lana Grey jogou o cabelo castanho-alaranjado para trás e lançou seu olhar ardente e característico para Anton Wilders ao dizer a última fala.

— Porque eu mandei, Rocco.

Lana se inclinou para a frente, seus seios grandes ameaçando saltar do vestido Victoria Beckham a qualquer momento e cair no colo de Anton.

— Porque. Eu. Mandei.

— Corta — disse uma voz entediada atrás de Lana no mesmo instante que as luzes do palco foram religadas.

Ela não se importava com a voz enfadonha ou com o tédio no rosto dos estagiários da Universidade do Sul da Califórnia espalhados pelo set, torcendo inutilmente para que o grande diretor se lembrasse deles.

Ele não vai, pensou Lana, triunfante. *Ele vai se lembrar de* mim. *Eu arrasei no teste. Anton Wilders vai relançar minha carreira em grande estilo.*

Que luta tinha sido para ela conseguir que Wilders assistisse ao teste! A agente de Lana, Jane, havia sofrido horrores para driblar o pessoal dele, os rottweilers que o cercavam, como faziam com todos os diretores superconhecidos.

— Lana Grey é velha demais para o papel de Celeste — dissera Charlie Myers a Jane, sem papas na língua. Ele era o braço direito de Wilders. — A descrição do papel diz claramente de 22 a 32 anos. Lana tem o quê? Uns 45?

— Mas aparenta ter 25 — insistira Jane. Ela era uma boa agente. Sabia quando podia insistir. — Ela nasceu para interpretar esse papel. Me deixe falar com Anton.

— Não.

— Vou continuar ligando sem parar.

— Não faça isso, Jane, por favor. Ela é velha demais!

Vá a merda, Charlie, pensou Lana, sorrindo para Wilders enquanto o diretor subia no palco e a envolvia em um abraço demorado e nitidamente devasso. *Ele me quer. Eu vou conseguir o papel.*

— Lana, minha querida... Bravo!

Ela sentia o hálito quente de Anton no pescoço e a mão esquerda do diretor deslizando por seu corpo até chegar ao traseiro. Todas as jovens atrizes da USC a odiavam naquele momento.

Deram azar, meninas.

— Você foi incrível.

— Obrigada, Anton.

Eu fui incrível. Sei que fui. Ainda não perdi o jeito.

Lana se desvencilhou do abraço devagar e encarou Anton com um olhar provocante.

— Eu sabia que era a pessoa certa para o papel. Assim que li o roteiro, eu disse a Jane: "Essa aqui sou eu. Essa personagem *sou eu*."

— Com certeza é — concordou Anton. — E eu adoraria escalar você para o papel, adoraria mesmo. — Ele ainda␣sorria enquanto lançava um olhar tarado para os seios de Lana. — Sei que você arrasaria nele. Mas estou de mãos atadas aqui. O estúdio quer Harry Reeves no papel de Luke. Recebi a notícia hoje de manhã.

Harry Reeves. A estrela da Disney de 19 anos sem um filme decente no currículo? *Aquele Harry Reeves?*

— Não sabia. — Lana sentiu a mandíbula travar conforme a esperança e a felicidade deixavam seu corpo. — E essa decisão é definitiva?

— Parece que sim. — A mão de Wilders estava de volta na bunda de Lana. — Você é tão linda, meu bem, mas, por mais que eu queira, não posso te dar o papel de namorada de Harry Reeves.

Pelo canto do olho, Lana viu duas garotas da USC dando risadinha.

Wilders se aproximou e sussurrou no ouvido de Lana.

— Posso te escalar para chupar meu pau, se estiver interessada. Estou no Hotel Standard.

Lana deu um beijo educado na bochecha de Wilders e pegou o casaco.

— Você é um amor, Anton. — Ela sorriu. Não iria dar àquelas putas a satisfação de vê-la se humilhar. — Em outro momento, ok?

— Diga quanto você cobra! — gritou o diretor, em tom cruel, enquanto os Louboutins emprestados de Lana faziam barulho no chão do palco. Ela ouviu uma gargalhada escancarada, e o assistente de palco gritou "próxima!" num tom entediado.

Um sentimento familiar de raiva inundou suas veias.

Vão se foder. Todos vocês, vão se foder. Tomara que morram num incêndio!

Do lado de fora, no Cahuenga Boulevard, o detetive Lou Goodman estava sentado em um carro à paisana a poucos metros do teatro. Ele viu Lana Grey sair do prédio, dar alguns passos e se curvar com as mãos nos joelhos enquanto arfava, como se tivesse corrido uma maratona ou levado um soco na barriga. Era uma calçada movimentada, mas estavam em Hollywood; ninguém parou para ajudá-la ou sequer olhar para ela.

Goodman olhou de relance para o arquivo de Lana, que estava aberto no banco ao lado. Nikki Roberts havia escrito à mão as notas sobre seus pacientes, em uma linda letra cursiva que não se via mais hoje em dia. Cada arquivo sobre um paciente começava com um sumário, seguido de anotações datadas e detalhadas sobre as sessões. Isso e vários outros aspectos da Dra. Roberts deixavam Goodman impressionado.

Grey, Lana: 45 anos, divorciada, dizia o parágrafo de abertura sobre Lana. *Atriz. Inicialmente apresentou crises agudas de ansiedade e de pânico. Medo de envelhecer, perdas na carreira, problemas de autoestima.* Na margem, Nikki escrevera: *Problemas financeiros??* e, mais tarde, sublinhara a frase com uma caneta vermelha. *Divorciou-se em 2005. Relacionamento abusivo subsequente terminou em 2011. Perdeu os pais, 2012/13.* Corram para as colinas *terminou em 2009, desde então não teve nenhum trabalho estável.* E por último estavam as três palavras finais do resumo, resolutas e inexplicadas. *Compulsiva sexual. Raivosa.*

Lana se endireitou e inspirou fundo duas vezes. Ainda era uma mulher muito atraente, com aquela cabeleira ruiva, sua marca registrada, as pernas compridas e um andar desajeitado, e um rosto que Goodman sempre considerou de uma incrível beleza à moda antiga. Assim como a maioria dos adolescentes de sua geração, Goodman acompanhara fielmente a série *Corram para as colinas* e sempre admirara o glamour retrô de Lana Grey. Lábios vermelhos, cabelo laqueado, seios grandes e uma resposta atrevida sempre na ponta da língua. Ela era tão sexy na época... Todo homem no país a desejava.

Deve ser difícil envelhecer quando se teve uma juventude como aquela.

Lana pegou o celular e olhou para a tela. Seus dedos se mexiam rapidamente, movimentos automáticos de um lado para o outro. Goodman reconheceu-os no mesmo instante: ela estava mexendo no Tinder.

Sério? Lana Grey usa um aplicativo de relacionamento?

Quem te viu, quem te vê...

Minutos depois, Lana guardou o celular — ao que parecia, já havia conseguido um *match* —, entrou no carro e partiu.

Lou Goodman a seguiu.

Três horas depois, Lana Grey estava deitada no divã do consultório de Nikki Roberts enquanto abria seu coração para a terapeuta, que a ouvia atentamente.

E o que havia dentro do coração de Lana era raiva. Uma raiva tóxica e ardente como lava, dolorosa de escutar. Mas esse era o trabalho de Nikki. Sem reação, ela deixou fluir.

— Ele me apalpou. Aquelas mãos repugnantes e nojentas. — A boca de Lana disparava as palavras como se fossem balas. — Me pediu pra chupar o pau dele, como se eu fosse uma prostituta. Chegou a me oferecer *dinheiro* na frente de todas aquelas vadiazinhas patéticas de 20 e poucos anos que estavam lá, rindo da minha cara. Como se fosse a coisa mais engraçada do mundo me humilhar daquele jeito. Eu queria enfiar a mão na garganta daquelas garotas e arrancar o coração de pedra delas. Já se sentiu assim? — Os olhos de Lana encararam Nikki, brilhantes como duas chamas. — Como se pudesse matar alguém com as próprias mãos e sentir prazer em fazer isso? — continuou a atriz.

— Não estamos aqui para falar dos meus sentimentos — respondeu Nikki sem demonstrar reação.

Lana deu uma risada amargurada.

— Então *já*. Imaginei. — Ela fez uma pausa e olhou pela janela do consultório. — Acho que todo mundo já sentiu isso em algum momento. Querer que outra pessoa sofra. E quando digo sofrer quero dizer sofrer *de verdade*.

O pobre Trey sofreu de verdade, pensou Nikki. Desde que Haddon lhe deu a notícia, ela não conseguia passar mais que alguns minutos sem visualizar o corpo de Trey cortado e mutilado, surgindo em sua mente sem ser convidado. Claro que Lisa Flannagan também havia sofrido, mas Lisa não assombrava Nikki do mesmo jeito que Trey. Apesar do sentimento de culpa e de tristeza pela morte de sua paciente, apesar de tudo, Nikki não conseguia *gostar* de Lisa. Mesmo após o assassinato, a arrogância da jovem modelo e sua crueldade impensada contra outra mulher haviam deixado um gosto amargo na boca de Nikki.

Ela ainda não tinha relatado à polícia que sua casa fora invadida — se é que podia chamar assim. Por algum motivo, ela suspeitava que o detetive Johnson, por exemplo, não consideraria o ocorrido uma invasão. "Uma porta destrancada e uma simples foto desaparecida?" Ela podia ouvir o tom sarcástico e debochado em sua voz. "Isso não é crime, Sra. Roberts. Isso é a perda de memória, típica da meia-idade, chegando para você."

Com esforço, Nikki voltou a atenção para Lana.

— Fiquei curiosa com uma coisa — comentou a terapeuta. — Por que você escolheu direcionar sua raiva às jovens atrizes ao redor de Wilders, e não ao próprio diretor? Pelo que me parece, *ele* é, de longe, o maior agressor da situação. Ele e o homem que abusou de você depois disso, no apartamento dele.

Lana descruzou as pernas e voltou a cruzá-las de um jeito estranhamente provocante.

— Não é abuso se você pede, Dra. Roberts — retrucou Lana, curta e grossa.

— Não? — perguntou Nikki.

Lana estreitou os olhos. *Quem essa mulher pensa que é para me julgar? Essa psicóloga linda que os homens ainda desejam e que só agora está chegando ao ápice da carreira? Que diabo alguém como a Dra. Roberts poderia saber sobre se sentir esquecida na prateleira, descartada pelo mundo, jogada numa caixa e taxada como velha demais, feia demais, acabada, que não serve mais para nada? Ela não sabe de porra nenhuma.*

— Para mim, não — respondeu Lana. — Eu disse o que queria que ele fizesse comigo, e ele fez. Essa é a beleza do Tinder. Sem perguntas. Sem laços.

— Então você *queria* que ele ferisse você? Que a humilhasse?

Nikki franziu o cenho. Minutos antes, Lana havia se sentado diante dela, tremendo enquanto descrevia um encontro sexual carregado de uma brutalidade bestial que deixou Nikki boquiaberta só de escutar. Após quase duas décadas como terapeuta, ela não se chocava mais à toa. Mas as coisas a que Lana Grey havia se sujeitado — por vontade própria, afirmava sua paciente agora — haviam conseguido essa proeza.

— Você não entende? Eu queria *me apoderar* da humilhação! — berrou Lana. — Eu queria tomá-la de volta. Controlá-la. Anton Wilders quer me tratar igual a uma puta? Ok, então vamos ver quem vai mais longe, cara! O nome disso é feminismo — acrescentou ela em tom desafiador, recostando-se no divã com um floreio como se estivesse dizendo: "E assim concluo meu argumento."

Deixar um cara urinar na sua boca é feminismo?, perguntou-se Nikki. A maioria de seus pacientes distorcia um pouco a realidade para adaptá-la a suas neuroses, à sua autopercepção deturpada. Mas Lana havia exagerado.

— Tem tido notícias de Johnny? — questionou Nikki num tom casual, como se a pergunta não estivesse carregada com centenas de quilos de explosivos. Johnny era o ex-companheiro abusivo de Lana. Ele ainda telefonava para ela de tempos em tempos ou "dava uma passada" na casa dela, apesar de agora estar casado com uma atriz muito mais jovem e bem-sucedida que Lana e ser pai de dois meninos.

Lana olhou para a janela.

— Não.

Nikki percebeu na hora que sua paciente estava mentindo.

— Eu já disse. Bloqueei o número dele — explicou Lana, sem necessidade. — Para mim ele morreu.

— E *quando* você o viu pela última vez? — insistiu Nikki.

Audições malsucedidas sempre deixavam Lana para baixo, mas faziam parte de sua rotina, uma decepção trivial. Em geral, quando ela perdia a linha daquele jeito, apresentando comportamentos sexuais degradantes e colocando-se em perigo, era porque Johnny estava envolvido de alguma forma.

— Não faço ideia. Tem meses — mentiu Lana.

— Quero que mais uma vez você reflita bem a respeito de transferência, Lana. É o seu "dever de casa" dessa semana. Tente perceber a forma como você pega o que sente por determinada coisa ou pessoa, como a sua *raiva* de Anton Wilders ou sua *vergonha* pelo próprio comportamento, e as redireciona para outros. Para as jovens atrizes no auditório. Para mim.

— Não sei do que está falando — defendeu-se Lana, a voz e o corpo fragilizados pela dor reprimida.

Nikki lançou um olhar para ela como se dissesse: "Você sabe muito bem do que estou falando".

— Tente. Veja o que descobre ao longo da semana.

Lana foi embora, saindo do consultório quase tão irritada quanto estivera ao chegar, uma hora antes, e só um pouco mais esclarecida.

— Se cuide — disse Nikki olhando para as costas de Lana conforme a paciente se afastava, um sentimento horrível de mau agouro tomando conta dela de repente.

Muitas pessoas próximas a Nikki vinham morrendo. Ela esperava que Lana não estivesse prestes a correr mais riscos idiotas.

Goodman observou Lana Grey sair do prédio onde ficava o consultório de Nikki com o Prius financiado que ela havia comprado. Já descobrira que a atriz devia seis prestações do carro e milhares de dólares de juros no empréstimo extorsivo que pegara para comprá-lo. O vestido Victoria Beckham e os scarpins que usara no teste já haviam sido devolvidos à loja de departamentos Neiman Marcus logo após o encontro com o cara do Tinder, e antes de comparecer à terapia. Goodman se perguntou como Lana conseguia pagar os honorários da Dra. Nikki Roberts. Tomou nota para se lembrar de checar as contas dela mais tarde.

Ele presumiu que ela voltaria sozinha para casa, um apartamento arrendado em Ocean Park. E à noite faria o quê? Teria mais um encontro insignificante com um estranho, talvez? Ou comprimidos, bebida e cama? *Que vida trágica.* Mas ele já sabia tudo o que era necessário por ora. Já tinha seguido Lana o bastante naquele dia.

Cinco minutos após pegar o caminho de casa, seu telefone tocou.

— Alguma novidade? — A voz de Johnson soava chiada. Ligação ruim.

— Amanhã deixo você a par de tudo. Mas, não, nada de mais. E você? Alguma pista do paradeiro de Brandon Grolsch?

— Nada — admitiu Johnson. — Estou encerrando os trabalhos por hoje. Vejo você amanhã de manhã.

— *Hasta mañana.*

Goodman desligou. Então, por impulso, parou o carro, esperou uma brecha no trânsito e fez o retorno de volta a Century City.

Cerca de vinte minutos depois, sua paciência foi recompensada. O Mercedes de Nikki Roberts saiu lentamente da garagem no subsolo do prédio, virou no beco e pegou a Avenue of the Stars.

Ligando o motor novamente, o detetive Lou Goodman entrou no fluxo de carros atrás dela.

CAPÍTULO DEZESSEIS

Anne Bateman apertou levemente a corda do arco e o apoiou no cavalete do violino. O violino de Anne podia ser descrito como algo entre um amigo querido e um objeto de amor. Era um Pietro Guarneri do começo do século XVIII e foi um dos primeiros presentes realmente valiosos que seu marido lhe dera, uma semana após o casamento.

— Mas isso deve valer milhões! — disse Anne boquiaberta, abrindo o lindo estojo marchetado, que por si só já era uma obra de arte, antes de erguer o Guarneri com todo amor e segurá-lo nos braços. — É maravilhoso.

— Como você — murmurou o marido de Anne em tom sedutor, encantado por ser a fonte de tamanha felicidade.

Na época, eles estavam em lua de mel no Taiti. *Então já deve fazer oito anos*, pensou Anne, segurando seu precioso violino com mais firmeza. *Oito anos.* Às vezes pareciam oitenta.

Ela estava no fosso da orquestra no Disney Concert Hall, prestes a começar o primeiro ensaio do espetáculo *O melhor de Stravinsky*, que a Orquestra Filarmônica de Los Angeles apresentaria sexta-feira à noite e cujos ingressos já estavam esgotado. Anne conhecia os concertos para violino do grande compositor de cor e salteado, mas isso não a impedia de sentir o mesmo misto de empolgação e medo que sempre sentia antes de uma apresentação importante. Mais cedo, ela havia tentado falar sobre seu medo de palco com a Dra. Roberts, mas Nikki ("Você deveria mesmo me chamar de Nikki, Anne") insistira em direcionar a conversa para o marido de Anne e para o que constantemente se referia como as "recaídas" de sua paciente.

— Pense em quão longe você chegou — argumentara Nikki. — Pense nas dificuldades que passou para conquistar sua liberdade. Você está mesmo preparada para abrir mão de tudo isso, para permitir que ele volte?

— Não sei — respondeu Anne, honestamente.

— Você precisa se perguntar por que faria isso. Por que sequer *consideraria* essa possibilidade, depois de tudo o que aconteceu.

Como sempre, Nikki tinha razão. Quando Anne estava sentada no consultório dela, o que ela precisava fazer — ou não fazer — parecia tão óbvio, tão claro... Mas, no momento que saía dali, essa certeza a abandonava, junto com sua força de vontade. Era como se, quanto mais se afastasse de sua terapeuta — quanto mais quilômetros seu carro fosse para longe do consultório em Century City —, mais fraca se tornasse a influência de Nikki sobre ela. E nessa ausência o poder do marido de Anne crescia.

— Primeiro violino! Anne, minha querida. Está prestando atenção?

Henrik Leinneman, o maestro, falou em um tom educado — seu tesão por Anne Bateman era grande demais para perder as estribeiras com ela —, mas ele estava claramente irritado. Ficar sonhando acordada era uma atitude nada profissional, isso sem contar que era injusto com os colegas de orquestra. Anne era uma violinista brilhante, mas ainda muito jovem. Em momentos como esse, sua falta de experiência ficava clara.

— Desculpe, maestro. Desculpe, pessoal. — Anne mordeu o lábio inferior, um tique nervoso que a fazia parecer ainda mais jovem. — Estou pronta.

Leinneman os conduziu de volta ao segundo movimento, e Anne rapidamente se deixou perder na música, permitindo que Stravinsky a transportasse para um mundo sem seu marido, um mundo sem dor, conflitos, negação ou tristeza. Como ela queria poder ficar ali para sempre!

Anne Bateman tinha apenas 16 anos quando conheceu seu futuro marido, um rico e poderoso dono de uma construtora vinte e cinco anos mais velho, durante um concerto na Cidade do México. Na época, Anne já era uma musicista bastante viajada, mas aquela era sua primeira viagem profissional sem a companhia da mãe. (Linda Bateman havia ficado gripada no fim de semana anterior, mas os gerentes da turnê asseguraram que Anne seria muito bem-cuidada no México. Além do mais, Anne era uma jovem sensata, que levava a música muito a sério. Com uma exaustiva programação de ensaios e apresentações, ela não teria tempo para se meter em problemas. Que mal poderia acontecer a ela?)

O futuro marido de Anne tinha 41 anos quando eles se conheceram. Ele havia acabado de se casar com sua segunda esposa e tinha a reputação de ser muito mulherengo. Assim que pousou os olhos em Anne, soube que precisava tê-la. E não somente tê-la. Guardá-la. Segurá-la. Protegê-la. Ela estava longe de ser a mulher mais bonita que já levara para a cama, mas nunca na vida havia sentido um amor como aquele, um desejo tão imediato e poderoso. Se não era a primeira vez, pelo menos havia muito tempo que não se sentia assim.

Anne não teve a menor chance. Era como uma limalha de ferro indo de encontro a um ímã gigante. A força devastadora da personalidade dele era tão poderosa quanto a Estrela da Morte. Apesar de ingênua, a Anne adolescente se sentiu completamente atraída desde o começo. Lindo, sexy, ele emanava uma energia sexual como se fosse um deus do sol. Assim que chegou ao camarim e segurou a mão de Anne, um choque de desejo percorreu o corpo dela, algo diferente de tudo o que já havia sentido antes. Exceto, talvez, o choque que percorria seu corpo ao tocar, quando estava perdida em sua música no palco. Mas aquilo era mais forte. Mais profundo.

Eles se tornaram amantes imediatamente. Assim que Anne foi embora do México, ele começou a voar pelo mundo todo para conseguir ficar algumas horas com sua jovem amante. Mas foi apenas dois anos depois, no dia seguinte ao aniversário de 18 anos dela, que ele finalmente largou a esposa inconsolável e carregou Anne para a Costa Rica, onde se casaram em segredo. Os pais de Anne, Linda e Gerry, ficaram horrorizados. "Você é a terceira mulher dele? E *quantos anos tem esse sujeito?*" Mas logo deixaram de lado o passado do genro — que incluía nada menos que cinco filhos de duas ex-mulheres, sendo o mais velho apenas um ano mais jovem que Anne —, quando ele comprou uma casa nova de cinco quartos em San Diego e deu a eles como "presente de casamento" e depois os convidou para viajar de jatinho particular até Cabo, onde ficava a suntuosa casa de praia dos recém-casados.

Não só a filha deles parecia mais feliz do que nunca, como também se tornara a mais nova participante do clube dos latinos super-ricos. É verdade que o novo marido de Anne era da idade de Gerry Bateman e tinha um histórico com mulheres que podia ser descrito educadamente como "complicado". (Sua primeira esposa o deixara após ele ter vários casos, o último dos quais gerou um filho bastardo, Rico.) Mas as pessoas não mereciam uma segunda chance? E desde quando uma coisa tão insignificante quanto a idade deveria impedir o verdadeiro amor? O mais importante era que ele dava todo o apoio à música de Anne.

— Claro que ela deve continuar tocando! Foi a música dela que fez com que eu me apaixonasse pela Anne, em primeiro lugar — disse ele a Linda, enquanto tomavam champanhe Cristal e se deliciavam com ostras no terraço durante aquela primeira viagem a Cabo. — Tudo o que eu quero nesse mundo é fazer sua filha feliz, Sra. Bateman.

— E ele disse aquilo de coração — disse Anne a Nikki, lembrando-se dos tempos felizes durante a terapia. — Disse mesmo. E ele tentou.

Mas o marido de Anne era um homem controlador por natureza. Não conseguia se conter. O amor que sentia por sua jovem esposa e a *necessidade* que ela instigava nele o amedrontavam. Em pouco tempo, ele começou a erguer muros em volta dela. No começo, se opôs a alguns poucos concertos.

— Não vamos a Paris esse ano, meu anjo.

— Não vamos a Paris? — Anne parecia perplexa. — Mas eu preciso ir. Já me comprometi.

— Eu livro você do compromisso. — Ele fez um gesto de desdém com a mão. — É tão longe, Anne... E não posso viajar com você dessa vez. Em vez disso, diga que fará o concerto em Nova York em setembro. Eles vão entender.

— Mas, meu amor, não é assim que funciona.

— Você sabe que eu odeio quando estamos separados. Preciso de você, meu anjo.

Ele colocou a mão entre as pernas de Anne, e ela sentiu o desejo invadi-la, como sempre acontecia com ele, e a briga — se é que houve briga — terminou antes mesmo de começar. Mas logo um concerto se transformou em vários. Em pouco tempo, todas as turnês internacionais foram vetadas. Mesmo quando tocava na Cidade do México, Anne era escoltada por seguranças fortemente armados. Num piscar de olhos os mesmos seguranças passaram a acompanhá-la quando fazia compras ou ia à academia. Almoços com amigas eram espionados. Anne começou a se sentir solitária e oprimida.

— Você não entende, meu anjo — dizia seu marido, de forma carinhosa. — Você não está mais no Kansas. Isso aqui é a Cidade do México. Mulheres ricas são sequestradas *todos os dias* aqui. Algumas são libertadas após o resgate, mas outras são estupradas e assassinadas. As quadrilhas não têm piedade.

Ele contou a ela a história de Valentina Baden — cuja irmã tinha sido sequestrada e nunca mais encontrada —, que havia fundado uma instituição de caridade para dar apoio às famílias dos desaparecidos. E também falou sobre uma jovem *au pair* americana, Charlotte Clancy, que desaparecera sem deixar vestígio bem ali, na Cidade do México. As vítimas que eram encontradas muitas vezes voltavam para a família retalhadas e dentro de sacos plásticos.

— Você não vê essas coisas porque eu tento protegê-la das notícias, da realidade lá fora. Mas o perigo é real, Anne.

— Então vamos nos mudar. Nós temos dinheiro. Não *precisamos* viver aqui, meu querido. Podemos voltar para os Estados Unidos ou até ir para a Europa. Podemos viajar...

— Preciso ficar aqui — cortou ele, mais brusco do que o normal. — Por causa do trabalho.

— Mas você pode fundar uma construtora em algum outro lugar, não pode? Não é como se não existissem outros mercados.

Ele a segurou pelos pulsos com força mas sem machucá-la e a puxou para si, calando-a com um beijo igualmente forçado.

— Não podemos ir embora, Anne. Sinto muito, mas é assim que as coisas são.

Algo nos olhos dele a advertiu de que era melhor não discutir.

Essa conversa marcou uma mudança na relação. O amor continuava ali, de ambos os lados. Mas, depois daquele dia, passou a andar de mãos dadas com o medo. Anne tinha cada vez mais perguntas, porém temia fazê-las. Pela primeira vez ela se deu conta de que era oficialmente a madrasta de cinco crianças. Por que o pai delas mal as via? Deixar uma mulher, ou até duas, é uma coisa, mas certamente não é normal se afastar dos próprios filhos. Anne sabia que ele pagava a pensão, as escolas deles, coisas assim, mas ela só tinha visto os filhos do primeiro casamento uma vez, e os dois mais novos, do segundo casamento, em poucas ocasiões. Nenhum deles parecia ter uma relação verdadeira com o pai.

Sozinha, só podendo tocar seu violino em particular para ele e alienada da família e dos amigos, Anne começou a entrar em pânico. A vida na prisão de ouro que era seu casamento estava se tornando cada vez mais insuportável. Mas a vida sem seu amor também parecia igualmente impensável. Desde que Anne tinha 16 anos ele era o mundo dela, sua rocha, seu ídolo. E ele ainda precisava dela, adorava-a com a mesma paixão de quando se conheceram. Anne temia por sua integridade física, mas nunca havia sido agredida. Será que estava ficando paranoica? Será que tudo aquilo era apenas coisa de sua cabeça?

Somente quando ele começou a pressioná-la para terem um bebê — o sexto filho que mal conheceria — foi que Anne teve certeza de que precisava fugir. Já sem contato com os pais, que tomariam partido do marido de qualquer forma, ela conseguiu falar com uma velha amiga da Orquestra Jovem de San Diego, que a ajudou a comprar secretamente uma passagem de avião de volta aos Estados Unidos enquanto o marido estava em uma reunião de negócios. Apesar de ter chegado à Califórnia apenas com seu precioso violino, o passaporte e algumas centenas de dólares na carteira, Anne rapidamente retomou os antigos contatos profissionais e voltou a trabalhar. A sensação era de um renascimento, e por um tempo a alegria de tocar e de recuperar a liberdade sobrepujou os sentimentos de perda e de culpa por ter abandonado o casamento. Cerca de um mês depois, quando o marido descobriu onde estava e começou a lutar para reconquistá-la, ela já era uma mulher muito mais forte, quase outra pessoa.

Quase.

O problema era que Anne ainda o amava. Ainda sentia saudade, por mais que soubesse que não podia voltar. Mesmo após conseguir o emprego dos sonhos na Orquestra Filarmônica de Los Angeles, os sentimentos de dor e arrependimento por ter abandonado o casamento continuavam ali, dentro dela, a ponto de temer estar à beira de um colapso. Sobrecarregada pelo estresse, Anne estava começando a esquecer as coisas; às vezes apagava da mente noites inteiras ou partes do dia.

Foi quando uma amiga a apresentou à Dra. Roberts — a Nikki. Pela primeira vez desde o começo do relacionamento com o marido, Anne sentiu que tinha o apoio de alguém, que tinha alguém cuidando *dela* e protegendo-a, só que dessa vez de um jeito bom. Saudável. A terapia era a resposta, Anne tinha certeza agora. Nikki era a resposta. Ela só precisava seguir em frente, permanecer forte.

Naquele momento, Anne ergueu o arco e o mergulhou de volta na música com uma devoção renovada, cada nota elevando-a a um novo plano, a um futuro cheio de esperança, promessas e surpresas.

Nikki se olhou no retrovisor ao pegar a Tigertail Road.

Pareço velha, pensou. *Velha e cansada.*

Não era de surpreender. Ela havia tido um dia difícil. Um mês difícil. Um ano difícil, na verdade, desde a morte de Doug. Mas até certo ponto tudo isso não passava de desculpa. Ao menos era o que Doug teria dito. "Sai dessa, Nik! Você é melhor que isso. Enquanto há vida, há esperança, certo? Nós somos abençoados."

Este era o bordão dele: "Nós somos abençoados." E de fato eles haviam sido. Pelo menos era o que Nikki achava.

Não. Que se dane. Nós éramos abençoados. O fato de Doug ter escondido segredos de mim não invalida tudo. Nós éramos abençoados. Eu ainda sou abençoada.

Essa era a questão, não era? Doug podia estar morto. *Ele* não era mais abençoado. Mas Nikki continuava vivinha da silva. Continuava ali, ajudando as pessoas, fazendo um trabalho importante. *Enquanto há vida, há esperança.* Esse era outro bordão de Doug, que ele vivia usando a torto e a direito com os viciados em recuperação em sua clínica. O filho da mãe estava sempre tão animado... Os viciados deviam odiá-lo por isso — quando não estavam se jogando aos pés de Doug como se ele fosse o senhor e salvador deles.

A verdade era que, embora Nikki tivesse dificuldade para admitir, a dor pela perda do marido não era a única responsável pelas linhas ao redor dos olhos ou as olheiras escuras como ameixas. Anne Bateman também tinha sua parcela de culpa.

Anne. A linda, talentosa, frágil, volátil e inebriante Anne estava ameaçando voltar com o marido. Um homem que, segundo os relatos dela, a fazia temer pela própria vida. Um homem cuja natureza ciumenta e controladora havia destruído seu espírito de tal forma que, quando chegou ao consultório de Nikki pela primeira vez, três meses atrás, ela tremia sem parar e estava apenas pele e osso de tão magra, como um cachorro largado numa estrada. Anne ficava apavorada com a hipótese de tomar até a mais simples das decisões, como o que jantar ou que saia usar numa apresentação. Nikki a acolhera, a consolara, a ajudara. Ela *reconstruíra* Anne, colando de volta os cacos do ego esfacelado de sua paciente, sua autoimagem dilacerada, e devolvendo-os intactos. E tudo isso para quê? Para ela dar tudo de mão beijada ao desgraçado daquele ex-marido? Para que ele a pisoteasse e a destruísse de novo?

Nikki sabia que não devia levar para o lado pessoal, mas, *meu Deus*, era muito frustrante quando os pacientes faziam isso. Quando todo o trabalho duro deles — todo o trabalho duro de *Nikki* — escorria pelo ralo. Doug costumava lidar com esse tipo de situação o tempo todo. Afinal, trabalhava com viciados na clínica. A recaída, o retorno ao fundo do poço após meses, anos, às vezes até décadas estando limpos, sem nenhum motivo aparente. O amor, sobretudo o amor tóxico como o de Anne Bateman pelo marido controlador, era um vício como outro qualquer. Profissionalmente falando, Nikki sabia disso.

O problema era que, com Anne, ela vivia se esquecendo do profissionalismo. Seus sentimentos por Anne Bateman extrapolavam por muito as fronteiras profissionais. Eles a exauriam, a mantinham acordada à noite e a faziam envelhecer de um jeito horrível, como seu terrível reflexo no retrovisor podia confirmar. No fundo, ela sentia vergonha. Não eram sentimentos de natureza sexual — ao menos não de maneira explícita. Mas certamente eram obsessivos, doentios e... *Aaaah!*

Nikki estacionou perto do portão de entrada e saiu do carro para digitar o código do alarme de segurança. Nada aconteceu. Abalada, ela estava esperando a droga do painel reiniciar quando seu celular tocou.

— Aconteceu de novo — disse Anne, a voz tensa e carregada de medo.

— O que aconteceu?

Nikki sentiu um desejo de protegê-la tomar seu corpo como uma onda.

— O homem. Ele voltou. Está me seguindo de novo!

Coitada, pensou Nikki. Anos vivendo sob a feroz vigilância do marido haviam deixado Anne extremamente paranoica, com medo até da própria sombra. Ela vivia dizendo que estava sendo "seguida", mas nunca conseguia descrever os carros ou as pessoas que estavam atrás dela — aliás, nem sequer era capaz de explicar como estava sendo ameaçada.

Durante os minutos seguintes, Nikki conversou com Anne, tentando tranquilizá-la, acalmá-la, como sempre fazia quando o medo se apoderava de sua paciente.

— Isso não é real, Anne. Nada disso é real. Isso é o seu marido colocando coisas na sua cabeça. É por isso que você precisa ficar longe dele. De uma vez por todas.

— Talvez... — Anne titubeou. — Mas e se *for* real e não tiver nada a ver com ele? Quer dizer, houve dois assassinatos...

— Anne, ninguém está atrás de você.

— Mas como pode ter *certeza*? A polícia disse que todos os seus pacientes deviam ficar em alerta. Disse que, se víssemos algo suspeito, deveríamos avisar.

— Mas, Anne, você *não viu* nada, viu? Isso não passa de uma sensação de que alguém está perseguindo seu carro, de que há algo de sinistro atrás de você.

— Bom, tudo bem, acho. Só que...

Nikki precisou de mais alguns minutos para tranquilizá-la antes de desligar. Como sempre, após falar com Anne, foi tomada por emoções conflitantes. Felicidade por Anne ter escolhido procurá-la para pedir conselhos e frustração por sua paciente ainda permitir que o marido tivesse tanto poder sobre sua vida. Anne tinha algo de indescritível — sua juventude e vulnerabilidade combinadas com um talento colossal e uma carência opressora, quase tangível — que sensibilizava Nikki mais do que qualquer outro paciente que já tivera. Talvez, no fundo, a atração que sentia tivesse a ver com necessidade. Anne Bateman precisava dela. Nesse momento caótico de sua vida, Nikki queria ser necessária. Talvez *essa* fosse a droga dela.

De repente, ela sentiu uma rajada de vento: quente, rápida e muito próxima.

Em seguida ouviu um barulho. O som de um motor.

Um carro.

Ela se virou — na verdade, começou a se virar, pois tudo aconteceu rápido demais, em uma fração de segundo. Um utilitário grande, preto e com vidro fumê avançou na direção dela numa velocidade perigosa. Nikki não teve tempo para nada, nem para sentir medo. Instintivamente colou as costas no portão de madeira e fechou os olhos.

Outro barulho de freios, e o carro desviou bruscamente, passando a milímetros dela.

Nikki abriu os olhos. *O que foi que acabou de acontecer?* O motorista deve ter saído de uma curva antes de virar bruscamente para a esquerda e seguir a toda pela rua estreita. *Será que perdeu o controle?* Paralisada, com o coração palpitando, Nikki assistiu, muda e horrorizada, ao carro derrapar até parar, então dar meia-volta e ir para cima dela de novo, mirando em sua direção de propósito para atingi-la em cheio. O motor roncava cada vez mais alto, como se fosse um touro enlouquecido prestes a atacar.

Aquilo não seria acidente.

Ela olhou desesperada para os lados, procurando uma rota de fuga, mas duas paredes de cerca viva com um metro de altura a bloqueavam pelos lados do portão. Se tentasse dar a volta pelo outro lado, o carro a pegaria. Acima de Nikki havia a pequena borda de madeira do portão, em que ela teoricamente poderia se segurar e tentar escalar, mas era alto demais.

Estou presa!, pensou Nikki, desamparada. *Vou morrer.*

Tudo desacelerou de repente — seus sentidos, suas percepções, seus batimentos cardíacos. Até o ronco do motor do carro pareceu ficar mais baixo, abafado pelo baque grave e profundo de sua pulsação.

No momento em que essa sensação tranquila de aceitação começava a tomar conta de Nikki, um carro vermelho esportivo apareceu de repente na esquina. Ela assistiu à cena como se fosse um sonho, uma experiência extracorpórea: os dois carros deslizando pela pista, os freios guinchando enquanto tentavam evitar uma colisão a qualquer custo. Como era muito mais leve, o carro esportivo perdeu o controle e derrapou, passando diante de Nikki como um pião vermelho vivo, antes de parar, como que por milagre, com a traseira na cerca viva da casa vizinha.

Por um instante, o silêncio se instalou. Em seguida o utilitário recuou, deu meia-volta e desapareceu colina abaixo.

O motorista do carro vermelho, um jovem iraniano com pouco mais de 20 anos, saiu do carro zonzo, cambaleante, mas ileso.

— Puta merda! — xingou o rapaz. Estava bem-vestido e era bonito, como de praxe entre a juventude abastada de Los Angeles. Dentes bonitos. Pele bonita. Corpo bonito, graças a alguma academia cara e exclusiva. — Você viu aquele louco? Ele estava indo para cima de você!

Nikki tentou falar, mas as palavras não saíam.

— Está tudo bem? — perguntou o jovem.

— Não. — Nikki ofegou. — Acho que alguém está tentando me matar.

CAPÍTULO DEZESSETE

A volta dos Baden a Los Angeles foi discreta. Passou batida pela mídia e foi bem rápida. O jatinho particular de Willie pousou no Aeroporto de Burbank terça-feira à noite, e o piloto recebeu instruções para levá-lo de volta a Cabo San Lucas na sexta-feira de manhã bem cedo. A Sra. Baden estenderia sua visita à cidade e aproveitaria o fim de semana para cuidar de algumas coisinhas no escritório de sua instituição de caridade no centro de Los Angeles. Mas o advogado do casal deixou claro para a polícia que, se os detetives quisessem colher o depoimento dos Baden, quarta-feira seria o "único dia oportuno".

— Isso não incomoda você? — perguntou Goodman a Johnson, enquanto seu parceiro seguia rumo ao apartamento de Willie para interrogar o bilionário dono do Rams sobre o caso que teve com Lisa Flannagan. — Digo, todo esse tratamento especial dado aos ricos...

Os dois tinham concordado em falar com os Baden separadamente — Goodman se encontraria com Valentina no Polo Lounge em Beverly Hills enquanto Johnson colheria o depoimento de Willie.

— Depende — respondeu Johnson, dando de ombros. — O velho Baden tem sido generoso com o departamento. Além do mais, ele voltou aos Estados Unidos e se apresentou a nós por livre e espontânea vontade. Então, nesse caso, não.

Não era segredo para ninguém o fato de que Willie Baden era um dos maiores doadores "anônimos" do fundo de apoio ao Departamento de

Polícia de Los Angeles, o que pesava muito mais para Johnson do que para Goodman. Além disso, havia fortes rumores de que Willie tinha conseguido interromper uma investigação relacionada à instituição de caridade de sua mulher cerca de um ou dois anos antes — algum "equívoco" na hora de pagar os impostos ou uma renda não declarada. Nada ficara comprovado, mas o caso contra a Desaparecidos foi desmantelado ainda no começo. A situação toda deixou um gosto amargo na boca de Goodman.

— Seja educado com a Sra. B, Lou — provocou Johnson. — Não deixe a raiva pelo "tratamento especial" tomar conta de você, senão vai ter que prestar contas ao chefe.

— Sou sempre educado — resmungou Goodman.

No fim das contas, foi mais fácil ser educado com Valentina Baden do que Goodman havia imaginado. Ao se levantar da cadeira em que estava, de frente para a piscina do icônico hotel de Beverly Hills, o Polo Lounge, e cumprimentar Goodman com um vestido chemise branco simples, a mulher de Willie Baden parecia muito menos espalhafatosa e difícil de agradar do que ele havia imaginado. Quase não usava maquiagem, e seu cabelo com mechas grisalhas estava preso em um coque casual. Ela ainda deixou Goodman desconcertado ao pedir desculpas pelo tempo que demorara para voltar aos Estados Unidos.

— Infelizmente, nem sempre é fácil viajar, por causa do trabalho de Willie. Os negócios nos deixam mais presos do que gostaríamos — explicou ela. — E, além de tudo, tem sido um momento difícil para mim, porque estou tendo que processar meu marido infiel sob os holofotes da mídia.

— Claro — disse Goodman, compreensivo, aceitando um copo de água Pellegrino. — Agradecemos por ter se disponibilizado a conversar com a polícia.

— Devo admitir que fiquei um pouco surpresa quando soube que vocês queriam falar *comigo* — comentou Valentina com toda calma. — Quer dizer, está claro que Willie teve um relacionamento com a garota assassinada, então eu sabia que vocês precisariam falar com ele. Mas eu não sabia nada a respeito dela. *Lisa Flannagan.*

Ela pronunciou o nome como quem saboreia uma fruta estranha e potencialmente desagradável.

— Então a senhora foi pega de surpresa quando soube do caso? — perguntou Goodman, tentando ir direto ao ponto.

— Bem... — admitiu Valentina, inclinando-se para a frente e envolvendo Goodman em uma nuvem de perfume Gucci. — Eu sabia que meu marido tinha casos, claro. Não sou idiota, detetive. Mas nunca tinha ouvido falar dessa garota especificamente. Então não sei bem como posso ajudar na sua investigação.

— A senhora aceitava os casos do seu marido? — Goodman ergueu uma sobrancelha.

Valentina deu um sorriso triste.

— Eu nunca disse isso. Casamentos são complicados, detetive. Algumas coisas em meu casamento me trouxeram dor. Mas outras têm sido... mais positivas. Tenho muita liberdade para ir atrás dos meus interesses e das minhas paixões. Minha instituição de caridade, por exemplo — acrescentou Valentina. Goodman podia jurar que havia certo tom irônico na resposta.

— Já ouviu falar em um jovem chamado Brandon Grolsch? — perguntou ele, decidindo se afastar dos rumores sobre sonegação de impostos que rondavam a Desaparecidos e se concentrar na questão que importava.

Valentina se recostou na cadeira, sobressaltada.

— Brandon? Sim, claro. O que Brandon tem a ver com a história?

— Pode me dizer de onde o conhece? — questionou Goodman, ignorando a pergunta de Valentina.

— Bom, eu nunca cheguei a conhecê-lo *de fato*. Conheço a mãe dele, Fran. Pobre mulher. — Valentina balançou a cabeça com ar de tristeza.

— Pobre em que sentido? — Goodman decidiu entrar no jogo.

— Bom, Brandon desapareceu. Conheci Fran por meio da minha instituição de caridade. Imagino que conheça nosso trabalho.

Goodman assentiu.

— Sei o básico. A organização divulga casos de pessoas desaparecidas, certo?

— Ah, nós fazemos muito mais que isso — respondeu Valentina, com um ar astuto.

Ela está me desafiando a perguntar sobre a investigação de sonegação de impostos?, perguntou-se Goodman.

Nitidamente havia um quê de desafiador no tom da Sra. Baden, que já beirava o flerte. Mas novamente ele escolheu deixar para lá.

— Me fale mais sobre os Grolsch.

— Infelizmente, o caso deles é muito comum. — Valentina suspirou. — Brandon tinha um problema com drogas. Ninguém liga quando um toxicômano desaparece do mapa. Acontece o tempo todo, não é? Mas nós da Desaparecidos levamos o sumiço dele muito a sério.

A ferocidade no tom de voz e na expressão de Valentina Baden impressionou Goodman. Ali, diante dele, não estava uma simples esposinha rica, que se atirava de cabeça no trabalho humanitário para não ficar entediada entre uma compra e outra. Ela era uma leoa, uma mulher apaixonada pela causa. Sonegadora de impostos ou não, Valentina Baden se importava com a Desaparecidos da forma como uma mãe se importa com o filho.

— Ajudamos Fran a procurar o filho dela num momento que ninguém mais parecia disposto a isso, inclusive seus colegas da polícia, devo acrescentar. E embora o desfecho do caso tenha sido trágico e muito diferente do que qualquer mãe desejaria, acho que Fran ficou grata pelo nosso esforço. Cá entre nós, Nathan, o marido dela, é um homem muito difícil. Frio. Acho que ele não amava Brandon e não fazia a menor ideia do que a esposa estava passando.

— A senhora disse que o resultado foi trágico? — insistiu Goodman.

Valentina Baden respirou fundo.

— Isso. Recebemos uma carta de uma pessoa conhecida da minha equipe: Rachel, uma jovem com quem tínhamos contato e que era próxima de Brandon. Ela também era viciada em heroína e estava ao lado de Brandon quando ele morreu de overdose. Alguém chegou a aplicar uma dose de Narcan nele, mas era tarde demais.

— Hmmm. — Goodman tomou um gole de água. — A senhora sabe o sobrenome dessa Rachel?

— Infelizmente, não — respondeu Valentina, com um sorriso que claramente dava a entender que não forneceria a informação a Goodman mesmo que a tivesse.

— Além da carta, a senhora encontrou alguma outra evidência sugerindo que Brandon Grolsch tenha, de fato, morrido?

— Não. Mas também não corremos atrás disso. Fran até nos pediu que continuássemos as buscas por Brandon, mas nossos recursos são limitados, detetive, e a verdade é que não tínhamos motivo algum para duvidar da história que Rachel nos contou. Pelos registros hospitalares, já sabíamos que Brandon havia tido pelo menos duas overdoses antes. Em algum momento, o coração simplesmente desiste.

— A carta dizia onde isso aconteceu? Ou quando?

Valentina balançou a cabeça.

— Não havia nenhum detalhe.

— Então a senhora não sabe o que aconteceu com o corpo de Brandon?

A pergunta pareceu pegá-la de surpresa.

— Presumo que tenha sido levado pela polícia. Não sei qual é o procedimento correto quando isso acontece. O senhor conhece melhor que eu, detetive. Mas, que mal lhe pergunte... por que tudo isso? Existe algum tipo de ligação entre Brandon Grolsch e a amante... e Lisa Flannagan?

— É possível — respondeu Goodman, com cautela. — Neste momento, não temos certeza de nada, Sra. Baden. Mas as informações que a senhora me forneceu hoje foram muito úteis. Só para esclarecer: a senhora realmente acredita que Brandon Grolsch esteja morto?

— Tenho certeza — respondeu Valentina, firme. — Só queria poder convencer a mãe dele disso. Sabe, detetive, vi meus pais desperdiçarem décadas de vida por causa de uma falsa esperança de que encontrariam minha irmã. Desde então, já vi inúmeras outras famílias passarem por isso. Parte do que fazemos na Desaparecidos é procurar os entes queridos das pessoas. Mas a maior parte é ajudar as famílias a seguirem em frente quando descobrimos que a pessoa que eles estão procurando não vai voltar. — Ela se recostou na cadeira e olhou nos olhos de Goodman. — Pode acreditar no que estou dizendo: Brandon Grolsch não volta nunca mais.

Horas depois, Goodman e Johnson compararam anotações enquanto tomavam uma cerveja no Murphy's, no Santa Monica Boulevard. Willie Baden havia sido muito menos transparente que sua mulher, limitando-se a ler uma declaração com o advogado ao seu lado e recusando-se a dizer qualquer coisinha a mais que não estivesse no roteiro.

— Consegui traçar uma linha do tempo do caso dele com Lisa e peguei alguns extratos bancários mostrando quanto ele tinha dado à amante e o documento de escritura do apartamento onde ela morava. Além disso, ele se voluntariou para colhermos suas impressões digitais e uma amostra de DNA. Mas foi só. Segundo ele, a única coisa que os dois faziam juntos era sexo. Ele alegou que não conhecia nenhum amigo ou parente de Lisa, nem sabia como ela passava o tempo quando estavam longe um do outro. Willie confirmou que Lisa havia terminado o relacionamento semanas antes da sua morte, mas disse que estava tranquilo com relação a isso, que o caso já tinha "dado o que tinha que dar"

— E ele pareceu sincero?

— Não muito — admitiu Johnson. — Mas o álibi dele é bem consistente. Sei lá... Meus instintos me dizem que ele está limpo nessa. Acho que não se importava com ela o suficiente a ponto de pagar alguém para retalhá-la inteira daquele jeito.

— Você chama isso de "se importar"? — Goodman engasgou com a cerveja.

— Bom, uma pessoa que faz isso não é exatamente desprendida, né? — respondeu Johnson, o rosto impassível. — Ela não levou um tiro na cabeça. Foi torturada, aterrorizada. Posso estar enganado, mas nada disso me parece o estilo de Willie. Mas e a mulher dele? Como foi com ela?

— Interessante. A mulher é mais inteligente do que eu imaginava. Não consigo dizer exatamente por que, mas tenho a sensação de que, em certos momentos, ela estava praticamente brincando comigo. Como se tudo o que dissesse tivesse duplo sentido.

Goodman deixou Johnson a par da conversa com Valentina Baden, explicando que ela confirmara quase com as mesmas palavras a história que ele ouvira do abominável Nathan Grolsch.

— Ela está convencida da morte de Brandon. Na cabeça dela, não resta dúvida.

— Também acho isso — concordou Johnson.

Goodman pensou por um instante. Será que também concordava? Ele se lembrou da contundência das palavras finais de Valentina Baden: *Pode acreditar no que estou dizendo: Brandon Grolsch não volta nunca mais.* Ele já havia tido overdoses antes. No fim das contas, esse de fato parecia ser o desfecho mais provável do garoto.

— Certo. Então vamos supor que ele esteja morto. Em que pé estamos?

Os dois tomaram um gole de cerveja calados, contemplativos. Foi Johnson quem quebrou o silêncio.

— Que tal isto: nosso criminoso matou Brandon primeiro. Descobriu que o garoto era um viciado, um zero à esquerda, que ninguém ia sentir falta dele. Ele, ou ela, guarda o cadáver. Então, quando mata Lisa, e depois, quando pensa que matou Trey e descarta o corpo do garoto, planta o DNA de Brandon nas vítimas para encobrir o próprio rastro.

— Então você não acredita na história da overdose?

— Talvez. Vai ver Brandon já estava morto, e o assassino pegou o cadáver. Isso explicaria o fato de não haver registro dele no necrotério.

— Mas como? — Goodman franziu o cenho. — Como alguém pegaria o cadáver de Brandon Grolsch?

— Vai ver essa tal de "Rachel" o vendeu para ele — respondeu Johnson, impassível.

— Isso é doentio.

— Bom, nós vivemos em um mundo doentio. Precisamos encontrar essa garota.

Goodman assentiu.

Ambos ficaram em silêncio enquanto terminavam suas cervejas.

Mais tarde, naquela mesma noite, Willie Baden olhava pela janela de seu jatinho particular enquanto decolava. Ele conseguira adiantar seu voo, a única coisa boa que havia acontecido durante a semana inteira. Não que gostasse de sair de Los Angeles ou deixar seu amado time para trás. Mas era necessário. Precisava retornar ao México. Seus parceiros comerciais lá deixaram isso brutalmente claro, e por ora eles detinham o controle sobre o mais recente negócio de Willie. Mas não por muito tempo. Assim que o foco das operações voltasse para Los Angeles, ele teria a vantagem de estar jogando em casa. Se fizesse tudo do jeito certo, Willie teria um lucro obsceno com essa jogada.

Se...

Abaixo dele, as luzes da cidade brilhavam como um cobertor de vaga-lumes, reluzindo na escuridão. Pelo menos a viagem tinha sido um sucesso. O detetive balofo não havia arrancado nada de útil dele. Com Glen ao seu lado, Willie se ativera religiosamente ao roteiro, e à polícia não restou escolha senão deixá-lo partir.

— Deseja beber algo, senhor? — perguntou a comissária de bordo. Aquela era nova e não tinha nada de atraente. Após o caso de Willie e Lisa ganhar as manchetes dos jornais, Valentina teve um acesso de raiva e resolveu demitir a provocante Conchita, a ex-modelo que trabalhava como comissária de bordo no jatinho.

— Vodca com tônica — resmungou Willie. Talvez isso o ajudasse a relaxar.

Ele queria que Valentina voltasse com ele, mas, para sua surpresa e irritação, ela insistira em ficar em Los Angeles por mais uns dias.

— Quero fazer o cabelo — explicou ela. — E tenho que encontrar algumas pessoas.

— Que pessoas? — indagou Willie, autoritário.

— Não tenho que dar satisfação do que eu faço para *você*, Willie — rebateu Valentina, com raiva. — Você me forçou a vir até aqui falar com a polícia. Vou aproveitar a oportunidade e usar o tempo da forma que achar melhor. Sabe Deus quando vamos voltar para cá, afinal de contas.

A ideia de sua mulher irritada e vingativa sozinha em Los Angeles não era nada tranquilizadora, mas a verdade era que ele não estava em posição de impedir isso. Além do mais, na escala atual de preocupações de Willie Baden, isso não estava nem perto do topo. Ainda assim, a decisão dela o deixou desnorteado. Vinte e quatro horas atrás, Valentina não parava de resmungar que não queria sair de Cabo, e agora ali estava ela, se recusando a voltar para o México.

Que se dane. Já fazia muito tempo que Willie desistira de tentar compreender a mente feminina. Com sorte, a tão amada instituição de caridade de Valentina continuaria distraindo sua esposa enquanto ele se concentrava em descobrir como fazer seu "arranjo" com o novo parceiro de negócios latino funcionar a seu favor. A ironia era que eles tinham sido apresentados por Valentina, embora Willie suspeitasse que sua mulher não fizesse ideia de quão perigoso o mexicano realmente era. *É como apostar tudo na roleta*, pensou Willie. A recompensa podia ser enorme, mas os riscos eram assustadores.

Estou velho demais para isso, refletiu, no momento em que sua bebida chegou. Trêmulo, ele tomou tudo em uma única e longa talagada. Em seguida, fechou os olhos e tentou dormir.

Da sacada da suíte no hotel em Beverly Hills, Valentina Baden ficou observando enquanto as lanternas traseiras de um avião cruzavam o céu noturno.

A essa altura, Willie estaria em pleno voo. Em breve ela teria de ir também. Mas não agora. Não esta noite. A ideia de passar alguns dias sozinha, de ter algumas horas preciosas de liberdade total, era mais empolgante do que tudo o que Valentina havia sentido em anos. Era quase como ser jovem outra vez. Jovem, linda e desejada...

O detetive com quem falara mais cedo era bonito e charmoso e tinha se mostrado tão dócil quanto um filhotinho de cachorro. Tão fácil! Os policiais não eram mais como antigamente. Conversar com Goodman e passar a perna nele deixara Valentina empolgada. Sobretudo quando ele mencionara Brandon Grolsch.

Ah... Brandon.

Se fechasse os olhos, conseguia praticamente sentir a pressão do corpo forte e jovem dele sobre o dela. A firmeza da pele, a segurança no toque. Como Brandon era um garoto bonito... *Que desperdício!*

Valentina Baden voltou para dentro da suíte, tirou a roupa e entrou no chuveiro, onde permitiu que suas mãos fizessem o papel de Brandon, perdendo-se na fantasia.

Tinha muito o que fazer, tanto naquela noite quanto nos dias seguintes. Mas isso podia ficar para depois.

Tudo podia ficar para depois.

CAPÍTULO DEZOITO

— Então cadê ele? Esse tal garoto do carro vermelho, que supostamente presenciou tudo?

Um pequeno músculo saltava sob a pele flácida do pescoço do detetive Mick Johnson. Ele se inclinou sobre a mesa da sala de interrogatório, a mesma sala onde Nikki estivera da última vez que falou com a polícia, e aproximou o rosto do dela em um gesto beligerante, como um sapo raivoso prestes a cuspir veneno.

— Não sei onde ele está — explicou Nikki outra vez, cansada. — Eu lhe dei o número de telefone que ele me passou.

— Número esse que não funciona.

— Olha, ele não "supostamente" viu tudo, ok? — Nikki estava com raiva. — Ele *estava* lá. Viu um cara tentar me esmagar como um purê de batata. Ele salvou a minha vida.

Ela fica bem irritada, pensou Lou Goodman, admirando Nikki Roberts enquanto a psicóloga cruzava as pernas esguias e estreitava aqueles olhos amendoados inteligentes até ficarem quase fechados enquanto encarava o colega dele. *É como uma serpente linda e exótica pronta para atacar*. E Deus sabia que Johnson merecia uma boa picada. Apesar da promessa de manter a mente aberta, ele tinha se comportado como um grande babaca desde que Nikki entrou na sala. Ela estava ali para prestar esclarecimentos mais detalhados a respeito do ataque

que relatara ter sofrido no dia anterior, um atentado contra sua vida bem na porta de casa. Mas Mick se mostrara hostil desde o primeiro momento — ainda que os investigadores forenses tivessem ido à residência de Nikki Roberts no mesmo dia e confirmado que as marcas de derrapagem na pista, assim como um buraco enorme na cerca viva do vizinho, corroboravam a versão dos fatos apresentada pela psicóloga. *Não restava dúvida* de que dois carros haviam estado ali, ambos em alta velocidade, e nenhum deles era o Mercedes X-Class de Nikki. Partículas de tinta vermelha haviam sido encontradas no arbusto, o que sustentava a informação que a psicóloga dera sobre a cor do carro da testemunha. A "descrença" de Mick não passava de pura teimosia e de seu desejo de considerar Nikki uma ré, e não uma vítima.

Mick bocejou na cara dela sem o menor pudor.

— Aí a senhora anotou o telefone errado. E em momento algum pensou em perguntar o nome do cara? Ou em anotar a placa do carro?

— Eu estava em estado de choque — respondeu Nikki entre os dentes. — Alguém tinha acabado de tentar me atropelar, detetive, e quase conseguiu! — Ela coçou os olhos como uma criança cansada. — Minha paciente está morta. Meu assistente também. Eu tenho outros pacientes que estão temendo pela própria segurança, pela própria vida. Foi *o senhor* quem insistiu em dizer que eu era o elo entre os assassinatos. E parece que tinha razão, porque agora, pelo jeito, tem um maníaco tentando me matar também. Então o senhor vai ter que me perdoar se eu não estava no ápice da lucidez naquele momento.

Johnson lançou um olhar fulminante para a Dra. Roberts.

— Vou lhe dizer o que eu acho, *doutora*. Acho que você inventou essa história toda. O utilitário, a testemunha, o motorista do carro esportivo. Tudo invenção.

— O quê? — Nikki olhou para ele incrédula.

— Seu marido morreu — prosseguiu Johnson. — Você está sozinha. Ninguém dá a mínima para você. Aí você inventa uma pessoa, um cavaleiro com armadura brilhante para ir ao seu resgate. Inventa uma tentativa de assassinato e depois vem aqui falar de um sujeito bonito e desconhecido que pode confirmar sua história, só que... *ah, não!* Pelo jeito você anotou o telefone dele errado.

Nikki virou-se para Goodman.

— Parece que seu colega enlouqueceu.

Goodman, que concordava com ela, olhou feio para Johnson.

— Sinto muito, Dra. Roberts... — começou ele, mas foi interrompido.

— Não se desculpe com ela! — gritou Johnson, dando um soco na mesa. — Se tem alguém maluco aqui, com certeza não sou eu. Quer dizer, espera aí, né? Um carro misterioso. Janelas com vidro fumê. Nenhum número de placa. Nenhum ferimento. Nenhuma *testemunha*. Para mim, você tirou essa história de um desses filmes ruins de suspense, Dra. Roberts. Um enredo que colocaria *você* no papel de vítima. Que surpresa!

Nikki se levantou, alisou a saia lápis de um jeito discreto, deixou Mick Johnson de lado e se dirigiu apenas a Goodman.

— Por favor, me informe se fizer qualquer progresso, detetive. Vou para casa. Não tenho tempo para essa psicologia barata do seu amigo, nem para esse tipo de insulto pueril. Passar bem.

Ela realmente fica esplêndida quando está puta da vida, pensou Goodman, observando Nikki sair de cabeça erguida da sala, os sapatos de salto agulha ressoando alto no piso de linóleo enquanto ela caminhava.

— "Pueril!" — Goodman abriu um sorriso paternalista para Johnson. — Essa você vai ter que procurar no dicionário, hein, Mick?

— Ela é uma puta — resmungou Johnson, sem achar a menor graça. — Uma puta mentirosa que está fazendo a gente perder tempo.

Goodman se levantou, exasperado.

— Qual é o seu problema com essa mulher? O que aconteceu com aquela história de "mente aberta"?

— *Ela* aconteceu — retrucou Johnson. — Só estou falando o que acho. Para mim, não houve tentativa de assassinato nenhuma. Acho que isso é invenção da cabeça dela.

— Pelo amor de Deus, Mick. Temos evidências. Evidências sérias, sólidas.

— Umas marquinhas de pneu? Não me venha com essa. Isso não prova porra nenhuma, e você sabe muito bem disso.

— E por que ela inventaria uma história dessas? — Goodman escancarou os braços, frustrado. — Por quê?

Johnson deu de ombros.

— Porque ela quer atenção.

— Atenção de quem? Sua? Sem querer ofender, Mick, mas acho que ela não está interessada em você.

— Sei lá, Lou. Talvez queira a sua — rebateu Johnson, irritado. — De repente percebeu a baba escorrendo da sua boca e o volume nas suas calças toda vez que ela aparece e ficou com vontade de olhar mais de perto.

Goodman balançou a cabeça. O que era aquilo? A terceira série?

— Não sei quais são os motivos dela nem me interessa saber — prosseguiu Johnson. — Só sei que não acredito nela. Acho que essa mulher não bate bem da cabeça.

Exausto, Goodman achou melhor deixar para lá. Não dava para argumentar com Johnson daquele jeito. E este, interpretando o silêncio do colega como sinal de que a conversa havia acabado, resolveu mudar de assunto.

— Mais alguma pista sobre Brandon Grolsch?

— Nada de útil. — Uma expressão preocupada surgiu no rosto de Goodman. — Rastreei a garota que escreveu para Valentina Baden contando sobre a overdose de Brandon. O nome dela era Rachel Kelsey.

— "Era"?

— Aham — confirmou Goodman com um suspiro. — Morreu de overdose há oito semanas. A família a enterrou perto de San Diego. Tinha 22 anos.

Johnson fechou a cara.

— Mas que diabo anda acontecendo com essa garotada?

— Pois é... — murmurou Goodman. — É trágico.

— Tenho certeza de que Nikki Roberts está envolvida nesses assassinatos de alguma forma — disse Johnson, voltando a ficar animado. — Não sei como. Mas tenho certeza. Quando sinto que estamos *pertinho* de enxergar a ligação... puf! Ela desaparece.

Goodman não se sentia "pertinho" de nada. Só queria que Johnson parasse de atormentar a Dra. Roberts e de fechar a porta para novas pistas que ela pudesse apresentar, como a testemunha no carro vermelho. Porque a deprimente verdade era que, se Brandon Grolsch estava morto, o motorista do utilitário talvez fosse o único suspeito que eles tivessem.

— Tenho uma pergunta para você. — Haddon Defoe sorriu para Nikki do outro lado da mesa onde almoçavam. Ele não a via desde a noite em que dera a notícia da morte de Trey Raymond. Felizmente, todo o constrangimento e a dor daquele encontro não estavam presentes neste momento. Era quase como nos bons e velhos tempos.

— Pode mandar — disse Nikki.

Haddon a encarou com um olhar penetrante e, com a cara mais séria do mundo, perguntou:

— O que exatamente é *limão Meyer*?

Nikki caiu na gargalhada. Eles estavam em Venice, em um dos bistrôs mais novos e badalados no Abbot Kinney Boulevard, onde o cardápio certamente tirava dez em matéria de pretensão.

— E já que tocamos no assunto, o que são tomate *heirloom*, caranguejo *Dungeness* e frango *Jidori*? — continuou ele. — Esses cardápios parecem mais a invasão dos adjetivos assassinos. O que aconteceu com o bom e velho frango frito?

— Ah, eles ainda existem — respondeu Nikki. Ela havia pedido um suculento aspargo ao vapor e agora cortava o talo do último. — A uns seis quarteirões daqui, no El Pollo Loco, que custa dez vezes menos. Mas nós dois sabemos que esse não é o seu estilo, Haddon.

Haddon estava contente por vê-la mais feliz e até brincando com ele, como costumava fazer antes do acidente de Doug. Nikki mudara após a morte do marido. Uma nuvem carregada pairava constantemente sobre ela agora, e uma parte disso era luto, outra parte era raiva, mas Haddon suspeitava que havia também uma parte que era de total perplexidade a respeito das coisas que ela havia descoberto sobre o marido depois da morte dele, fatos que ela desconhecia até então.

— Vai querer sobremesa? — perguntou Haddon assim que terminou de comer o lagostim que havia pedido (com crème fraîche de limão Meyer). — Ou podemos ir andando?

— Vamos. Acho que não estou com ânimo para um ganache de chocolate desconstruído sem glúten.

Os dois partiram rumo à clínica em Venice, um desdobramento do espaço que ele e Doug dirigiram juntos no centro de Los Angeles nos últimos oito anos. Doug havia se envolvido intensamente no planejamento dessa segunda clínica. Apesar de ter imóveis cada vez mais valorizados, o bairro continuava sendo o lar de um número crescente de desabrigados e doentes mentais. A maioria, viciados de longa data. Doug havia participado da escolha do local da nova clínica, negociado descontos enormes na compra de todos os materiais e contratado um grande número de artesãos e fornecedores locais para reformar o prédio, muitos dos quais se dispuseram a trabalhar de graça. Agora, claro, Haddon comandaria o lugar sozinho. Fazia dois meses que a clínica havia sido inaugurada, mas já estava funcionando com capacidade total todos os dias da semana, com filas de candidatos a pacientes começando a se formar antes das sete da manhã.

Haddon tinha convidado Nikki para um almoço e uma visita à clínica antes do assassinato de Trey, e ficou surpreso mas feliz por ela ter mantido o compromisso. Nikki nem chegou a considerar a hipótese de desmarcar. Haddon Defoe era um homem gentil, um elo precioso com Doug e a fazia se recordar de dias mais felizes, dias que agora pareciam tão distantes... Ela saíra da delegacia, onde havia tido um arranca-rabo com o detetive Johnson, direto para o restaurante. Decidiu não contar a história a Haddon nem falar sobre a tentativa de atropelamento que sofrera na terça à noite. Se falasse, era provável que ele insistisse em se envolver na história e em tentar ajudá-la e ia querer ficar de olho nela. Nikki sabia que Haddon não tinha tempo para isso, pelo menos não estando à frente das clínicas no centro da cidade e em Venice e ainda tendo de cuidar de seu consultório particular no Cedars. Além disso, o que mais ele poderia fazer, além de se preocupar? Mal conseguiria cuidar dela em tempo integral se fosse o caso, e, mesmo se pudesse fazer isso, Nikki não teria gostado da ideia.

Enquanto caminhavam do restaurante até a clínica, Nikki se deu conta da diferença que seis quarteirões podiam fazer. Em questão de minutos, lojas de roupas e antiguidades caras tinham dado lugar a casinhas da década de 1920 em estado precário e drogarias de esquina caindo aos pedaços. Mais alguns minutos e eles estavam cercados por lotes vazios, cercas de arame trançado e matagal. Cestas de compras largadas se espalhavam pelo chão junto com detritos que Nikki conhecia tão bem dos bairros onde Doug costumava trabalhar no centro da cidade: sapatos velhos, latas, partes de bicicleta e lixo de todo tipo, inclusive agulhas descartáveis, folhas de alumínio e outras parafernálias ligadas ao mundo das drogas. Nesse mar de imundície, aqui e ali surgiam alguns prédios, muitos deles velhos, mas alguns novos, limpos e esperançosos; lojas, condomínios residenciais e prédios comerciais, e até uma galeria de arte tentando a sorte. Assim como as palmeiras oscilando altas e orgulhosas ao vento, aquelas novas construções pareciam trazer a promessa de algo melhor. Após mais alguns minutos de caminhada, Haddon subiu, de peito estufado, os degraus de entrada de um desses lugares, um prédio com fachada de madeira caiada. Ficava num lote de esquina que já havia sido uma grande construção residencial com varanda ao redor de todo o terreno e jardins que um dia se estenderam por quarteirões. Uma placa simples na entrada dizia *Clínica Venice Roberts-Defoe — Todos São Bem-Vindos.*

— Aqui está. — Haddon virou-se para Nikki com um ar de expectativa. — O que achou? Ele teria gostado, não é?

Emocionada, Nikki demorou alguns segundos para se recompor.

— Ele teria adorado, Haddon. Me mostre lá dentro.

Assim que atravessaram as portas, porém, o clima perfeito e esperançoso desapareceu, como uma bolha sendo estourada. Ali dentro, homens e mulheres — a maioria homens — jaziam espalhados pelo chão dos corredores ou encolhidos de dor em cadeiras de plástico presas ao chão. Nas duas salas de espera, criaturas miseráveis nos mais variados estágios de vício olhavam para o nada, balançavam o corpo, gemiam ou gritavam de raiva, exigindo ajuda, reclamando dos enfermeiros que tentavam manter a ordem com toda a paciência ou dos inimigos imaginários criados por suas mentes desnorteadas, psicóticas.

Enquanto Nikki atravessava aquele tumulto seguindo Haddon até sua sala, dois rapazes em especial chamaram a atenção de Nikki. Ambos aparentavam ter cerca de 20 anos e eram brancos, embora essa palavra já não fosse a mais precisa para descrever a cor da pele deles. Encostados na parede, lado a lado, aqueles jovens desamparados estavam literalmente verdes. A pele dos antebraços, do pescoço e do rosto descamava, como uma camada de tinta velha saindo da parede.

— Isso é heroína? — sussurrou Nikki no ouvido de Haddon. — Coitados. Parece que estão com septicemia.

Haddon conduziu-a até sua sala e fechou a porta antes de responder.

— Não é heroína, mas parece. É um derivado da desomorfina chamado crocodilo, *krokodil* em russo. São os russos que estão trazendo isso para cá.

— O nome é devido ao que acontece com a pele?

Haddon assentiu.

— É terrível. Doug chegou a falar com você sobre isso?

— Acho que não.

— É tipo a "nova onda" em Los Angeles no momento. Basicamente os russos estão tentando expulsar os mexicanos do narcotráfico daqui, ou pelo menos competir de igual para igual com eles. É uma guerra comercial, e esses jovens que você viu são as vítimas. A *krok* é a mais nova arma dos traficantes. Para piorar é muito fácil de fazer em casa, o que significa que o suprimento acaba sendo contaminado com todo tipo de lixo: removedor de tinta, ácido muriático... e mais todo o tipo de coisa que se pode imaginar. Já é muito consumida na Rússia há um bom tempo, mas é relativamente nova por aqui. Só que vem ganhando terreno.

— Você tem visto mais garotos assim? — Nikki não conseguia tirar a imagem dos jovens de pele esverdeada da cabeça.

— Ah, sim. Toda semana — respondeu Haddon, desanimado. — Como eu disse, é uma guerra comercial. Os russos chegaram e impressionaram todo mundo com essa coisa, que dá um barato mais forte que o da metanfetamina, aliás. Mas agora os cartéis mexicanos estão reagindo com seu próprio tipo de *krok*, supostamente mais puro do que o produto russo... o que, convenhamos, não é muito difícil. A versão mexicana é mais cara, mas ainda assim barata o suficiente para ser acessível. Então, resumindo, a *krok* é barata, incrivelmente potente e se alastrou por todos os cantos.

— Posso fazer alguma coisa para ajudar?

Haddon ficou comovido.

— Não, minha querida. — Ele apertou a mão dela. — Mas agradeço a oferta. No momento eu diria que você já tem problemas mais do que suficientes para ainda ter que lidar com o caos que viu aqui.

Ele apontou ao redor de maneira vaga, mostrando ao mesmo tempo o centro de emergência, o vício em drogas em geral e todos os problemas que as drogas traziam junto.

— Doug sempre tentou proteger você do que há de pior nesse mundo, entende? Sei que ele gostaria que eu fizesse o mesmo, ainda mais agora, depois do que aconteceu com Trey e com aquela tal Flannagan. Aliás, a polícia descobriu alguma coisa?

— Não.

De repente a voz dela saiu rude e abrupta. Em um piscar de olhos, algo havia mudado dentro de Nikki, como um interruptor de luz sendo desligado. Haddon já tinha visto aquela reação. A simples menção ao nome de Doug no momento "errado" era capaz de desencadear isso. A expressão de Nikki ficava dura, e seus músculos, tensos.

— Desculpe — disse Haddon, gentilmente. — Não quis aborrecer você.

— Não aborreceu — mentiu Nikki, tentando conter as lágrimas. — Estou bem.

Eles terminaram a visita sem incidentes. Nikki conheceu a equipe e os voluntários, apertando mãos e aturando as condolências e as muitas lembranças sobre Doug. Meia hora depois foi embora. Para surpresa de Haddon, ela se despediu com um abraço apertado.

— Mais uma vez, me desculpe por agora há pouco — disse ela. — Foi quando você falou alguma coisa sobre Doug "me proteger". Aquilo me fez pensar em tudo o que ele escondeu de mim. Todos os segredos, sabe? Às vezes é muito difícil.

— Sei que é — respondeu Haddon, abraçando-a forte. — Não precisa se desculpar comigo. Tente apenas se concentrar em si mesma, Nikki, e no futuro. Olhe para a frente, nunca para trás.

Nikki sorriu.

— Está bem, doutor. Vou tentar.

Haddon observou Nikki sair do prédio e seguir na direção do lugar onde o carro estava estacionado. Em seguida, virou a esquina e saiu de vista. Ele rezou em silêncio para que ela encontrasse forças para seguir seu conselho e deixar o passado para trás. Não valia a pena nem pensar na alternativa, tanto para ela quanto para ele.

Mais do que qualquer um, o Dr. Haddon Defoe sabia que certas portas nunca deveriam ser abertas.

Seu amigo Doug Roberts protegera a esposa de mais do que ela imaginava.

CAPÍTULO DEZENOVE

O sol já havia começado a se pôr quando Lou Goodman chegou à Avenue of the Stars. As torres de Century City pareciam saídas de um sonho, banhadas pela luz laranja meio rosada de um perfeito fim de tarde em Los Angeles, enquanto as palmeiras ao longo da avenida balançavam tortuosas à brisa fresca.

Segurando o distintivo, ele se aproximou da recepção.

— Detetive Louis Goodman, homicídios. Preciso ter acesso à suíte 706 — disse ele à recepcionista latina, naquele tom firme mas amigável que sempre usava quando queria fazer algo de improviso sem precisar de mandado de busca. — Imagino que tenha a chave, certo?

A garota sorriu para ele e se mostrou prestativa. Aquele policial era bonito, diferente dos que costumava ver, daqueles policiais fora de forma que pareciam saídos de uma série de TV.

— Eu tenho uma chave, sim, mas o senhor não vai precisar dela — respondeu a recepcionista. — A Dra. Roberts chegou deve fazer uma hora. Tenho certeza de que ainda está lá em cima. Segundo elevador à esquerda.

— Obrigado — agradeceu-lhe Goodman, escondendo a pontada momentânea de decepção. Queria fuçar o consultório de Nikki sozinho. *O que ela está fazendo aqui a essa hora?* Mas ele se recompôs rapidamente. Afinal, talvez o fato de Nikki estar no consultório fosse uma oportunidade. Johnson havia sido tão grosseiro com ela de manhã na delegacia que simplesmente a calou antes mesmo de ela ter tempo de dizer algo realmente útil. Talvez fosse hora de consertar isso.

Goodman pegou o elevador para o sétimo andar e avançou pelo corredor até a sala de Nikki. A porta, que dava na sala de espera, estava entreaberta. Goodman entrou de fininho, sem fazer barulho, o som de seus passos abafado por uma fragmentadora de papel.

Nikki estava de costas para ele, completamente absorta no que fazia. Havia uma caixa de papelão grande e vazia a seus pés. Ela se agachou, pegou mais folhas e começou a colocar os documentos restantes na boca faminta da máquina. Goodman ficou assistindo enquanto a fragmentadora de papel cuspia confete do outro lado em uma bandeja que já estava lotada.

— Oi.

Nikki girou em sua direção, sobressaltada, o rosto corado.

— Ai, meu Deus! Você quase me matou de susto!

— Desculpe. — Curioso, Goodman ergueu a sobrancelha enquanto olhava para a resma ainda nas mãos de Nikki. — O que é isso aí?

— Ah, nada de mais. Só dando uma geral mesmo. — Ela se recompôs e continuou colocando as folhas na máquina. — Estou para fazer isso há um tempão. Não é nenhum registro fundamental de pacientes ou coisa do tipo, não precisa se preocupar. Estou explicando antes que seu colega decida vir com outro motivo para desconfiar de mim.

— Bom saber. — Goodman sorriu. Era fácil bancar o policial bonzinho com uma mulher tão atraente quanto a Dra. Nikki Roberts.

— E então? O que o traz aqui numa noite de sábado, detetive? — perguntou Nikki, desligando a máquina.

— Na verdade vim pedir desculpas. Por hoje de manhã — mentiu Goodman, com a maior naturalidade. — O detetive Johnson não tinha o direito de falar com você daquele jeito.

— Concordo, mas acho que ele é quem me deve desculpas, e não você, não acha?

Goodman deu de ombros.

— Somos parceiros. E, para falar a verdade, Mick não é muito bom em pedir desculpas.

Nikki caiu na gargalhada.

— Nossa, por que não estou surpresa? — Ela gostava do detetive Goodman, e era muito fácil conversar com ele. Mas então o rosto de Nikki ganhou um ar de seriedade, e ela acrescentou: — Eu não estava mentindo, sabe? Alguém realmente tentou me atropelar terça-feira à noite. Alguém que sabe onde moro.

— Eu acredito em você — afirmou Goodman, sendo sincero. — E, se vale de alguma coisa, acho que Johnson também. Nossos técnicos descobriram várias evidências que sustentam sua história.

— É mesmo? — Nikki parecia confusa, perplexa. — Então por que ele estava me acusando de fantasiar as coisas? O que ele tem contra mim?

— Não sei. — Goodman resolveu aproveitar o momento. — Mas esperava que talvez pudéssemos descobrir juntos. Aceita tomar um drinque, Dra. Roberts?

Ele a levou ao bar do restaurante Dan Tana's. Aquele talvez fosse o lugar com o menor nível de privacidade de toda a cidade de Los Angeles. Nikki pediu um Jack Daniels puro e o tomou em um só gole. Encorajado pela atitude dela, Goodman fez um gesto pedindo ao barman que deixasse a garrafa com eles.

— Você acha que quem tentou me matar na outra noite foi a mesma pessoa que matou Lisa e Trey? — perguntou Nikki, indo direto ao ponto.

— Ou foi a mesma pessoa ou alguém ligado a ela. Sim, acho. — Goodman tomou um gole de sua bebida. — Na verdade, acredito que você era o alvo desde o começo.

Então ele contou sua teoria sobre o casaco que Nikki havia emprestado a Lisa Flannagan na noite em que a jovem morreu. Explicou que o assassino podia ter cometido um erro na hora de identificar a vítima, principalmente quando se somava a essa hipótese o atentado contra a vida dela e o fato de que Nikki era o único elo conhecido entre Trey e Lisa. As evidências estavam se acumulando.

— Digamos que você esteja certo — respondeu Nikki com calma. — Digamos que essa pessoa estivesse atrás de mim desde o começo. Que motivo ela teria para querer me matar?

— No momento, não sei. Mas o fato de o assassino ter torturado Lisa e Trey sugere que talvez tenha algo a ver com informações. As pessoas torturam as vítimas para obrigá-las a falar, sabe?

Nikki refletiu.

— Entendi. Ou isso ou então são sádicas. Fazem por prazer.

Goodman encarou sua bebida. Também havia essa possibilidade.

— É verdade que encontraram células humanas mortas no corpo de Lisa? — perguntou Nikki, sem se conter.

Goodman parecia em choque.

— Quem contou isso para você?

— Li em algum site. Tem um monte de maluquices na internet sobre "assassinos zumbis" vagando pelas ruas de Los Angeles.

Goodman suspirou. Era só o que faltava. Quando uma investigação começava a vazar, principalmente uma investigação relacionada a um caso que despertava tanto interesse público quanto aquele, era só questão de tempo até virar um paraíso para os tabloides.

— Mas é verdade, afinal? — insistiu Nikki.

— Que o assassino de Lisa e Trey é um zumbi? — brincou Goodman.

— Não. Não é.

— Não... Que encontraram células mortas.

— Não posso revelar esse tipo de informação. Mas posso dizer que todas essas teorias da conspiração são perda de tempo. A pergunta que você me fez antes foi muito melhor. Sobre o motivo. E, embora você esteja certa quando diz que existem pessoas sádicas por aí, meu palpite é de que a pessoa por trás disso acredita que *você* sabe de alguma coisa. Alguma coisa que Trey ou Lisa talvez soubessem também. Agora... será que essa "coisa" tem a ver com algum paciente seu? Um segredo que alguém queria manter escondido? Ou talvez tenha a ver com algum paciente do seu marido de uma das clínicas dele? Mas meu palpite é de que... — Goodman tomou outro longo gole do burbom — ... você sabe, *sim*, de alguma coisa.

Nikki o encarou com um ar desesperado.

— Você está errado! Eu não faço ideia. Meu Deus, se eu soubesse o motivo, você acha que eu já não teria contado à polícia? Eu gostava de Trey. E também gostava de Lisa, embora de um jeito diferente.

— Gostava mesmo? — Goodman ergueu uma sobrancelha, lançando a ela um olhar malicioso.

— Gostava, sim! Profissionalmente, como terapeuta, eu me importava com ela. Mas, para ser mais exata, eu me importo comigo mesma. Acha que quero ser assassinada? Que quero ser atropelada na porta de casa? Acredite, ninguém tem mais motivo do que eu para querer pegar esse maníaco, detetive Goodman.

— Pode me chamar de Lou. — Goodman serviu mais uma dose para cada um. — E não, claro que não acho que você queira se dar mal. Não estou sugerindo que saiba conscientemente o que o assassino quer. Só suspeito que, lá no fundo, *você* tem a resposta para essa charada. E que **só você pode resolvê-la.**

Goodman tomou outro gole de sua bebida, e Nikki fez a mesma coisa. Estava começando a se sentir meio alterada. E o efeito do álcool, somado à recente sequência de acontecimentos bizarros e traumáticos, estava deixando-a nitidamente desinibida. Ela não soube ao certo se foi ele quem pegou em sua mão ou vice-versa. De qualquer forma, quando entrelaçaram os dedos, Nikki sentiu o sangue pulsar entre as pernas. Após meses lutando contra sentimentos complexos por Anne Bateman, era quase um alívio vivenciar um desejo sexual tão descomplicado. Seja lá o que sentisse por Anne, não era *aquilo*. Quando seus olhos encontraram os de Goodman, sentiu-se presa por aquele olhar e precisou se conter para não se jogar para a frente e beijá-lo, para não proporcionar a si mesma uma sensação que não tinha fazia muito tempo.

Estava óbvio que o sentimento era recíproco. Quando Goodman voltou a falar, sua voz saiu rouca, carregada de desejo.

— Por que você se tornou psicóloga?

Era a pergunta que Nikki menos esperava. Ela não sabia ao certo se tinha uma resposta.

— Não tenho certeza. Acho que por vários motivos. Eu sabia que não queria fazer nada entediante, como ser advogada ou contadora. Até me sentia atraída pela medicina, mas nunca fui boa com sangue, então as cirurgias estavam fora de cogitação.

— Sério? — Aquilo pareceu divertir Goodman. — Você fica enjoada à toa?

— Um pouco. — Nikki corou. — E você? Por que se tornou policial?

— Ah... — Goodman se recostou na cadeira. Seu humor e sua expressão se transformaram na hora. — Foi... Acho que eu gostava da ideia de pegar os criminosos. Parece besta, não é?

— Nem um pouco.

— Quando eu era criança, uns caras passaram a perna no meu pai — prosseguiu ele. — Trapaceiros baratos, sabe? Nada de muito sofisticado. Mas eles atraíram meu pai para um negócio, e ele acabou perdendo tudo. Nossa casa. O casamento com a minha mãe. E eu odiava aqueles caras.

— Posso imaginar. — Nikki assentiu, escutando com atenção total. O álcool havia soltado a língua de Goodman, mas quem estava falando ali não era a bebida. As emoções que transbordavam dele eram reais. — Seu pai chegou a se casar novamente? Conseguiu recolocar a vida nos eixos?

Goodman deu uma risada estranha.

— Infelizmente, não. Ele se matou uma semana antes do meu aniversário de 10 anos. Ele se trancou na garagem, ligou o carro e morreu asfixiado com a fumaça do cano de escapamento. A casa *e* o carro foram apreendidos no dia seguinte.

Nikki engoliu em seco.

— Ah, meu Deus... Que horrível! Sinto muito, Lou!

Ele gesticulou meio sem jeito, como se quisesse mudar de assunto.

— Tudo bem. Quer dizer, foi horrível, mas acabou me motivando de diversas formas. Não só a me tornar policial. Me ensinou a importância do dinheiro, da segurança financeira. E a importância de nunca deixar alguém passar a perna em mim ou me controlar. Eu sou o senhor do meu destino, entende?

Nikki assentiu, mesmo não tendo certeza se entendia. A triste verdade era que nunca havia se sentido dona do próprio nariz em toda a sua vida. E agora, muito menos.

— Consegue pensar em algo incomum, surpreendente ou estranho que tenha acontecido nos últimos meses antes da morte de Lisa? — perguntou Goodman, desviando a conversa para um assunto mais seguro e menos pessoal.

Nikki fechou os olhos e apertou a mão dele novamente, dessa vez com mais força. Estava se sentindo mais próxima de Goodman agora que ele lhe confiara um doloroso segredo.

— Com Lisa ou comigo?

— Com as duas.

Nikki engoliu em seco.

— Bom... — Sua garganta ficara subitamente seca. — Lisa largou Willie Baden. Acho que isso pode ser considerado surpreendente.

Goodman assentiu e perguntou:

— E com você?

Nikki abriu os olhos e o encarou.

— A coisa mais surpreendente que aconteceu comigo — começou ela, impassível — foi perder meu marido.

Goodman levou a mão de Nikki aos próprios lábios e deu-lhe um beijo.

— Me conte o que aconteceu — pediu ele, delicadamente. — Me conte tudo.

Bem nos fundos do bar, sozinho em uma mesa de canto, um homem observava, despercebido, enquanto a Dra. Nikki Roberts e o detetive Lou Goodman se inclinavam um em direção ao outro, a linguagem corporal dos dois denunciando o flerte.

Ele está comendo na mão dela, exatamente como ela queria, pensou o homem, observando os lábios de Nikki se entreabrirem e a mão de Goodman brincar com o cabelo dela, os olhos azuis dele fixos nos olhos escuros dela. Qualquer que fosse o dramalhão que estivesse contando ao policial, havia funcionado. O peixe crédulo tinha mordido a isca, e ela estava puxando a linha. *Idiota.*

O sujeito bebericou sua cerveja discretamente enquanto Goodman pagava a conta. Depois disso, ele e a Dra. Roberts saíram caminhando pelo Santa Monica Boulevard de mãos dadas, como um casal de adolescentes. Era frustrante estar ali como um observador e não poder fazer nada. Gostava de pensar em si como um homem de ação. Mas as semanas anteriores haviam lhe ensinado que a paciência também era uma virtude. E ele não precisaria ficar nessa postura passiva por muito mais tempo.

Em breve o momento de observar ficaria para trás.

Muito em breve...

CAPÍTULO VINTE

O detetive Mick Johnson observava enquanto Carter Berkeley mexia na blusa, tocando ansiosamente nas abotoaduras platinadas da Tiffany com suas unhas meticulosamente bem-feitas. Johnson se deu conta de que tudo a respeito do banqueiro rico, paciente de Nikki Roberts, era bem cuidado, desde os gramados bem aparados de sua propriedade em Holmby Hills, passando pela coleção reluzente de Jaguar esportivos até o interior impecavelmente mobiliado de seu escritório em casa, onde estavam naquele momento. Até as palavras que Carter usava para explicar o que tinha acontecido pareciam escolhidas a dedo.

Carter alegava que, na noite anterior, enquanto estava fora, jantando na rua, um rato — morto e envenenado — havia sido deixado no pé de sua cama, como se fosse um "aviso" da máfia.

— Não tinha um bilhete nem nada do tipo — contou ele a Johnson, girando a abotoadura entre o indicador e o polegar. — Mas é claro que o objetivo era me intimidar. E conseguiu, detetive. Não tenho problema algum em dizer que fiquei apavorado. Aliás, *estou* apavorado. Ainda mais depois dos assassinatos. Foi um golpe de sorte o fato de o senhor estar na minha agenda hoje, porque, do contrário, eu o teria chamado aqui.

Johnson assentiu com a cabeça e deu outra olhada no escritório, com todos os seus móveis de madeira lustrosa e livros bem organizados, prateleiras e mais prateleiras de manuais de autoajuda e de negócios.

Tudo ao redor daquele homem era controlado e organizado, resultado de ponderação e planejamento cuidadosos. Tudo era perfeito do lado de fora. Já, dentro da cabeça de Carter Berkeley, as coisas eram bem diferentes.

Johnson havia lido as anotações de Nikki mais cedo. *Neurótico. Delirante. Está convencido de que é perseguido por criminosos mexicanos, mas não apresenta provas. Longo histórico de ansiedade. Trauma de infância?? (Viveu um tempo no México no final da adolescência/início da idade adulta. Algo aconteceu lá?) Regressivo/imaturo nos relacionamentos íntimos. Excessivamente controlador.*

Era difícil para Johnson concordar com a Dra. Roberts sobre qualquer assunto, mas a avaliação da psicóloga sobre Carter Berkeley batia em cheio com a dele. Embora talvez tivesse acrescentado "louco por atenção" à lista. Será que ela não era capaz de enxergar isso porque a própria Nikki padecia desse mal? A história do rato era claramente inventada, uma tentativa de se colocar no centro do drama que envolvia os dois assassinatos.

Ele precisa se sentir importante, pensou Johnson. *Ou isso ou está tentando desviar minha atenção de alguma outra coisa. Alguma evidência que não quer que encontremos.*

— Imagino que o senhor tenha seguranças aqui. Estou certo? — perguntou Johnson, já sabendo a resposta. Ele havia passado pelos guardas entediados e mal treinados antes de entrar na casa, e também viu as câmeras do circuito fechado de TV espalhadas por toda a propriedade.

— Claro. É uma propriedade valiosa.

— Câmeras também?

— Sim, mas não na suíte principal.

Ele começou a girar a abotoadura mais rápido.

— Não na suíte principal... — repetiu Johnson. — Mas por quê?

O banqueiro deu um sorrisinho malicioso de um adolescente de 13 anos. *Pueril*, diria a Dra. Roberts.

— Tenho certeza de que o senhor pode imaginar o motivo, detetive. Meus seguranças podem ver imagens das câmeras ao vivo. Digamos apenas que eu valorizo minha privacidade. Além do mais, não preciso de câmeras na suíte principal. Todas as entradas da casa estão sendo monitoradas, além do corredor do segundo andar. Qualquer um que entrasse ou saísse seria visto.

— Certo. E imagino que, após encontrar o rato, o senhor tenha analisado as imagens da câmera com os próprios olhos, certo?

— Claro.

— E ninguém entrou?

— Ninguém além dos meus funcionários. Isso é o mais estranho. — Carter girou a abotoadura de novo, dessa vez com tanta violência que quase a arrancou da roupa.

— Então... Como acha que esse suposto "aviso" foi colocado no seu quarto?

Carter parecia furioso.

— Não faço ideia. O senhor é quem deveria me dizer, detetive.

— Bom, se ninguém mais apareceu nas imagens, então só pode ter sido um dos seus funcionários, não é, senhor? — retrucou Johnson, forjando uma paciência que não tinha.

— Impossível — insistiu Carter, balançando a cabeça. — Confio nos meus funcionários. Fizemos uma verificação exaustiva dos antecedentes criminais de todos. E quando eu digo exaustiva é exaustiva *mesmo*. Não existe a menor chance...

— Talvez, então, o senhor possa me mostrar o rato — interrompeu-o Johnson, de forma rude. — Nós vamos removê-lo e realizar alguns testes.

— Mostrar? Ah, não. Não posso mostrar.

Sabia, pensou Johnson. *Ele é doido mesmo.*

— E por que, senhor? — perguntou o policial, já cansado. Ele não fazia ideia de como terapeutas como Nikki Roberts lidavam com essas merdas diariamente. Será que não tinham vontade de dar um soco na cara dessa gente?

— Bom, eu encontrei o rato ontem à noite, como expliquei — começou Carter, na defensiva. — Minha governanta já tinha ido embora e só chega às oito da manhã. É claro que eu não deixaria aquela coisa largada lá a noite inteira. Sabe Deus que doenças aquilo tinha. Então eu mesmo o joguei no lixo.

— Você descartou a evidência.
— Eu tive que fazer isso.
— E mais alguém viu esse rato antes de você jogá-lo fora?
— Bom, não. Como eu disse, estava tarde...

Johnson se levantou.

— E onde ficam suas latas de lixo, senhor? É possível que ele ainda esteja na lixeira?

Pelo menos Carter Berkeley teve a decência de corar.

— Infelizmente acho que já foram esvaziadas. O caminhão do lixo passou hoje de manhã. Talvez eu devesse ter levado isso em consideração...

Johnson perdeu mais de uma hora no trânsito no caminho de volta para a delegacia. Chegou de péssimo humor. A visita a Carter Berkeley havia confirmado a instabilidade mental do banqueiro, mas nada muito além disso. Também não surgiram novas pistas relacionadas a nenhum dos assassinatos — Carter não conhecia Lisa, mal interagira com Trey e nunca tinha ouvido falar em Brandon Grolsch. Não que ele fosse um dos suspeitos, mas, além de tudo, o banqueiro tinha álibis fortes para ambos os crimes. Em outras palavras, a ida à casa de Carter havia sido uma completa perda de tempo para Johnson.

E o humor dele não melhorou nada quando, assim que entrou no prédio, Goodman o encurralou para avisar que tinham sido chamados à sala do chefe do departamento para relatar o progresso no caso.

— Agora? — resmungou Johnson.
— Agorinha mesmo. Na verdade — Goodman olhou para o relógio de pulso —, ele está puto por causa do seu atraso.
— Atraso? Que atraso? Ele acabou de convocar a reunião! Pelo amor de Deus, eu estava aqui às sete e meia da manhã. O que me faz lembrar: onde *você* se meteu?

— Desculpe — murmurou Goodman. — Fiquei acordado até tarde. Surgiu um compromisso.

E realmente *havia* surgido um compromisso na noite anterior, no bar com Nikki Roberts, e novamente naquela manhã, na cama, sozinho, enquanto Goodman pensava no corpo quente, esbelto e carente dela e no que poderia ter acontecido na noite anterior, se ele tivesse se permitido ir além, se tivesse se entregado. Ele queria. Deus sabe como queria, como *desejava* Nikki, muito mais do que seria saudável para ele ou até para a investigação. Apesar de ela ter se aberto com ele e contado tudo sobre a morte de Doug e sobre quanto vinha sofrendo, Goodman resistira à tentação de dar um passo adiante — por ora. Mas, em se tratando de novas pistas, o fato era que ele não tinha nada de concreto para mostrar após seus esforços investigativos da noite anterior — além, é claro, da ressaca que ainda o abatia.

— Goodman! Johnson! Andem logo! — A voz retumbante do chefe do departamento, Brody, ecoou pelo corredor, como se fosse um martelo golpeando a cabeça já dolorida de Goodman.

— Sim, senhor.

Obedientemente, os dois foram arrastando os pés até a sala do chefe e se sentaram nos assentos indicados pelo homem.

— Então... — começou Brody, soturno. — Vamos ao caso.

O chefe Brody era um homem corpulento e irritadiço de 60 e poucos anos, que lembrava uma versão mais carrancuda de Mick Johnson, e era evidente que também não estava de bom humor.

— Temos dois corpos retalhados como bonecos de pano — prosseguiu. — Ninguém foi preso. Não temos nenhum suspeito. Uma psiquiatra de renome vem recebendo ameaças de morte. E como uma das vítimas, paciente dela, era uma gostosa que saía com um bilionário rico e casado, a imprensa resolveu cair em cima como um bando de urubus.

— Sim, senhor — disse Goodman, olhando para o chão.

— Mas a coisa melhora — continuou o chefe, encarando os detetives com um olhar irritado. — Também temos informação vazada! A internet está enlouquecida com esse papo maluco de que há um assassino zumbi à solta. Hoje de manhã, o noticiário da NBC 4 estava cobrindo essa baboseira. Que merda é essa que está acontecendo?

— A informação pode ter sido vazada pelo pessoal do Departamento de Medicina Legal — disse Johnson na defensiva.

— E eu tenho cara de quem liga para a fonte do vazamento? — retrucou Brody.

— Jenny Foyle descobriu que as células encontradas na unha da primeira vítima tinham o mesmo DNA dos fios de cabelo que encontraram na segunda vítima — insistiu Johnson. — Ambas as amostras são de um viciado chamado Brandon Grolsch, que acreditamos estar morto. Isso bate com a descoberta de Jenny, senhor. As células mortas debaixo da unha.

O chefe Brody deu um longo suspiro.

— Então você está me dizendo que seu principal suspeito, seu *único* suspeito, está morto?

— Brandon Grolsch não é um suspeito — interveio Goodman. — Ele morreu de overdose há oito meses. Estamos trabalhando com a teoria de que o criminoso teve acesso ao corpo de Brandon e plantou o DNA do garoto nos cadáveres de propósito, sabendo que Grolsch ainda estava oficialmente "desaparecido". A esperança dele, provavelmente, era de que a gente parasse de investigar ao descobrir que o suspeito está morto.

— Essa é uma das teorias — murmurou Johnson.

O chefe fez uma careta.

— E qual é a outra?

Goodman olhou para Johnson, igualmente curioso pela resposta do colega. Até onde sabia, os dois estavam de acordo em relação ao caso.

— Não tem a ver com zumbis, tem? — perguntou Brody.

— Não, senhor. Não tem. — Johnson pigarreou. — Envolve a Dra. Nicola Roberts, a psicóloga no meio dessa confusão toda.

Goodman revirou os olhos. Johnson o ignorou.

— O detetive Goodman e eu passamos quatro dias examinando o registro dos pacientes e as anotações das sessões da Dra. Roberts, além de outras coisas. Concordamos que ela era a conexão óbvia entre as duas vítimas. Goodman achou... aliás, acha... que a Dra. Roberts pode ser o alvo do assassino.

Brody semicerrou os olhos.

— Mas você não concorda com isso?

— Não, senhor, não concordo. As anotações da Dra. Roberts sobre a primeira vítima, Lisa Flannagan, revelam muita coisa sobre a paciente dela, mas também sobre a própria doutora. Sabemos que ela desaprovava radicalmente o caso de Lisa com Willie Baden, e também o aborto que Flannagan fez. E sabemos que ela não via com bons olhos os problemas da vítima com Vicodin. O tom dos comentários da Dra. Roberts me pareceu um pouco estranho para uma terapeuta, alguém cujo trabalho é escutar os pacientes sem julgar. O problema é que essas anotações estão cheias de julgamentos, senhor. E de raiva também.

O chefe Brody virou-se para Goodman.

— Você também leu as anotações, detetive. Concorda com Johnson?

Goodman se remexeu na cadeira, desconfortável. Era verdade: certas anotações sobre alguns pacientes, inclusive Lisa, podiam parecer indevidamente hostis em determinados momentos. Por outro lado, elas não tinham sido escritas para serem lidas por mais ninguém além de Nikki — eram apenas reflexões pessoais, memorandos para ajudá-la em sessões futuras. O mais importante de tudo, porém, era que Johnson estava escondendo propositalmente a raiva que *ele* próprio sentia *dela* e suas implacáveis tentativas de distorcer os fatos para tentar pintar a pior imagem possível de Nikki e fazê-la parecer culpada.

— As anotações fazem julgamentos, sim, senhor — admitiu Goodman a contragosto.

Johnson soltou uma risada de escárnio.

— "Julgamentos"? A Dra. Roberts deixa claro, com todas as letras, que tem um sentimento de repulsa moral pela mulher! Fala que Lisa

Flannagan precisa "se responsabilizar" pelos seus atos, pelo sofrimento que causou à mulher de Baden e a outras pessoas. Esse é um tema presente ao longo de várias anotações.

— Que tema? — perguntou o chefe, confuso.

— Nikki Roberts odeia amantes — respondeu Johnson, tranquilamente.

— Aí você está forçando, Mick — interveio Goodman.

— Estou? Acho que não — retrucou Johnson, se animando com a discussão. — Enfim... as anotações dela me fizeram refletir: *por que* ela guardaria esse rancor? Foi então que me dei conta de que isso provavelmente tinha algo a ver com o marido dela.

— Mas o marido dela não está morto? — Brody suspirou e massageou as têmporas sem paciência. Podia sentir uma dor de cabeça começando.

— Sim, está — respondeu Johnson, empolgado, como se estivesse prestes a atingir o clímax. — O Dr. Douglas Roberts morreu em um acidente de carro sem explicação na Interestadual 405, no ano passado. Mas adivinha com quem ele estava quando isso aconteceu?

Brody e Goodman encararam Johnson. Nenhum deles estava com o menor saco para brincar de adivinha.

— A amante! — anunciou Johnson com ar triunfante. — Uma garota russa. Ela estava no banco do passageiro e também morreu na hora. A Dra. Roberts só descobriu que o marido tinha um caso por causa do acidente, depois que os paramédicos tiraram dois corpos dos destroços! Dá para imaginar o que ela deve ter sentido? A dor? A humilhação? Imagine descobrir uma traição quando o mundo inteiro acredita que você tem um casamento perfeito, de conto de fadas, inclusive você.

Johnson estava encarando Goodman com uma irritante expressão de presunção.

Goodman teve dificuldade para processar aquela nova informação. Na noite anterior, Nikki havia aberto o coração para ele sobre a morte do marido. Deu para ver que havia muita raiva dentro dela, além da dor da perda e da descoberta de fatos que, até então, ela não sabia a respeito de Doug. Mas em momento algum ela falou sobre uma amante. Além disso, Goodman tinha dificuldade para acreditar que qualquer pessoa que tivesse a sorte de se casar com Nikki Roberts sentiria *vontade* de se envolver com outra mulher. Uma coisa era Willie Baden trair Valentina, uma mulher de idade, mas isso? Goodman chegou a se perguntar se Johnson não tinha inventado a história.

— Como você sabe disso? — perguntou, em um tom mais agressivo do que gostaria.

— Saiu numa matéria. Vi na internet — respondeu Johnson. — Não na época do acidente, mas semanas depois. Uma mençãozinha de uma linha falando sobre uma passageira. Mas eu corri atrás de informações com amigos do casal, e todos confirmaram. O segredinho sujo que a Dra. Roberts vinha tentando esconder, a raiva que a corroía por dentro...

— Ok, então o marido da psicóloga estava pulando a cerca — cortou-o Brody, sem a menor paciência. — O que isso tem a ver com os assassinatos?

— Bom, senhor, fiquei curioso sobre essa história da amante, ainda mais porque ela não mencionou isso uma vez sequer ao falar com a gente — respondeu Johnson. — Então, anteontem fui atrás do boletim acidente. Queria ver o que podia descobrir sobre Doug Roberts e essa russa com quem ele estava saindo.

Goodman não conseguiu mais se conter.

— Você nunca me falou nada disso! — explodiu.

— Ei, você estava "ocupado", lembra? — retrucou Johnson. — Além do mais, você não tem sido o capitão Transparência, meu chapa. De qualquer modo, não havia nada para falar, porque adivinha só: *não há* boletim do acidente.

— O que quer dizer com isso? — perguntou Brody, cansando das charadas.

— Exatamente o que acabei de falar — respondeu Johnson. — Não há boletim do acidente no sistema. Ou não chegou a ser arquivado ou foi arquivado mas alguém o apagou depois.

Aquilo era interessante. Mas, como o próprio chefe Brody fez questão de apontar, ainda não se configurava numa teoria sobre o assassinato de Lisa Flannagan e Trey Reymond.

— Estou chegando lá, senhor, eu juro — insistiu Johnson. — Então, fiquei curioso, porque o acidente realmente aconteceu. Foi manchete de todos os jornais na época, além de ter saído uma nota enorme no obituário do *LA Times* dizendo que Doug Roberts era um cara fantástico, praticamente um santo, e que a linda viúva dele estava sofrendo, que eram jovens, aquela baboseira toda. Mas não há menção à amante russa. Esse comentário só apareceu depois, numa matéria na internet. Enfim... eu procurei, então, a oficina mecânica para onde levaram o que sobrou do Tesla de Doug Roberts depois do acidente. Falei com um engenheiro de lá, e ele me contou que tinham checado o sistema eletrônico do automóvel e concluíram que o carro pode ter sido sabotado antes do acidente.

— Sabotado como?

— Hackeado remotamente. O sujeito não conseguiu confirmar, mas a teoria dele é a de que algum vírus eletrônico afetou tanto a direção quanto os freios no momento em que o carro atingiu uma certa velocidade. Ele disse que contou isso ao chefe, que alegou que relataria à polícia.

— E ele fez isso? — perguntou Brody.

— Não tem como saber. Porque, como eu disse, não há um boletim do acidente. E também porque o chefe de Damon morreu no domingo de Páscoa. Ataque cardíaco.

O chefe Brody absorveu todas essas informações em silêncio. Goodman também.

— E aí? — perguntou o chefe a Johnson depois de um tempo. — E qual é a sua teoria?

— Minha teoria, senhor, é a de que Nikki Roberts é uma psicopata. Ela descobre que o marido está comendo outra enquanto ela própria está no meio de um tratamento de fertilidade. A mulher pira. Então paga alguém para mexer no carro e simula um acidente, que mata o marido e a amante.

— Ah, pelo amor de Deus! — murmurou Goodman, mas Johnson estava com a corda toda.

— O plano funciona que é uma beleza. O marido e a amante russa morrem, ninguém suspeita de nada. Ela fica animada por ter dado tudo certo, mas ainda está puta da vida por causa do chifre, e essa raiva precisa ser escoada. Então desenvolve um ódio contra todas as amantes, todas as destruidoras de casamentos, como sua paciente Lisa Flannagan. A coisa vira uma obsessão. E lembre-se: a essa altura ela já tinha matado duas pessoas e conseguiu se safar. Acho que Nikki Roberts encomendou o assassinato de Lisa Flannagan. Acho que ela pagou um assassino para fazer o trabalhinho sujo, talvez usando os restos mortais de Brandon Grolsch para encobrir a verdade, como Goodman sugeriu.

— Não me envolva nessa história! — A frustração de Goodman crescia a cada segundo. — Isso tudo é uma palhaçada, Mick. Você não tem nenhuma evidência contra Nikki Roberts. Nenhuma.

— Discordo. — Ao menos uma vez Johnson manteve a calma. — É circunstancial, claro, mas existe um padrão aqui, um padrão de mentiras. Ela disse que "gostava" de Lisa Flannagan, mas as anotações revelam o contrário. Ela disse que amava o marido, mas vários amigos afirmaram que ela teve acessos de raiva por causa da traição. Acho que Nikki Roberts é uma mulher muito inteligente, mas também acho que é uma mentirosa patológica e uma assassina. Ela está por trás disso, chefe. Eu sinto isso na minha alma.

— Na sua *alma* — repetiu Goodman, em tom de escárnio. — O que isso significa? Você está no pé dela desde o começo.

— E você queria transar com ela desde o começo! — rebateu Johnson, furioso. — Isso afetou sua capacidade de julgamento!

— Chega, chega — interveio o chefe Brody. — Vocês dois, parem com isso. E quanto a Trey Raymond? — perguntou ele a Johnson. — Ele e Nikki Roberts não eram próximos?

— Pelo que parecia, sim. Mas, quem sabe o que acontecia de verdade? Talvez Trey soubesse do caso de Doug desde o começo e tenha encoberto tudo. Ou vai ver ele descobriu que ela estava por trás do "acidente" de Doug ou que ela matou Lisa Flannagan, por quem sabemos que Trey tinha uma queda. Ainda não tenho os detalhes, senhor — admitiu Johnson. — Como eu disse, é uma teoria.

— Certo. — O chefe Brody colocou as mãos em cima da mesa, indicando que a conversa havia acabado, ao menos por ora. — É uma teoria, e estou aberto a ela.

— Chefe! — protestou Goodman, mas Brody o cortou logo.

— Assim como estou aberto à ideia totalmente *estapafúrdia* de que alguém roubou um cadáver só para incriminar um viciado "desaparecido" por esses assassinatos. Ok, detetive Goodman? Sou um empregador que dá oportunidades iguais a todos. Só que agora preciso de fatos, não de teorias. Evidências concretas. Preciso de uma prisão.

— Sim, senhor — murmurou Johnson.

— Mick, até você conseguir essa evidência, Goodman tem razão. Pare de assediar Nikki Roberts e os pacientes dela.

— Assediar? — repetiu Johnson, contendo sua irritação. — Quem está assediando aqui?

— Já recebi quatro reclamações, detetive. *Quatro* reclamações oficiais. Uma da Dra. Roberts, uma da mãe de Treyvon Raymond, outra de Carter E. Berkeley III e a quarta de Willie Baden. Todos descreveram você como uma pessoa grosseira, beligerante...

Goodman assistiu, entretido, ao rosto do colega mudar do branco para vermelho e por fim para um tom quase roxo. Para sua surpresa, porém, Johnson conseguiu regular o tom de voz ao responder.

— Com todo o respeito, chefe, mas Nikki Roberts é uma psicopata, Carter Berkeley fica inventando coisas e tem problemas psicológicos bem documentados, e Willie Baden é um escroto antiquado...

— Ele também é um escroto rico e poderoso, detetive — interrompeu Brody, recostando-se na cadeira. — Assim como Carter Berkeley. Talvez você não saiba, mas Willie Baden doa centenas de milhares de dólares para o fundo de caridade da polícia de Los Angeles todos os anos, e o banco de Carter Berkeley já nos deu mais de um milhão de dólares.

Johnson fechou a cara.

— Eu não sabia disso.

— Nem eu — acrescentou Goodman.

— Mas e daí? Esse dinheiro deveria garantir a eles alguma regalia, senhor? — perguntou Johnson, maliciosamente.

— Pode parar com esse tom insolente, detetive — retrucou o chefe Brody. — Sim, o dinheiro garante regalias a eles. Garante que o departamento lhes dedicará tempo, além de compreensão e respeito. Esses homens não são criminosos. Não são suspeitos de um crime. Aliás, nem a Dra. Roberts. Pelo menos não ainda.

Johnson parecia prestes a explodir.

— Eles podem ser, sim. Todos eles podem ser. Roberts mentiu para nós sobre o caso do marido. Carter Berkeley fez a polícia perder tempo deliberadamente hoje e mentiu durante uma investigação de assassinato. E, quanto a Baden, o cara nem peidava sem falar antes com o advogado! Chefe, se ele não é culpado de alguma coisa, então meu nome é Shirley Temple.

— Não quero mais ouvir esse papo. — Brody ergueu a mão. — Pare de irritar os doadores, Johnson. E pare de aborrecer as testemunhas. E o senhor, Goodman, também não precisa andar por aí com esse ar presunçoso — acrescentou em um tom mordaz. — É melhor vocês encontrarem esse tal de Brandon Grolsch logo, ou o boletim desaparecido ou alguma coisa que pareça uma evidência, senão vou tirar ambos do caso.

Os dois saíram desanimados da sala do chefe. Assim que a porta se fechou atrás deles, Goodman apressou o passo, afastando-se de Johnson como se o mais velho fosse uma bomba prestes a explodir.

— Eu falei sério lá dentro! — gritou Johnson, indo atrás dele. — Você ficou cego por causa dessa psicóloga, e era o que ela queria. Pergunte sobre a traição do falecido!

Goodman continuou andando e empurrou as portas duplas que davam para o estacionamento.

— Pergunte a ela! — Johnson seguiu o colega. — Você esteve com ela ontem à noite, não esteve?

Johnson estava apenas jogando verde. Goodman não era bobo de responder. Em vez disso, entrou no próprio carro.

— Ela não deu um pio sobre o caso do marido, deu? Nem uma palavra, não é? Ela está te usando, cara! Ela está manipulando você! Abra os olhos!

Goodman acelerou, deixando Johnson para trás, mas as palavras dele ainda ressoavam em seus ouvidos.

Alguns quarteirões à frente o detetive parou o carro e respirou fundo três vezes.

As revelações de Johnson na sala do chefe Brody deixaram-no perturbado. Uma coisa tinha ficado clara: sua atração por Nikki Roberts era muito mais óbvia do que ele havia imaginado.

Mas Mick tinha razão, ele *estava* se aproximando demais dela, mais do que deveria. Será que essa proximidade estava mesmo afetando sua capacidade de julgamento?

Ele tentou pensar de forma imparcial sobre as acusações feitas por Mick. Especificamente, a de que Nikki sabia que o marido vinha tendo um caso e que, de alguma forma, provocou o acidente enquanto ele estava com a amante e depois encobriu o crime. E de que depois ela arquitetou os assassinatos de Lisa Flannagan e Trey Raymond.

Sobre a última parte, Goodman não tinha dúvidas: Nikki não havia matado Lisa ou Trey. Disso ele *tinha certeza*. Mas quanto ao assassinato do marido e da amante... seria possível? Ele queria acreditar que não. Que Johnson estava redondamente enganado quanto a isso — e quanto a várias outras coisas, na verdade. Mas, no momento, ainda faltavam muitas peças do quebra-cabeça, e Goodman não era capaz de formar uma imagem completa da situação.

Quem era a amante de Doug Roberts?

Por que o nome e a mera existência dela tinham sido suprimidos das reportagens sobre o acidente?

O que havia acontecido com o boletim do acidente?

E por que Nikki não tocou no assunto quando eles conversaram sobre o casamento dela e sobre a morte do marido? Afinal, ela estava abrindo o coração para ele naquele momento.

As palavras de Johnson o atormentavam. *Ela está manipulando você! Abra os olhos!*

Será que ele estava mesmo sendo manipulando por Nikki?

Contrariando toda lógica, Goodman resolveu ligar para Nikki.

À meia-luz do Disney Concert Hall, Nikki viu o número do celular pessoal do detetive Goodman na tela de seu telefone. Clicou em "recusar", desligou o aparelho e o colocou de volta na bolsa, uma clutch de cetim preta que havia comprado especialmente para a ocasião. Também gastara uma nota em um elegante vestido longo Balenciaga frente única que aderia sensualmente à sua silhueta pequena e lhe rendera olhares de aprovação dos homens que tinham comparecido ao espetáculo — e outros não tão aprovadores das esposas deles.

Anne Bateman estava chegando ao fim do quarto movimento do concerto de Stravinsky para violino em ré maior, o ápice do espetáculo, o *grand finale* de um medley de duas horas com as melhores obras do compositor. Nikki não era nenhuma grande conhecedora de música, mas até ela havia sido arrebatada pelo poder do desempenho de Anne, a sublime explosão de emoções com que interpretava cada nota e cada frase, conduzindo a plateia junto com ela.

A simples ideia de um talento como aquele ser desperdiçado — de Anne voltar para seu marido carcereiro e ficar trancada numa gaiola dourada sem nunca mais poder se apresentar — era trágica. Escandalosa. Os olhos de Nikki ficaram marejados, embora ela não soubesse dizer se eram por Anne, pela beleza da música ou pelas tragédias que se abatiam sobre sua própria vida.

Escapara por um triz de fazer uma besteira na noite anterior. Refletindo agora sobre tudo, Nikki sabia que tinha sido incrivelmente tola. Até mesmo irresponsável. Havia se permitido ficar bêbada na companhia de um dos detetives encarregados das investigações. E o pior: por muito pouco não dormira com Goodman. Tivera de lutar contra uma atração física muito mais forte do que tudo que já havia sentido em muito tempo.

Qual é o meu problema?, pensou ela, aflita. *Essa não sou eu. Não faço esse tipo de coisa. Ficar bêbada, quase ir para a cama com um estranho, me colocar em perigo.*

Por outro lado, nos últimos meses, ela havia feito inúmeras coisas que seriam impensáveis para a antiga Nikki. Como gastar mais de mil dólares em uma roupa para impressionar uma paciente — uma *mulher* casada, acima de tudo. Uma paciente de quem ela precisava se distanciar, e muito, mas cuja presença em sua vida a ajudara a superar a raiva aterrorizante que sentia de Doug.

Pobre falecido Douglas. Está morto, mas não será esquecido.

Nikki jamais o esqueceria.

Anne abaixou o arco e, com um floreio, o maestro finalizou o concerto. Após meio segundo de silêncio, a multidão irrompeu em aplausos, ficando de pé para bater palmas e assobiar em sinal de aprovação enquanto as luzes se acendiam. Apesar da ressaca, e da dor de cabeça lancinante provocada pela barulheira repentina e pelas luzes, Nikki sentiu uma onda afetuosa de orgulho ao ver Anne se levantar e se curvar diante do público. No palco, ela parecia ainda menor e mais frágil que de costume, a pele branca como porcelana contra o cinza pálido de seu vestido de corte reto, uma aparência graciosa e modesta. Parecia uma criança.

Ela precisa da minha proteção, pensou Nikki. *Meu apoio profissional. Não posso decepcioná-la. Preciso manter o autocontrole.*

Mostrando o convite que Anne havia lhe enviado, Nikki entrou sorrateiramente nos bastidores enquanto os pedidos de bis retumbavam na plateia. Quando Anne chegou ao camarim, Nikki já estava à sua espera.

— Ah! Oi. — Anne deu um abraço sem jeito nela, como se não esperasse vê-la ali. Nikki achou aquilo bem estranho, e um tanto irritante, sobretudo após sua paciente ter feito questão de convidá-la para o espetáculo e também para ir ao próprio camarim. — Você veio.

— Claro que vim! — Nikki retribuiu o abraço. — Eu disse que viria, não foi?

— E o que achou? — perguntou Anne, ansiosa.

— Achei incrível. Você foi incrível — respondeu Nikki, de coração. — Fiquei maravilhada. A plateia inteira ficou.

— Sério? Foi bom mesmo?

— Foi *muito* mais do que bom. Estava a anos-luz disso.

Às vezes se perguntava se Anne a manipulava psicologicamente. Se estava jogando com ela, fazendo o papel de paciente carente para alimentar o ego de Nikki. Mas, neste caso, a insegurança era nitidamente sincera. Os aplausos de pé que Anne havia acabado de receber não haviam sido suficientes. Ela precisava da confirmação de Nikki. Era um tanto lisonjeiro até.

— Anne, é tão raro alguém ter um talento como o seu... Se eu tivesse um pouquinho que fosse dos seus dons, morreria feliz.

Anne sorriu.

— Não seja boba. Nunca conheci uma pessoa tão talentosa quanto você. Aliás, você está linda.

O elogio pegou Nikki de surpresa. Ela sentiu o rosto corar de maneira ridícula.

— Obrigada. Você também está linda.

Uma batida à porta as interrompeu. Como estava mais próxima, Nikki a abriu e arregalou os olhos: engolido pelo maior buquê de rosas brancas que ela já tinha visto, um jovem entrou cambaleando no camarim. A coisa devia pesar quase tanto quanto ele e tinha literalmente centenas de caules presos juntos na base por um laço de fita de cetim do tamanho de dois braços estendidos.

— Para você, Srta. Bateman — disse o rapaz, ofegante, pousando o monstro floral no chão, ao lado da penteadeira de Anne, por falta de outro lugar onde colocá-lo. Em seguida, entregou um cartão à violinista. — Parabéns.

— Nossa senhora! — Anne ficou boquiaberta. O buquê era maior que ela. — O que eu vou fazer com tudo isso? Quer algumas flores? — perguntou, virando-se para Nikki. — Por favor, leve algumas para casa. Ou para o consultório. Não existe a menor possibilidade de eu...

As palavras de Anne perderam força quando ela abriu o envelope e leu o cartão. Nikki observou as reações da paciente com o olhar treinado de uma terapeuta. As mãos trêmulas, próximas ao peito. O tique nervoso de morder o lábio inferior, seguido de um sorriso que parecia cheio de tristeza e amor ao mesmo tempo.

Nikki sentiu um aperto no próprio peito.

— São dele, não são?

Anne assentiu e respirou fundo.

— São do meu marido, sim. Ele diz que gostaria de estar aqui. Que me ouve tocar todos os dias, nos sonhos, e que carrega minha música no coração.

Nikki revirou os olhos.

— Que pena que ele não "carregou sua música no coração" enquanto mantinha você prisioneira na própria casa, contra sua vontade e impedindo você de fazer qualquer apresentação. Por seis anos.

— Eu sei — admitiu Anne, ainda observando as flores com um olhar melancólico. — Mas veja. Tem uma flor para cada dia que estive longe. Noventa e seis, diz aqui. Você precisa admitir que é romântico.

Nikki sentiu uma onda de fúria tomar conta dela. Como as mulheres podiam ser tão idiotas? Como podiam permitir que os homens as manipulassem e as controlassem desse jeito? E ainda se safassem de tudo?

— Romântico? — rebateu Nikki, perdendo o controle. — Pelo amor de Deus, Anne, cresça! Isso aqui não é nenhum romance barato. É o seu futuro. A sua vida.

Anne corou, mas dessa vez de raiva. Nunca havia perdido a calma com Nikki antes, mas naquele instante seus sentimentos fluíram como água saindo de uma represa destruída.

— Tem razão, é a minha vida. Minha, não sua. Então me dê um tempo.

— Eu me importo com você, Anne — disse Nikki, magoada. — Como sua terapeuta...

— Ah, PARE COM ISSO! — gritou Anne. Era a primeira vez que Nikki a ouvia erguer a voz. — Isso não tem nada a ver com você ser minha terapeuta, e nós duas sabemos disso!

Nikki encarou Anne, atordoada. Um silêncio constrangedor se instalou no camarim. Nenhuma delas sabia o que dizer ou fazer. No fim, foi Anne quem tentou amenizar a situação.

— Olha, eu agradeço a você os conselhos. De verdade. E também todo o seu apoio. Você mudou a minha vida. Mas não precisa odiar tanto o meu marido o tempo todo. Mesmo quando ele faz algo legal, afetuoso, você o ataca.

— Ataco porque isso *não* é ser afetuoso. A questão é exatamente essa. Ele está sendo controlador! — Nikki não conseguia se segurar. — Está sendo manipulador. E, aliás, ele é seu ex-marido. Sinto muito, Anne, mas você precisa se perguntar: até que ponto está disposta a se fazer de cega?

— Até que ponto *eu* estou disposta? E quanto a *você*? — rebateu Anne, lutando contra as lágrimas. — Até que ponto você se fez de cega no seu casamento, hein? Você não sabia *mesmo* do caso do *seu* marido?

Nikki ficou pálida. De repente era como se o mundo tivesse ficado em silêncio, como se ela estivesse tendo aquela conversa em um sonho, ou debaixo da água.

— Como você sabe disso? — perguntou Nikki, a voz falhando. — Quem contou isso para você?

— Acho melhor você ir embora agora — disse Anne, com o tom de voz baixo, mas determinado. O significado por trás de suas palavras era claro: ela não responderia às perguntas de Nikki. Um limite havia sido ultrapassado, e não havia mais volta.

— Certo. — Nikki teve a sensação de que alguém havia despejado ácido em sua garganta, que estava descendo pelo peito e batendo no fundo do estômago. — Eu vou.

Ela se virou para a porta, mas, antes de sair, olhou para Anne.

— Ele vai matar você um dia. Você sabe. É o que vai acontecer, se você voltar com ele. Homens desse tipo sempre fazem isso. Ou matam ou são mortos.

Anne tentou reprimir o choro quando a porta do camarim se fechou com força.

Nikki sentiu o estômago se revirar enquanto dirigia pelo centro da cidade, o carro arrastando-se lentamente na direção da autoestrada 10 em meio a um engarrafamento. Era um enjoo horrível, daqueles que deixam um gosto estranho na boca. Parte do que sentia era pena de si mesma, outra parte era vergonha, raiva e arrependimento.

Ela estava certa sobre o marido de Anne. Talvez ele fosse um homem generoso e charmoso, mas também era um tirano, e gente assim nunca muda. No fundo, as duas sabiam que os "gestos românticos" dele não passavam de atitudes controladoras muito mal disfarçadas. Mas Anne não queria ouvir isso de Nikki, porque Nikki havia parado de se comportar como sua terapeuta e começado a agir como... o quê? Uma amiga? Uma amante? Uma stalker?

Foi errado ter falado daquele jeito com Anne.

E agora, finalmente, Anne a tinha repreendido. Não só pelos sentimentos inapropriados — "Isso não tem nada a ver com você ser minha terapeuta, e nós duas sabemos disso!" —, mas também sobre o caso de Doug. Como era possível Anne saber disso? Nikki certamente nunca havia discutido o assunto com ela, nem sequer feito qualquer alusão ao caso. Na verdade, além de Gretchen e Haddon Defoe, nenhuma outra pessoa próxima conhecia a verdade — ou, se conhecia, era diplomática o bastante para nunca tocar no assunto.

O enjoo piorou. Pela janela do carro, Nikki viu quatro moradores de rua encolhidos perto da porta de um teatro. Um deles levantou a cabeça e a encarou com aquele olhar arregalado e vazio de um toxicômano irremediável. Nikki esperou sentir alguma coisa, aquela pontada familiar de compaixão que costumava sentir na época em que Doug estava vivo, antes de aquela vadia russa destruir tudo o que ela tinha de mais valioso no mundo. Mas não sentiu nada. Alguma coisa no coração de Nikki — sua alma, se é que isso existia — havia morrido. Ou talvez não tivesse morrido, apenas ficado sem combustível. Um dia, talvez, os tanques de amor, cuidado e emoções humanas ficariam cheios outra vez, e ela seria capaz de ter sentimentos novamente.

Talvez.

Ou talvez não.

Na rampa de acesso à autoestrada, ela percebeu outro caso perdido — dessa vez uma mulher da idade dela, só que essa tinha a mesma pele repugnante e escamosa dos rapazes que Nikki se lembrava de ter visto na clínica de Haddon em Venice. *Krokodil*, foi como ele chamara a droga. A mais recente novidade que estava gerando uma guerra entre os cartéis de Los Angeles.

Em Venice ela havia sentido compaixão por aqueles dois jovens. Mas agora não. Esta noite não. Talvez o encontro vergonhoso com Anne Bateman tenha sido a gota d'água, o golpe fatal que levou Nikki a desligar todas as suas emoções.

Sem pensar ou prestar atenção em nada, ela dirigiu até sua casa. Quando estacionou, viu dois policiais à paisana diante dos portões da frente, uma cortesia do detetive Goodman, que aparentemente não aceitava um não como resposta.

— Você precisa de proteção — dissera ele na noite anterior, no carro. Goodman passava a mão em algum lugar entre o joelho e a coxa de Nikki enquanto ela abria seu coração e falava sobre o luto. Meu Deus, como aquilo a fez se sentir bem.

— Não quero proteção.

— Você não tem que querer, Nikki. Meu trabalho é protegê-la.

A sensação ficou ainda melhor.

— E se eu recusar sua proteção, detetive? — Nikki não conseguia lembrar onde sua própria mão estava naquele momento, mas suspeitava que não era em nenhum lugar decente.

— Então vou ignorar sua vontade, *doutora*.

O detetive Johnson havia usado o título como um insulto. Com Goodman, *doutora* soava como uma cantada provocante.

A presença dos policiais era prova de que Goodman não estava simplesmente flertando. Ele havia falado sério. Nikki sorriu ao ver os homens ali, conforme prometido. A teimosia era uma característica que ela sempre admirara nos homens. Doug era teimoso até não poder mais. *O querido Doug.* Se ao menos as coisas não tivessem acabado do jeito que acabaram...

As lágrimas começaram a se acumular nos olhos de Nikki, mas ela piscou com raiva para afastá-las e estacionou o carro na frente de casa. Lá dentro, desligou o alarme, tirou os sapatos e caminhou até a cozinha, largando a bolsa de mão na bancada. Ainda sentia uma forte ressaca da noite anterior para sequer pensar numa bebida de verdade, então se serviu de um copo grande de Virgin Mary em vez do drinque pronto que tinha na geladeira e se sentou à bancada, abrindo o laptop para checar seus e-mails.

Na verdade, isso foi o que ela disse a si mesma. No fundo Nikki só queria ver se Anne tinha enviado uma mensagem para ela.

Não tinha.

Mas outro e-mail chamou sua atenção. Com o assunto "Vi você ontem à noite" e um remetente desconhecido, a mensagem trazia uma imagem anexada. Quando clicou, ela viu uma foto do restaurante Dan Tana's com uma segunda imagem colada por cima — uma montagem malfeita no Photoshop de seu rosto no corpo de uma mulher nua, presa a um laço com um traço cartunesco, como se tivesse sido enforcada. Debaixo dela, apenas três palavras: *Morra, sua puta.*

Nikki se recostou na cadeira. Sentiu um choque momentâneo. Em seguida uma agitação provocada pelo medo. Depois nada. Nada mesmo.

Apesar do torpor emocional, seu lado racional insistia que ela deveria agir. Aquilo não era uma brincadeira de mau gosto, e sim uma ameaça de morte. Uma ameaça de morte específica, feita por alguém que conhecia seus movimentos, que sabia que Nikki tinha ido ao Dan Tana's na noite anterior e, ela podia presumir, que também sabia com quem havia se encontrado lá. Ela precisava informar a polícia imediatamente. Precisava informar a Goodman.

Apesar de tudo, Nikki hesitou. Será que queria mesmo dar àquele detetive lindo uma razão para se meter ainda mais em sua vida? Para se aproximar cada vez mais dela com a desculpa de que estava tentando "protegê-la"?

Parte dela com certeza queria, sim. Mas outra parte, a mais inteligente, sabia que essa não era a resposta.

Goodman era um bom sujeito e parecia estar dando tudo de si para resolver o caso. Mas seu parceiro, o detestável detetive Johnson, era o diabo encarnado, e, quer Nikki gostasse ou não os dois investigadores eram uma equipe. Uma equipe que parecia estar progredindo a passos de tartaruga na captura do assassino de Lisa e Trey — isso sem falar no maníaco que quase havia conseguido atropelá-la na porta de casa.

Enquanto isso, sua vida estava em perigo.

Nikki precisava de proteção. Mas, acima de tudo, precisava de respostas, não só sobre os assassinatos, mas sobre a pergunta que vinha assombrando, envenenando e destruindo-a desde o momento em que soube da traição de Doug.

Por fim, ela entrou no Google, clicou na barra de pesquisa e digitou:

Detetive particular, Zona Oeste de Los Angeles.

Era hora de um plano B.

PARTE DOIS

CAPÍTULO VINTE E UM

— E aí, Andrea? Qual é a definição da palavra "solteiro"?

Derek Williams se inclinou sobre a mesa de fórmica da I-Hop e encarou a garçonete com ar de expectativa.

— São sete da manhã, Derek — respondeu a jovem mãe, exausta, enquanto colocava mais café na caneca dele. — Se essa é outra das suas piadinhas sujas, fique sabendo que não estou no clima.

— Não é piadinha suja! — reclamou Derek Williams. — Sabe, Andrea, você não vai morrer se der um sorriso de vez em quando...

A garçonete lançou-lhe um olhar irônico.

— Olhe ao seu redor, Derek. Você está vendo alguma placa dizendo "servimos com um sorriso no rosto"?

Williams gargalhou alto, e seu corpo fora de forma tremeu por inteiro como uma gelatina gigante. Andrea era o tipo dele. O tipo que transformava o fato de ser mãe solteira ganhando oito pratas por hora em algo engraçado.

— Um solteiro é um homem que nunca repete o mesmo erro uma só vez! — disse, praticamente cuspindo a resposta da piada. — Ah, vamos lá, admita, meu bem. É engraçado, sim. Aliás, tenho outra para você.

Andrea revirou os olhos de um jeito afetuoso e largou dois cardápios na mesa.

— Qual é a definição de "pensão alimentícia"?

Ela começou a se afastar da mesa.

— O alto custo do pedido de divórcio! — disse Derek em voz alta enquanto ela se distanciava.

Mas essa piadinha tinha um fundo de verdade. Derek Williams sabia bem quanto o divórcio estava lhe custando. Sua ex-mulher (bruxa, capeta), Lorraine, estava arrancando até o último centavo dele no tribunal, praticamente torcendo-o como um pano de prato molhado até a última gota. Derek se sentia como um limão já ressecado que continuava sendo muito espremido depois de a última gota do suco ter acabado.

— Eu sou detetive particular, Vossa Excelência — argumentara Derek na última audiência, na qual ele mesmo se representou. (Um erro, mas paciência. Era um momento de necessidade.) — Não sou advogado, banqueiro de investimentos ou um desses caras da computação... do silício... um desses caras de São Francisco. Não sei nem soletrar Palo Alto.

— Bom, que pena ouvir isso — respondera a juíza, que, pela cara, podia estar sentindo qualquer coisa, menos pena. *Malditas feministas.* — Mas tenho certeza de que sabe soletrar C-A-D-E-I-A, que é onde o senhor vai parar se atrasar mais um pagamento sequer da pensão alimentícia à Srta. Sloane.

Srta. Sloane. Isso o deixava puto da vida. Após o divórcio, Lorraine tinha voltado a usar o nome de solteira e, com permissão da justiça, chegara a ponto de colocar o próprio sobrenome na certidão de nascimento do filho. *Hunter Sloane-Williams.* Que nome imbecil e pretensioso para um garoto de 8 anos! Aliás, para um garoto de qualquer idade. Lorraine estava claramente determinada a criá-lo como gay. Não que Derek tivesse qualquer coisa contra gays, desde que você *fosse gay de fato.* Mas Hunter... ah, quem ele estava querendo enganar? Não sabia porra nenhuma sobre a vida de Hunter. Ao menos nesse ponto Lorraine tinha razão: "Você nunca passa um tempo com ele, Derek. Você ficaria perdidinho se a guarda fosse compartilhada e sabe muito bem disso."

— Sr. Williams?

Sobressaltado, Derek tentou se ajeitar no banco rapidamente, mas acabou derramando a xícara de café escaldante na camisa branquinha.

— Puta que p... — murmurou, baixinho, puxando o tecido úmido e quente para desgrudá-lo da pele. De canto de olho, viu Andrea, atrás do balcão, dando uma risadinha de escárnio.

— Ai, minha nossa, me perdoe! — A morena bonita estava bem-vestida, como uma executiva, e parecia horrorizada. — Foi culpa minha?

— Não, não. — Williams se contraiu enquanto tentava se secar, em vão, com um monte de toalhas de papel. — Que nada. Eu estava com a cabeça muito longe daqui. Sonhando acordado. Na verdade, era mais um pesadelo. Tendo pesadelo acordado. A senhorita deve ser a Dra. Roberts, certo?

— Pode me chamar de Nikki, por favor. E muito obrigada por concordar em me encontrar tão cedo.

A mulher que estendia a mão na direção de um Derek ensopado de café era ainda mais bonita pessoalmente do que na TV, onde ele a viu diversas vezes desde que a história do "Assassino Zumbi" foi notícia na grande mídia. A Dra. Roberts havia telefonado para ele à meia-noite da noite anterior, certamente acreditando que teria de deixar uma mensagem, mas Williams atendeu, e os dois tiveram uma conversa rápida sobre o "apuro" pelo qual a psicóloga vinha passando. Mesmo bêbado depois de encher a cara de cerveja artesanal e longe de estar em sua melhor condição mental, Williams concordou em se encontrar com ela assim que amanhecesse, em parte porque precisava desesperadamente do dinheiro que um novo cliente poderia lhe oferecer e também por causa do desespero genuíno que transbordava da voz de Nikki Roberts.

A experiência de Williams lhe dizia que o desespero genuíno podia se traduzir em pagamento adiantado. Já familiarizado com o caso dos assassinatos, graças à incessante cobertura da mídia a respeito do relacionamento de Lisa Flannagan com Willie Baden, bastaram vinte minutos de pesquisa sobre Nikki Roberts na internet para Williams descobrir o que ainda precisava saber. A terapeuta de Lisa Flannagan era uma psicóloga renomada da Zona Oeste de Los Angeles e viúva de um médico famoso. Em outras palavras, aquela donzela em perigo era cheia da grana. A ligação de Nikki era o momento que Derek Williams estivera esperando, o pagamento que podia mantê-lo fora da C-A-D-E--I-A. Ele esperava não ter arruinado as próprias chances tomando um banho de café como se fosse uma criancinha.

Mas, no fim das contas, a própria Dra. Roberts estava tão nervosa que mal notou o comportamento do detetive. Sentou-se no banco de frente para o dele, tirou da bolsa um envelope de papel pardo novinho e o entregou a Derek.

— Não sabia exatamente por onde começar, então reuni umas anotações — explicou ela. — Preciso da sua ajuda. A polícia... bom, como eu expliquei ontem à noite, a polícia não está fazendo nenhum progresso com relação aos assassinatos.

— Se eu recebesse um dólar para cada vez que ouço isso, Dra. Roberts... Nikki, aliás. — Williams se recostou no banco, se sentindo mais confiante, e então colocou o envelope de lado. — Vou dar uma olhada nisso mais tarde. Mas, por ora, por que não me conta com suas próprias palavras o que anda acontecendo?

Nikki respirou fundo, usando a pausa para dar uma olhada geral em Williams sem que o detetive percebesse. *Obeso. Pálido. Reações físicas lentas. Olhos amarelados.* Rapidamente o identificou como um alcoólatra, provavelmente divorciado e com problemas financeiros. Não era preciso ser um Einstein para descobrir isso. Poucos profissionais competentes e com boa saúde financeira escolheriam fazer uma reunião na I-Hop.

Por outro lado, Nikki havia lido excelentes recomendações de clientes anteriores de Williams, além de informações de que ele tinha a reputação de ser um profissional disposto a fazer de tudo, dentro dos limites da legalidade, para obter as provas necessárias. Já havia parado nos tribunais mais de uma vez por isso. Era exatamente o tipo de atitude ousada e eficiente que Nikki estava procurando.

— Como eu disse, não sei bem por onde começar.

— Tente começar pelo começo — pediu Williams, acenando para Andrea, que estava atrás do balcão. — Vou querer panquecas com uma porção de bacon à parte, por favor, minha querida. E para a minha amiga aqui... — Ele olhou para Nikki.

— Ah, nada, obrigada. Só café.

— Ela vai querer torrada e ovos. — Williams olhou para Nikki, que estava atônita. — Você precisa comer, meu bem. O que quer que esteja se passando na vida das pessoas, se elas ligam para mim, é porque tem estresse no meio. Você precisa comer e dormir, ponto.

Era uma atitude presunçosa e afetada, mas ao mesmo tempo amável, talvez porque tivesse a melhor das intenções. Derek Williams ganhou a simpatia instantânea de Nikki.

— Bom — começou ela —, se eu vou partir do começo, o verdadeiro começo disso tudo para mim, acho então que devo dizer: *meu marido teve um caso.*

Valentina Baden fez uma oração silenciosa de agradecimento quando seu G6 tocou o solo no aeroporto internacional de Cabo San Lucas.

Valentina tinha poucos medos na vida. Desde o desaparecimento de sua irmã, cinco décadas atrás, ela havia aprendido que, com foco e determinação, poucas eram as circunstâncias que não poderia enfrentar. Mas o medo irracional de voar persistia. Os amigos viviam dizendo que o que provocava esse medo era provavelmente a impossibilidade de estar no controle da situação. Talvez tivessem razão. Era fato que Valentina controlava todos os outros aspectos da vida com rédeas curtas, do casamento às decisões profissionais, passando pela família e pelas relações interpessoais.

Ela havia conseguido fazer tudo o que queria durante aqueles dias a mais em Los Angeles. Fez uma visita surpresa ao escritório da Desaparecidos no centro da cidade e exigiu saber o status de todos os casos em aberto de que a instituição estava participando, assim como o detalhamento das contas dos últimos seis meses. Desde que a Receita Federal havia começado a farejar aquelas fontes de renda estrangeiras, Valentina estava obcecada em checar os relatórios pessoalmente. Pouquíssimas pessoas da organização entendiam plenamente a verdadeira natureza do "trabalho" que faziam e a necessidade de manter sigilo. Por sorte, Willie era preguiçoso e egocêntrico demais para prestar atenção no projeto favorito da esposa, mas a Receita Federal era outra história. Da última vez, Willie impediu a investigação e fez uma doação à Polícia de Los Angeles, para mantê-los a seu lado. Mas ninguém sabia melhor que Valentina que eles não podiam se dar ao luxo de ser investigados uma segunda vez. Nem nunca mais.

Ela sentia prazer em ver sua equipe correndo de um lado para o outro feito formigas amedrontadas, desesperadas para tranquilizar a rainha após o ninho ter sido revirado. Instituições de caridade, ela os lembrou, deviam ser conduzidas da mesma forma que uma empresa com fins lucrativos, e isso significava apresentar resultados. Valentina tinha orgulho de dizer que, nos quinze anos de história da Desaparecidos, um número ínfimo de casos não tinha sido solucionado. Havia o caso Ritchie Lamb, a criança desaparecida na Turquia durante as férias da família. Era quase certo que ele havia sido raptado por traficantes de crianças, mas, infelizmente, nunca conseguiram encontrá-lo. E também teve a história de Charlotte Clancy, a *au pair* cujo sumiço mexeu muito com Valentina por ter acontecido na Cidade do México, onde havia perdido a irmã, María, tantos anos antes. Ela quase conseguia sentir uma lágrima escorrendo pela bochecha com a lembrança. Mas, na grande maioria dos casos, a Desaparecidos conseguia dar um desfecho às famílias dos sumidos. Mesmo que o resultado não fosse positivo, como o de Brandon Grolsch. E só conseguiam solucionar os casos com uma vigilância constante e esforços consistentes, qualidades que Valentina instigava seus empregados a ter, usando para isso um sistema de punições e recompensas.

Nesta semana em Los Angeles ela teve que focar nas punições. Menos de uma hora depois de chegar ao escritório, Valentina já havia demitido sumariamente seu contador e os dois assistentes dele.

— Se você quer uma coisa bem-feita, precisa fazer você mesma — reclamara ela com Terry Engels, gerente do escritório, enquanto os desafortunados contadores limpavam suas mesas, a segunda equipe a passar pela mesma situação em menos de dois anos. — As pastas dos últimos seis meses estão uma completa zona. Eu mesma vou dar uma organizada nelas enquanto estiver aqui e depois contratar alguém novo para o cargo.

Com as finanças sob seu olhar atento e sua presença motivando os funcionários da Desaparecidos, Valentina passou a ter tempo para cuidar de seus outros assuntos. Mais especificamente, garantir que *certas pessoas* soubessem que ela estava atenta — que ninguém passava a perna em Valentina Baden — e que problemas iminentes de natureza empresarial com alguns russos problemáticos fossem resolvidos de uma maneira que a agradasse. No último dia, ela conseguiu até encaixar um cabeleireiro e uma ida à Neiman Marcus, para o caso de Willie Baden ficar com a pulga atrás da orelha. Cabo San Lucas podia até ser um paraíso em diversos aspectos, mas no quesito lojas de departamentos era um lugar muito limitado.

Para Valentina, aquela tinha sido uma viagem extremamente bem--sucedida. Além de tudo, as férias que havia tirado da presença constante e asquerosa de Willie — e da paranoia crescente que ele vinha sentindo em relação ao novo parceiro comercial — restauraram a sanidade dela. Agora só precisavam que o furor sobre Lisa Flannagan acabasse e que a irritante Dra. Nikki Roberts voltasse para o buraco de onde tinha saído, para que a imprensa pudesse partir para outra história. Com isso, haveria uma chance de a vida voltar ao normal — ou, pelo menos, algo próximo ao normal.

— Graças a Deus você voltou.

Para o espanto de Valentina, Willie havia se dado ao trabalho de ir buscá-la na pista de pouso. Ele estava com uma cara horrível; pálido e desgrenhado, usava uma roupa esportiva de veludo nojenta e parecia um aposentado moribundo da Flórida. Além de tudo, estava com um hálito horrível.

— Ele não retorna as minhas ligações há dois dias! — continuou ele, nervoso. — Dois dias! Com certeza está puto.

— Quem está puto? — perguntou Valentina, enquanto um dos capangas de Willie pegava a mala dela.

— De quem você acha que estou falando? — retrucou Willie, irritado.

— De Rodriguez? — Ela suspirou.

— Claro que é dele! — exclamou Willie, ainda mais irritado. — Nós nunca devíamos ter nos metido com esse homem. Esse negócio idiota...

— Vai deixar a gente rico — completou Valentina com toda a calma. Ela pousou uma de suas mãos, com as unhas bem-feitas, pintadas de vermelho, no braço gordo de Willie e o segurou com firmeza. — Você precisa se acalmar, Willie. Não é um bom momento para perder a confiança. Homens como Rodriguez conseguem farejar a fraqueza como um tubarão consegue sentir de onde vem o cheiro de sangue. Acredite, eu sei. Cresci com homens como ele, lembra? Aqui o buraco é mais embaixo.

— Sei de tudo isso.

— Então aja como se soubesse mesmo. Você já fez a sua parte e ofereceu condições boas a ele. Se Rodriguez está puto, o problema é dele.

— O problema é dele? — Willie engoliu em seco, abrindo e fechando a boca como um peixe fora da água. — *O problema é dele?* Valentina, você não sabe do que homens como Rodriguez são capazes? Do que todos esses malditos mexicanos são capazes? Ele vai me matar. Vai matar nós dois. Vai cortar nossa garganta enquanto estivermos dormindo.

Com calma, Valentina se sentou no banco de trás do Bentley. Esperou o motorista dar partida no carro antes de responder.

— Falando como um desses "malditos mexicanos" — começou ela, encarando Willie com deboche —, posso lhe garantir que você está errado. Claro que sei do que Rodriguez é capaz. Já negociei com ele estando à frente da Desaparecidos, lembra?

— Mas aquilo lá é uma porra de uma instituição de caridade! Não é a mesma coisa! Ele não tinha nenhum grande objetivo ali.

Isso é o que você acha, pensou Valentina, mas não foi o que disse em voz alta.

— A questão é: você tem razão, ele mataria nós dois em um piscar de olhos *se* isso servisse ao propósito dele. Mas não serve. Ele precisa de você, Willie. Precisa da sua presença em Los Angeles, da sua rede de contatos, da legitimidade que você dá ao negócio. Você tem muitas cartas na manga, meu amor. Só precisa usá-las.

Willie abriu a boca como se estivesse prestes a dizer mais alguma coisa, mas Valentina ergueu a mão para impedi-lo de continuar.

— Estou cansada, meu querido — disse ela, num tom imperativo. — Andei muito ocupada nos últimos dias. Se quiser conversar mais, podemos fazer isso no jantar.

Ela fechou os olhos.

— Devo ligar para Rodriguez de novo? — perguntou Willie, incapaz de se conter.

— Claro que não — respondeu Valentina, com toda a calma, ainda de olhos fechados. — Pelo amor de Deus, Willie. Honre o que você tem entre as pernas, pelo menos um pouco.

O motorista teve de se esforçar para conter a risada.

O carro seguiu seu caminho.

Já passava das dez da manhã quando Derek Williams finalmente saiu com o carro do estacionamento da I-Hop e partiu para o escritório, a apenas oito quarteirões de distância, na Centinela Avenue. Se é que dava para chamar de "escritório" aquela cela de cadeia apertada e sem janelas de doze metros quadrados. Ficava em cima de uma oficina movimentada, onde mecânicos ganhavam mais em uma hora de trabalho do que Derek ganhava em uma semana, e a sala dele era uma das seis do edifício, alugadas para negócios independentes. Uma delas, para agiotas; outra para um advogado pobretão chamado Alan Clarkson, com quem Derek havia desenvolvido uma amizade um tanto cautelosa; e uma terceira para um cafetão bastante simpático chamado Fabrizio. O quarto escritório estava vazio, e a "vizinha" que ficava mais perto de Williams, no final do corredor, era uma mulher de Phoenix que fabricava pulseiras e colares de contas e que, até onde ele sabia, nunca havia sequer tentado vendê-las. Um verdadeiro pombal de perdedores. Mas o aluguel era bem barato, o lugar era seguro e a conexão de internet era confiável, basicamente tudo o que Derek Williams precisava ter em um escritório. Isso e alguns "caras simpáticos com chaves de fenda" no primeiro andar, para o caso de algum cliente querer bancar o valentão ali. Não que ele estivesse esperando algo do tipo neste caso. Pelo menos não da cliente em si.

Após três horas na companhia da Dra. Nikki Roberts, Derek saiu do encontro com três novas informações importantes.

A primeira era que ele podia ganhar uma BOLADA nesse caso se não fizesse bobagem.

A segunda era que o destino lhe dera uma rara chance de sacanear um velho inimigo seu, o Departamento de Polícia de Los Angeles.

E a terceira era que aceitar o caso significava se colocar em perigo físico real e imediato.

A ironia era que o terceiro fator era o que deixava Derek mais empolgado. Fazia muito, muito tempo que ele não arriscava o pescoço, que não ia até seu limite, que não se colocava em perigo de verdade, que não sentia o gostinho da adrenalina como costumava fazer antigamente, a.L. (Antes de Lorraine). Até a conversa daquela manhã com Nikki ele não tinha se dado conta de como sentia falta disso.

Depois de colocar duas pastilhas de antiácido em um copo grande de água — a bebedeira da noite anterior combinada com a farta quantidade de bacon e melado que comera no café da manhã não fizera bem à sua digestão —, ele pôs seu amplo traseiro no couro falso da cadeira barulhenta, esticou as pernas curtas e tomou a desagradável mistura em uma só golada. Em seguida, tirou um velho bloquinho de notas da gaveta da escrivaninha e começou a escrever. Começou com os já familiares tópicos que sempre criava após o primeiro encontro com um cliente, no início de cada caso. Mas em pouco tempo seu relatório começou a fluir, e ele preencheu páginas e páginas com observações.

Nikki Roberts era uma mulher fascinante, e o mistério que apresentara era ainda mais incomum do que ela. Na verdade, para Williams, havia dois mistérios ali, e foi isso que explicou a ela com todo o cuidado na hora de cobrar o dobro do honorário.

— Tem o caso do seu marido, que você quer descobrir quem era a mulher, como eles se conheceram, essas coisas, certo?

— Certo — concordou Nikki.

— Esse é o primeiro caso. Além dele, tem os assassinatos e as ameaças que você vem sofrendo. Você quer que eu descubra quem está por trás disso tudo. Basicamente, quer que eu faça o trabalho da polícia.

— Exato.

— Esse é o segundo caso.

Nikki não pensou duas vezes: fez um cheque ali mesmo. Pagou o dobro do valor de um mês inteiro de trabalho de Derek Williams, além de um generoso adiantamento para as despesas com a investigação. Williams estava gostando cada vez mais daquela moça.

Ele rapidamente concluiu que o caso do marido seria sua melhor fonte de renda. Não só porque o caso seria todo dele — a polícia provavelmente estava cagando e andando para quem o Dr. Doug Roberts comia ou deixava de comer. Aliás, por que ligariam para isso? De qualquer forma, isso também significava que, pelo menos em tese, Derek podia arrastar a investigação por mais tempo. Assim como acontecia com todos os investigadores particulares, os casos de adultério eram o ganha-pão de Williams, e ele agradecia a Deus diariamente a existência dos pecadores na Zona Oeste de Los Angeles.

Já os casos de homicídio eram mais complicados. Sempre havia a chance de aqueles inúteis da polícia de Los Angeles acabarem pegando o tal Assassino Zumbi, ou ao menos fazerem uma prisão preventiva, antes de Derek conseguir gastar o dinheiro do primeiro mês. Por outro lado, segundo Nikki, eles não tinham feito qualquer avanço no caso nem sequer estavam levando a sério as ameaças feitas a ela. Pelo jeito ninguém tinha intenção de descobrir quem era o motorista que havia tentado atropelá-la ou a testemunha que salvara sua vida. A fé de Nikki na polícia andava tão em baixa que ela nem se dera ao trabalho de mostrar a eles o e-mail com as ameaças — em vez disso, levou-o direto a Williams.

Outro excelente sinal. Quanto mais evidências ele tivesse, maior seria sua chance de cruzar a linha de chegada à frente da polícia de Los Angeles.

Sim, no fim das contas, o caso tinha todas as características para ser uma tarefa das grandes.

Os assassinatos por si só o fascinavam. Assim como todo mundo, Derek vinha acompanhando a história pelos jornais e pela TV. A jovem amante de Willie Baden — uma mulher lindíssima, que era uma das pacientes de Nikki Roberts — tinha sido torturada de uma forma abominável por um maníaco com uma faca antes de levar uma punhalada fatal no coração e ter o cadáver nu largado num matagal à margem de uma autoestrada. Três dias depois, um jovem afro-americano chamado Treyvon Raymond — assistente de Nikki Roberts e amigo íntimo da família — teve o mesmo destino. Ele, no entanto, foi levado para o hospital ainda vivo, mas faleceu antes de poder identificar o agressor. Até então, a história toda foi bem horripilante. Mas a coisa piorava: evidências apontavam que Lisa havia lutado pela própria vida, e o DNA do assassino acabou sendo preservado sob a unha da amante de Baden. Quando vazaram a história de que as células encontradas na unha eram de uma pessoa morta, a novela "zumbi" passou a atrair muito mais interesse, primeiro na internet e depois na grande mídia.

Era ridículo pensar no tipo de coisa que as pessoas estavam dispostas a acreditar naqueles dias. De volta ao mundo real, porém, ninguém havia sido preso pelos crimes, tampouco indiciado. Ainda não havia se estabelecido um motivo claro para os crimes. A coisa toda permanecia um verdadeiro mistério.

— Então a polícia ainda não tem suspeitos? — perguntou Williams a Nikki.

— Não oficialmente, embora eu ache que Johnson, um dos detetives que trabalha no caso, suspeite de mim. Toda vez que fala comigo ele me trata como se eu fosse uma criminosa.

— Eu não me importaria muito com isso, se fosse você. Todos os policiais são grosseiros.

Nem todos, refletiu Nikki, pensando no charmoso detetive Goodman. Mas não verbalizou o pensamento. Em vez disso, deixou Williams estupefato ao admitir com todas as letras que havia mentido para os detetives durante o depoimento.

— Eles me perguntaram se eu conhecia um garoto chamado Brandon Grolsch. Respondi que não, mas a verdade é que conheço, sim. Ou melhor, conhecia. Ele já foi meu paciente. Meu marido o encaminhou a mim, através de uma das clínicas dele.

— Por que perguntaram sobre esse garoto? E por que você mentiu?

Nikki deu de ombros.

— Não sei por que perguntaram. Devem achar que ele pode estar envolvido nos assassinatos. Mas sei que isso não é verdade. Ele não seria capaz de fazer uma coisa dessas. Era muito gentil, muito carinhoso. — Ela deu um sorriso melancólico. — Acho que menti para protegê-lo. Na hora não pensei muito no que estava fazendo.

— Você sabe que isso é obstrução da justiça, não é? — explicou Williams. — Se a polícia descobrir e resolver pegar no seu pé, você está frita.

— Eu sei, mas não me importo — retrucou Nikki, destemida. — O fato é que eu não confio neles, Sr. Williams.

Williams poderia ter dado um high five e concordado com ela ali na hora. *Então somos dois, meu bem.* Em vez disso, porém, perguntou:

— Mas confia em mim?

— Bom, estou pagando pelo seu serviço. — Nikki sorriu. — Nossa dinâmica é bem diferente.

— Sim, senhora, com toda certeza. — Williams retribuiu o sorriso.
— E quanto a esse garoto, esse tal de Brandon? Quando foi a última vez que teve notícias dele?

— Ah, já faz um bom tempo. Mais de um ano. Ele me ligou quando estava em Boston. Tinha voltado a se drogar, estava muito mal. Infelizmente não estava em um bom momento.

— Você acha que ele pode estar morto? — perguntou Williams, indo direto ao ponto.

Nikki deu de ombros.

— Com certeza é possível, mas não sei.

— Ok. — Williams marcou Brandon Grolsch como pendente e resolveu mudar de abordagem. — Me fale sobre os detetives que estão investigando o caso.

Nikki respirou fundo e começou fazendo uma descrição do detetive Mick Johnson: contou sobre a hostilidade feroz e a paranoia em relação a ela, a determinação de vê-la como a autora dos crimes, em vez de vítima.

— Ele disse na minha cara que achava que eu tinha inventado a história do cara que tentou me atropelar. Um absurdo! O parceiro dele é uma pessoa muito mais sensata. Detetive Lou Goodman. — Williams notou como o rosto de Nikki se iluminou assim que disse o nome dele.
— Ele é diferente.

— Diferente de que forma?

— De todas as formas. É educado, trabalhador, culto. Mente aberta.

— Mas, mesmo assim, não consegue avançar no caso — observou Williams.

— É verdade — admitiu Nikki, relutante. — Pelo menos não rápido o bastante. Ele acredita que talvez eu tenha sido o alvo do assassino todo esse tempo. Que Lisa Flannagan pode ter sido morta por engano, porque estava usando o meu casaco e tinha saído do meu consultório no dia em que foi atacada.

A expressão de Williams era de ceticismo.

— Me parece meio forçado.

— Não sei... Estava escuro e chovendo. E Lisa e eu éramos mesmo um pouco parecidas, tínhamos a mesma constituição física. Mas é claro que ela era muito mais jovem e bonita.

Williams não a corrigiu. Nikki Roberts era uma mulher bonita para a idade, sem dúvida, mas ele tinha visto fotos de Lisa Flannagan. A garota era um espetáculo. Um desperdício o que aconteceu com ela.

Em seguida, Nikki contou a Derek sobre a fotografia roubada de seu quarto e preencheu as lacunas sobre o utilitário preto misterioso que tentou atropelá-la e também sobre o jovem que apareceu para salvá-la de última hora. Também deu a ele uma cópia do e-mail com a ameaça de morte que havia recebido na noite anterior. Ele não conseguia entender por que o tal detetive Johnson não levava aqueles incidentes a sério, sobretudo considerando os assassinatos horripilantes e a ligação de Nikki com ambas as vítimas. Não fazia sentido. Será que Johnson sabia de algo que seu parceiro desconhecia?

Ele tomou nota de todas essas questões, então se recostou na cadeira e escutou pacientemente enquanto Nikki conduzia a conversa para o *verdadeiro* motivo pelo qual o contratara: a traição do marido.

A história que Nikki contou foi dolorosa de ouvir. Mas o instinto de Williams lhe dizia que também estava incompleta. Parecia que estavam faltando vários pedaços fundamentais do quebra-cabeça, fatos que ou Nikki desconhecia ou não estava pronta para revelar — ainda.

Segundo o relato dela, Nikki descobriu a existência da amante na noite do acidente. Doug Roberts perdeu o controle do carro na Interestadual 405 e morreu na hora em que o automóvel bateu. Nikki recebeu a ligação da polícia e foi pelos policiais que soube que o marido não estava sozinho, mas acompanhado de uma mulher no banco do passageiro.

— Eles me perguntaram se eu sabia quem ela era, mas eu não fazia ideia. Na época imaginei que fosse uma das pacientes dele ou uma colega a quem estava dando carona. Só descobri a verdade dias depois. Entreouvi dois policiais conversando. Tinham colhido depoimentos de funcionários do hospital onde Doug trabalhava, e vários deles revelaram que a mulher era amante do meu marido. Não acreditei de imediato. Para mim não fazia o menor sentido... ainda não faz. Mas quando confrontei Haddon, o melhor amigo de Doug, ele admitiu que meu marido estava saindo com outra pessoa. Como você pode imaginar, fiquei arrasada. Implorei a Haddon que me desse detalhes, mas ele jurou que não sabia de mais nada.

— E você acreditou nele?

— Você acreditaria? Ele e Doug eram muito amigos. Talvez Haddon tenha pensado que estava me protegendo, ou protegendo a memória de Doug. Sei lá. Mas preciso de respostas, Sr. Williams. Até agora só descobri que a mulher era russa e que seu primeiro nome era Lenka. De resto, não sei nada.

— E o que quer saber?

— Tudo. — Os olhos de Nikki brilharam de raiva. — Quero saber tudo. Quem ela era, há quanto tempo eles estavam tendo um caso, como se conheceram, onde se conheceram. Quero saber com que frequência transavam, onde, e também quero saber por quê. Por que ele fez isso? *Por quê?* Éramos felizes juntos. Ele não precisava de mais ninguém. Nós éramos muito felizes, incrivelmente felizes.

Williams se limitou a observar atentamente as reações de Nikki. Assistiu enquanto todo o equilíbrio e o controle, toda a calma com que Nikki havia discutido os assassinatos e os atentados contra sua vida desapareciam e eram substituídos por uma instabilidade provocada pelo luto, pela negação e por uma raiva poderosa, quase tangível.

Essa mulher tem dois lados, pensou Williams.

Um que está no controle das próprias emoções. E outro que não está.

Um que vive no mundo real. Outro que se refugia na fantasia.

Um que conta a verdade. Outro que mente. Até para si mesma.

Williams também percebeu que, mesmo com a vida em perigo, o que mais importava para Nikki Roberts era resolver o enigma da traição do marido. Será que estava deixando de contar algo a ele? Algo que escondia a respeito de "Lenka"? Talvez sua obsessão tivesse a mesma origem de sua coragem. A coitada já havia morrido mil vezes por dentro. Já tinha sido torturada pelas circunstâncias da morte do marido e pela traição revelada com a tragédia.

Talvez, depois disso, nada mais a assustasse.

Pela própria experiência, Williams considerava que poucas pessoas eram mais perigosas, ou mais poderosas, do que as que não tinham mais nada a perder.

Já havia se passado uma hora quando terminou de fazer as anotações iniciais. Eram onze e meia, quase horário do almoço, mas pelo menos dessa vez a prioridade de Williams não era encher a barriga. Deslizou a mão quase que com carinho pelo envelope entregue por Nikki mais cedo e o abriu pela primeira vez.

Estava curioso para ver que detalhes ela havia escolhido incluir nesse dossiê de "fatos" e quais havia omitido ou suprimido. A honestidade de Nikki a respeito de Brandon Grolsch e da mentira que contara à polícia o pegaram de surpresa. Então, por um lado, ela confiava nele, mas por outro, Derek não era ingênuo a ponto de acreditar que um cliente, qualquer cliente, lhe contaria toda a verdade. Se é que existia tal coisa.

— O que você tem para mim aqui, hein, meu bem? — murmurou ele para si mesmo.

Ao tirar a primeira folha do envelope, Derek levou um segundo para reconhecer aquele sentimento incomum. Não era estresse, nem indigestão ou azia. Era felicidade. Ele estava feliz.

Pelo jeito, sua sorte mudara da noite para o dia. Tinha um novo caso, uma nova cliente, um novo desafio.

Derek Williams *estava de volta.*

Minuciosamente, ele leu tudo em silêncio por um bom tempo. Depois releu. Por fim, leu uma terceira vez. Minutos se transformaram em horas. Havia muita coisa ali, muitos lugares por onde ele podia escolher começar.

No fim, porém, um nome saltou aos seus olhos, um nome dentre tantos que Nikki escolhera mencionar. Em se tratando dos assassinatos, o nome representava um figurante, um personagem sem importância, na melhor das hipóteses alguém superficial para o caso. No entanto, era um nome que Derek Williams conhecia bem — muito bem — de outro caso, em outra época.

Sua mente voltou no tempo.

Voltou quase uma década...

CAPÍTULO VINTE E DOIS

Nove anos antes.

Espiando pela porta de vidro do escritório, Derek Williams observou o casal sentado na sala de espera.

Seu escritório era fantástico, novo e requintado, e a sala de espera, impressionante — com pé-direito alto e toda mobiliada com sofás de designers famosos e móveis tirados daquelas revistas sofisticadas "de estilo de vida", como aconselhara Lorraine, a nova esposa de Williams.

"Você tem que gastar dinheiro para fazer dinheiro, meu bem" era um dos bordões preferidos de Lorraine, junto com "não existe segunda chance para causar uma boa primeira impressão". Derek tolerava essa filosofia barata de livros de autoajuda porque a amava, porque a mulher tinha uma bunda maravilhosa e seios fantásticos e porque ele era sortudo para cacete por ter sido escolhido por ela, com tantos caras por aí querendo levá-la para cama. Além de tudo, pelo menos até então, Lorraine parecia estar certa sobre a ideia de "gastar dinheiro para fazer dinheiro". Desde que alugou aquele escritório de luxo, Derek havia aumentado o valor dos honorários em sessenta por cento e visto o volume de casos triplicar.

— As pessoas se sentem tranquilas quando pagam uma nota preta por alguma coisa. Ninguém quer serviço barato — explicava Lorraine. Ela também estava certa com relação a isso.

O casal daquele dia já havia pagado a Derek uma pequena fortuna em honorários, além das despesas com os custos da investigação que ele havia acabado de encerrar. Derek não conseguia deixar de se sentir mal por eles, e um tanto nervoso pelo encontro iminente. O casal se sentou lado a lado, de mãos dadas, mas olhava fixamente para a frente, os corpos rígidos como estátuas.

O homem, Tucker Clancy, era um sujeito troncudo e musculoso, do tipo que parecia estar permanentemente sendo asfixiado pelo colarinho da camisa. Usava o uniforme clássico de um almofadinha — calça cáqui e camisa branca — e devia ter o elefante do Partido Republicano tatuado em algum lugar do corpo sarado. Não havia nada desalinhado nele, nada fora do lugar. Mas ainda assim seu rosto era uma ruína ambulante, pois exibia todas as características marcantes da desolação e da tristeza. Tinha uns 40 e poucos anos, mas parecia pelo menos vinte anos mais velho. A morte de um filho era algo terrível, mas descobrir que sua única filha desapareceu de uma hora para outra e ser amaldiçoado com um agonizante fio de esperança de que, contrariando todas as expectativas, talvez um dia ela retorne, que talvez um dia esse pesadelo acabe... Derek Williams não conseguia imaginar nada pior.

A mulher, Mary, parecia estar enfrentando melhor os acontecimentos. Parecia exausta como o marido, mas resignada com o destino, ao contrário de Tucker. Se ela ainda tinha qualquer esperança de rever a filha, não ficava nítido em seus traços suaves de mulher de meia-idade.

Que bom, pensou Williams. *Ao menos um deles aceitou a realidade.*

Derek havia passado as últimas três semanas na Cidade do México em busca de quaisquer vestígios da filha dos Clancy, Charlotte, tentando levantar os últimos movimentos conhecidos dela e criar algum tipo de teoria plausível sobre o que poderia ter acontecido. Loura, esguia, atraente, excepcionalmente alta para a idade, Charlotte chamaria a atenção em qualquer lugar, sobretudo no México, onde aquela típica garota americana se destacava entre as locais. Apesar de tudo isso, ninguém a via desde a noite de seu desaparecimento.

Os Clancy não haviam fornecido muitas informações na primeira reunião, acima de tudo porque a polícia mexicana não tinha lhes dado *informação alguma*. No começo, Tucker Clancy havia atribuído isso à sua crença arraigada e irrefletida de que todas as polícias estrangeiras, sobretudo a mexicana, eram inúteis e que, assim que os oficiais americanos, os "superiores", estivessem no comando do caso, as investigações andariam. Mas acabou ficando bastante angustiado ao descobrir que nem o FBI nem a equipe do consulado americano haviam feito qualquer progresso em comparação à polícia mexicana. Na verdade, em alguns aspectos, eles se mostraram até piores, por vezes parecendo menosprezar deliberadamente as preocupações dos Clancy.

— Eles não dão a mínima para a Charlie! — reclamara um Tucker Clancy perplexo e furioso para Williams no dia em que decidiram contratá-lo. — Pelo amor de Deus, ela é uma cidadã americana! Por que não estão procurando a minha filha? Revirando esse país de ponta-cabeça?

Williams compartilhava a fúria de Tucker Clancy, mas não a surpresa.

— A triste verdade, Sr. e Sra. Clancy, é que, a menos que você seja rico ou tenha boas conexões políticas, o FBI simplesmente não vai comprometer os próprios recursos com um caso como esse. Sua filha já tinha 18 anos quando desapareceu. Muitos jovens decidem apenas fugir sem dar nenhuma explicação aos pais.

— A Charlie não faria isso — vociferou Tucker Clancy.

— E não por *um ano* — acrescentou a mulher, mais calma. — Nós sabemos que alguma coisa aconteceu com ela, Sr. Williams — continuou, corajosamente, lutando para segurar as lágrimas. — Só não sabemos o quê. A gente sabe que pessoas... que turistas são sequestrados naquela terra. Quer dizer, é um lugar perigoso. A Sra. Baden nos mostrou algumas estatísticas...

— Quem? — interrompeu Williams.

— Valentina Baden — respondeu Tucker Clancy, mal-humorado.

— A mulher de Willie Baden. Ela administra uma instituição de caridade que auxilia na busca por pessoas desaparecidas. Eles nos ajudaram mais do que todo mundo até agora. Tentaram divulgar o caso.

De repente as coisas pareceram clarear na mente de Williams. Ele já tinha visto os Tucker antes, na TV, em um desses comerciais melosos criados pelas instituições de caridade. Não havia prestado muita atenção, mas o anúncio tinha ido ao ar no intervalo de um jogo transmitido à noite, o que deve ter custado uma fortuna. Maliciosamente, ele se perguntou se os Baden tinham aberto um de seus cofres para cobrir os honorários da investigação, mas deixou a ideia de lado enquanto Tucker Clancy prosseguia.

— Eu nunca devia ter deixado Charlie ir — murmurou o homem, furioso.

— A questão é que, de acordo com a Sra. Baden, geralmente é feito um pedido de resgate para estrangeiros sequestrados — explicou Mary Clancy a Williams. — Só que não recebemos nenhum pedido. Não sei se isso é bom ou ruim.

É ruim, queria dizer Williams. Ele se perguntou se a esposa idealista de Willie Baden havia contado ao casal que, a essa altura, a chance de encontrar Charlotte Clancy viva era mínima. Ao sul da fronteira, a vida valia menos do que a maioria dos cidadãos americanos de classe média podia imaginar. Para piorar, Charlotte era jovem, ingênua e bonita. A situação não parecia nada boa.

De qualquer forma, os Clancy haviam contratado Derek Williams para executar um trabalho, e era exatamente o que ele pretendia fazer, usando para isso suas melhores habilidades.

Ele pegou um voo para a Cidade do México quatro dias depois, levando apenas o nome e o endereço dos patrões de Charlotte, o primeiro nome de uma amiga que ela havia mencionado em uma das raras ligações para casa, além de fotos e detalhes pessoais, entre os quais estava o número do celular dela no México. E só. Derek não tinha muitas expectativas, mas, como Lorraine o lembrara, "dez mil dólares são sempre dez mil dólares, Derek, e pelo menos você vai pegar uma corzinha".

Ele de fato pegou uma corzinha. E também aprendeu uma lição. Nenhuma de suas pesquisas o preparara para a falta de lei na Cidade do México. Era como viver no Velho Oeste. Os Clancy deviam estar loucos quando deixaram a filha adolescente e ingênua ir sozinha para aquele lugar. Facções de tráfico de drogas operavam ali praticamente impunes, e era muito comum a ocorrência diária de sequestros e assassinatos, sem exagero. Alguns dos policiais da cidade eram incrivelmente destemidos, encaravam a ameaça das ruas, apesar dos riscos de serem capturados e torturados ou decapitados, ou de ver a própria família sofrer as represálias. Muitos outros, porém, eram mercenários que constavam na folha de pagamento ou de uma quadrilha ou de uma família rica da cidade, para quem trabalhavam com exclusividade à custa dos cidadãos comuns. Quanto aos políticos eleitos, a corrupção corria solta em todas as esferas do poder, afetando cada pequeno aspecto da vida na cidade, como bactérias se espalhando por dentro de um queijo Roquefort.

Os patrões de Charlotte, a família Encerrito, moravam na cidade havia gerações e pareciam conformados tanto com a corrupção quanto com a constante ameaça de serem vítimas da violência.

— Infelizmente, tenho certeza de que Charlotte está morta — afirmou Juan Encerrito a Williams com uma voz grave, de barítono, que não demonstrava nenhum sinal de choque. — Essas coisas são normais por aqui.

— O senhor faz alguma ideia do motivo pelo qual alguém iria querer matá-la? Um sentimento de antiamericanismo, talvez... Ou alguém pode ter presumido que a família dela era rica e estaria disposta a pagar um resgate. Embora, como o senhor sabe, ninguém jamais entrou em contato com os Clancy para fazer exigências.

Angelina Encerrito, uma mulher bonita, de cabelos escuros com tranças elaboradas, decidiu dar sua opinião.

— Na nossa cidade, Sr. Williams, as quadrilhas não precisam de motivo. Nós alertamos Charlie, sempre pedimos a ela que ficasse nos bairros mais seguros e que nunca dirigisse sozinha depois de escurecer. Mas acho que ela era um pouco impulsiva.

— E vocês nunca pensaram em impedi-la? Em interferir e dizer "não" quando ela saía sozinha à noite no carro de vocês? — perguntou Williams, em um tom mais acusador do que pretendia. Estava irritado com a calma daquela gente, tão imperturbável diante do possível assassinato de uma jovem.

— Nós contratamos Charlotte para tomar conta das nossas crianças — respondeu Juan, na defensiva. — Não era nosso trabalho tomar conta *dela*, ficar atrás dela quando estivesse de folga.

— Além do mais, como o senhor sabe, ela era jovem, loura e atraente — acrescentou Angelina, sem se deixar abalar pela última pergunta de Williams, mas ainda pensando na questão anterior. — Então, talvez, no caso dela, o motivo tenha sido sexual.

— Ela por acaso tinha algum namorado por aqui?

— Não que soubéssemos — responderam os dois balançando a cabeça.

— Ninguém nunca apareceu na casa de vocês?

— Não que eu tenha visto — respondeu Angelina. — Ela passava a maior parte do tempo com as crianças. Tinha uma garota de quem ela gostava em Colonia Juarez... era outra *au pair*. Mas garotos, não. Para ser franca, ela não parecia o tipo de garota que faria isso.

William leu suas anotações.

— A garota... o nome dela seria Frederique?

— Isso mesmo! — Angelina sorriu. — Frederique.

— Imagino que a senhora não se lembre do sobrenome dela...

Angelina Encerrito balançou a cabeça.

— *Eu* lembro.

Um garoto de cerca de 10 anos apareceu na varanda e se juntou a eles. Tinha a pele bronzeada, cabelos pretos e cílios longos e escuros. Estava usando um uniforme de tênis Ralph Lauren todo branco. Parecia que havia acabado de sair das páginas de uma revista de estilo de vida para ricaços.

— Era Zidane — disse ele, confiante. — Igual ao jogador de futebol. Por isso que eu me lembro.

— Obrigado. — Williams sorriu para o menino. — Como é o seu nome, rapazinho?

— Antonio. — Ele parecia feliz por participar da conversa dos adultos, mas Williams notou que os pais ficaram apreensivos, como se estivessem esperando a primeira oportunidade para enxotá-lo dali.

— E, na época em que Charlotte esteve aqui, você chegou a se encontrar com Frederique, Antonio? — perguntou Williams.

— Sim. Várias vezes.

— Você se lembra de onde foi?

O garoto assentiu.

— No parque. E na casa onde a Frederique estava trabalhando. Só tinha garotas lá, mas elas tinham toboágua, trampolim e...

— Obrigada, Antonio, meu amor — interrompeu a mãe, trocando olhares aflitos com o marido. — Pode ir para o seu treino de tênis agora.

— E onde era essa casa? — Williams segurou o braço do menino.

— Ele está atrasado para a aula — interveio Juan Encerrito, firme. — Por favor, Sr. Williams, não abuse da nossa boa vontade. Nosso filho não tem nada a ver com o seu trabalho.

— Claro que tem — retrucou Williams, no mesmo tom irritado do Sr. Encerrito. — Preciso desse endereço, *señor* Encerrito. É possível que Frederique Zidane seja a única pessoa que saiba o que pode ter acontecido com Charlotte. Imagine como a pobre família de Charlotte está se sentindo nesse momento, sem saber de nada. Como *você* se sentiria no lugar deles, se algo tivesse acontecido com o seu filho? — Em seguida, o detetive assentiu para Antonio, que ficou ali parado, ansioso, sem saber se deveria ir embora ou ficar.

O pai do garoto se apiedou.

— Você se lembra de onde era essa casa, Antonio? — perguntou Juan, com toda a calma.

— Ah, lembro. — O garoto sorriu. — Tenho uma memória excelente. — Então, virou-se para Williams e acrescentou, prestativo: — Se quiser, levo você lá agora mesmo.

Frederique Zidane era uma garota comum. Baixinha, tinha seus 20 e poucos anos, cabelo curto castanho-claro e uma pele flácida e pálida mais comum na meia-idade. Seu senso de estilo, porém, compensava essas deficiências. Ela atendeu à porta usando uma saia jeans tão curta que a peça mal podia ser chamada de saia e uma blusinha branca apertada com um sutiã de renda vermelho por baixo, a alça à mostra. Além disso, claramente tratava-se de uma pessoa bondosa. Quando Williams explicou por que estava ali, ela fez de tudo para ajudar.

— Sabia que você é a primeira pessoa que vem aqui conversar comigo sobre a Charlie? — informou ela, tirando a bagunça do sofá e abrindo espaço para Williams se sentar enquanto lhe servia um copo de água. — Além da moça da instituição de caridade.

— Instituição de caridade?

— Da Desaparecidos — esclareceu Frederique. — Eles estão tentando ajudar, divulgando o nome e a foto de Charlie. O que é ótimo, porque a polícia daqui está pouco se lixando.

Interessante, pensou Williams. Pela conversa com Tucker e Mary Clancy, ele tinha entendido que Valentina Baden e sua instituição haviam acabado de contatá-los, nos Estados Unidos, para oferecer ao casal publicidade gratuita. Mas, pelo jeito, na verdade Valentina se interessara pelo desaparecimento de Charlotte desde o início do caso. *Estranho Valentina não ter comentado com os Clancy nem o interesse pelo caso nem o encontro com Frederique.*

— Me disseram que a polícia americana ia investigar o caso também, mas nunca entraram em contato — continuou Frederique.

Nascida e criada em Rouen, ela falava inglês com um sotaque francês quase imperceptível. Williams ficou impressionado.

— Viajei para um monte de lugar quando criança — explicou Frederique. — Aprendi inglês ainda muito pequena, além de espanhol e italiano. Acho que isso facilitou as coisas para mim aqui. A coitada da Charlie estava meio isolada, porque o espanhol dela não era tão bom. Ela vivia dependendo de mim para traduzir as coisas. E além de tudo eu era a mais velha, sabe? Essa foi a primeira vez que ela ficou longe de casa. Meu Deus, é tudo tão *triste*...

— Estou tentando criar um retrato da vida dela aqui durante os meses em que trabalhou para os Encerrito.

— Entendi. — Frederique se inclinou para a frente, ansiosa, fazendo a barriga escapar do elástico da saia ao se mexer. — E o que quer saber?

— A família para quem ela trabalhava disse que nunca a viu com um namorado. É verdade?

— Provavelmente é verdade que eles nunca tenham visto. Mas Charlie estava saindo com uma cara, com certeza. Eu já disse isso à polícia e à Desaparecidos, mas eles não pareceram muito interessados.

— Bom, eu estou — afirmou Williams. — Você chegou a conhecê-lo? Sabe o nome dele?

— Não. O problema todo é esse. O caso era um segredo. Charlie estava muito a fim do cara, vivia falando dele. Mas ele era casado, muito mais velho e, além de tudo, muito rico e poderoso... pelo menos foi o que ela me contou. Mas ninguém podia falar com ele nem saber quem era.

Williams escutou atentamente. Aquilo era uma informação nova.

— Ele era mexicano? Americano?

— Não sei a nacionalidade dele. Ela nunca contou. Presumi que fosse alguém daqui, mas talvez estivesse errada... Sei que ele viajava muito. Vivia fora da cidade, e sempre que isso acontecia Charlie ficava todo triste.

Williams fez uma anotação.

— Sabe como eles se conheceram?

Frederique pensou por um instante.

— Acho que na casa do patrão dela. Talvez ele fosse um parceiro de negócios do pai da família.

— Mais alguma coisa? — pressionou Williams. — Ela chegou a contar com o que esse homem trabalhava, ou qualquer detalhe sobre a família ou o passado dele? Qualquer coisa que me ajude a localizá-lo já é útil.

— Não. — Frederique mordeu o lábio inferior. — Não estou ajudando muito, não é? Acho que ele era do ramo das finanças. Era um trabalho que pagava muito bem. E, como eu disse, ele era casado, mas não sei nada mais do que isso. Charlie só falava de como ele era maravilhoso na cama. Disso e dos presentes que comprava para ela.

— Presentes?

— Ah, sim. — Os olhos grandes e castanhos de Frederique se iluminaram. — Ele comprou diamantes e sapatos de milhares de dólares. Coisa bem chique, cara mesmo. Ela adorava o homem, e parecia que o sentimento era recíproco.

— E eles ainda estavam juntos quando ela desapareceu? Eles tiveram alguma briga ou se separaram?

— Não. Com certeza, não. Pelo contrário, acho que estavam mais unidos do que nunca. Ela tinha marcado de se encontrar com ele naquela noite e estava superempolgada. Eu me lembro dela sentada exatamente onde você está agora, me contando que iria passar o resto da vida com esse cara.

— É possível que os dois tenham simplesmente fugido juntos? — Até então Williams tinha certeza absoluta de que Charlotte estava morta, mas todas as informações novas que Frederique estava lhe contando sobre o romance abriram uma porta para outras possibilidades menos terríveis. — Talvez os dois estejam morando de frente para uma praia nesse exato momento.

— Eu cheguei a pensar nisso. Quer dizer, adoraria acreditar nessa possibilidade. Mas a história não bate, não é? Um empresário rico e poderoso, chefe de família, não vai simplesmente desaparecer. E Charlie podia não concordar sempre com os pais dela, mas duvido que ela simplesmente daria as costas e recomeçaria a vida sem dar uma palavra sequer com eles. Ela era uma garota boa. Não faria algo tão cruel.

Williams agradeceu a Frederique a ajuda. Antes de ir embora, entregou a ela seu cartão de visita para o caso de a garota se lembrar de mais alguma informação.

— Ficarei no Hilton pelos próximos dez dias. Mas depois disso você pode me contatar pelo celular a qualquer momento, caso se lembre de alguma coisa.

Depois disso as coisas andaram depressa. Os Encerrito não se mostraram nada acolhedores quando Williams voltou para tentar conversar novamente com eles, dessa vez sobre visitantes do sexo masculino em sua casa — mais especificamente homens casados que tinham negócios com Juan. Por sorte, em troca de alguns pesos e um uísque americano, a maioria dos empregados da casa se mostrou consideravelmente mais receptiva. Mais de um mencionou as visitas de um americano bonito à casa durante o verão. Com frequência ele era visto conversando com a jovem *au pair*.

— Ela gostava dele. Eles se gostavam — informou o jardineiro dos Encerrito a Williams, abrindo um sorriso desdentado. — Dava para perceber.

O consenso geral era de que "o americano" era banqueiro ou advogado e de que havia sido apresentado a Juan Encerrito por um homem chamado Luis Rodriguez, outro abastado empresário local, além de filantropo.

— Rodriguez é um sujeito fantástico — disse o jardineiro a Williams, sentimento compartilhado pela governanta, pela criada e por praticamente todos com quem o detetive conversou. — Começou do zero e ainda se importa com os pobres. Não é como eles. — E acenou com a cabeça na direção da casa, indicando seus empregadores, Juan e Angelina. — Mas, quanto às pessoas ao redor dele, como o banqueiro americano... bom, não sei nada sobre esses caras.

Dias após a conversa com Frederique, Williams ligou para casa bastante empolgado.

— Vou dizer aos Clancy que preciso de mais uma semana aqui — falou ele para Lorraine, ofegante, da sacada de sua suíte com vista para a piscina no Hotel Hilton. Lá embaixo, um bando de garotas, bronzeadas e esbeltas estavam deitadas nas espreguiçadeiras usando biquínis mínimos, mas Williams mal reparava nelas. — Sei que esse tal americano tem alguma coisa a ver com o sumiço da Charlie. A família para a qual ela trabalhava diz que não sabe quem ele é, mas é óbvio que os dois estão mentindo. E o mais estranho é o seguinte: sabe quem está mentindo também? Ou pelo menos escondendo a verdade?

— Quem? — indagou Lorraine, em tom obediente.

— Valentina Baden, a mulher de Willie Baden. A instituição de caridade dela tem ajudado os Clancy, mas descobri que na verdade já estão há meses à procura de Charlotte, fazendo perguntas para todo mundo. Caramba, por que alguém esconderia isso dos pais da garota?

— Sei lá, Derek — respondeu Lorraine, parecendo cansada.

— Enfim, esse americano com quem Charlotte estava saindo trabalhava para um figurão local chamado Rodriguez, uma espécie de Robin Hood por aqui. Então, tenho outra pista que pode me levar a ele, o que é ótimo. Isso presumindo que a Sra. Baden não retorne as minhas ligações, o que não fez até agora. Só preciso de um nome, meu bem. Estou *pertinho* de encontrar alguma coisa. Dá para sentir.

— Está bem, Derek. — Por algum motivo, a jovem esposa de Williams não parecia tão entusiasmada quanto ele. — Mais uma semana aí não tem problema, mas depois disso você tem que voltar para casa. Estou recebendo ligações todos os dias e tendo que recusar trabalho.

— Mas isso aqui *é* trabalho. Os Clancy estão pagando, meu bem.

— Sim, estão pagando, mas você está aí no México, gastando literalmente todo o seu tempo em um único caso — reclamou Lorraine. — Você não pode se dar a esse luxo. Não com um bebê a caminho. Agora você tem que pensar na sua família.

Williams desligou. Ficou surpreso e desapontado ao ver que Lorraine não enxergava a importância daquilo. Ele só precisava falar com

Luis Rodriguez para desenterrar o precioso nome do tal americano, e talvez isso acontecesse amanhã! Descobrir a identidade do namorado casado de Charlotte seria um avanço e tanto no caso. Se ele fosse capaz de resolver o mistério do paradeiro da garota, se conseguisse descobrir o que acontecera com ela naquela noite, após o encontro com Frederique Zidane, não só estaria acabando com o sofrimento de uma família, mas também obtendo êxito num caso em que o FBI havia fracassado — isso sem mencionar as próprias autoridades mexicanas. Graças a Desaparecidos, Tucker e Mary Clancy haviam participado de todos os talk shows dos Estados Unidos. Milhões de americanos conheciam o caso Charlotte Clancy. Se conseguisse resolvê-lo, Williams faria seu nome e consolidaria sua reputação como um detetive particular de primeira classe. Se isso não era bom para os negócios, ele não sabia o que mais poderia ser.

Mas, acima de tudo, resolver o caso significaria justiça para Charlotte. Às vezes Williams se perguntava se era a única pessoa do mundo, além dos pais dela e de Frederique, que se importava de verdade com a garota.

No exato momento em que pensou isso, seu telefone tocou.

Por favor, que seja Valentina Baden, que seja Valentina Baden...

Na verdade, era Frederique, quase tão empolgada quanto Williams estava no momento.

— Me lembrei de uma coisa! — exclamou ela, quase sem ar.

— Ótimo. — Williams abriu um sorriso e esticou o braço para pegar a caneta e o caderninho.

— Eu me lembrei do carro dele. Uma vez vi Charlie entrar num carro, e tenho certeza de que era do namorado dela. Quer dizer, não consegui ver a cara do motorista. Mas ela estava vestida como se fosse a um encontro, e pela cara dela...

— Que tipo de carro era? — Williams mal conseguia se conter. *Por favor, que seja um carro diferente, um carro que eu consiga localizar.*

— Era um Jaguar. Das antigas. E era verde-escuro. Acho que chamam de verde-caçador, não é?

Williams quis dar um beijo na garota.

— Esse carro deve ser raro, não é? — continuou ela. — Quer dizer, quantos desses devem rodar pela Cidade do México?

Não muitos, pensou Williams, triunfante. *Com certeza, não muitos.*

Os sete dias seguintes foram alguns dos mais frustrantes da vida de Derek Williams. Após alimentar a esperança dos Clancy, além de tirar deles outros três mil dólares que mal podiam pagar, ele tinha a expectativa de voltar para os Estados Unidos com uma grande novidade. Em vez disso, porém, logo descobriu que conseguir qualquer informação na Cidade do México era como tentar correr uma maratona num terreno movediço. Williams não entendia como alguém conseguia fazer negócios naquele lugar, que dirá acumular a fortuna que homens como Luis Rodriguez pareciam ter juntado do nada.

Rodriguez foi a frustração número um. Ele até podia ser o Robin Hood da Cidade do México, mas também parecia ser um sujeito inacessível. Não apenas uma pessoa difícil de contatar — Williams estava acostumado com coisas difíceis. Era impossível mesmo. Uma muralha de recepcionistas, secretárias e secretárias de secretárias estava sempre de prontidão para negar o acesso ao grande homem, tanto pessoalmente quanto por telefone. E-mails eram respondidos por subalternos sem identificação, e telefonemas eram transferidos e transferidos e transferidos de novo até a pessoa que ligou perder a vontade de viver.

Williams havia tentado ir direto aos escritórios de Rodriguez, na esperança de encontrá-lo na entrada, mas um pequeno exército de capangas munidos de submetralhadoras rapidamente o dissuadiu dessa abordagem. Já a casa de Rodriguez contava apenas com uma pista longa e sinuosa que corria por trás de portões de aço reforçado. Além de tudo, também era protegido por capangas e pelo som nada tranquilizador de dobermanns latindo esfomeados em algum lugar da propriedade murada.

Enquanto isso, a pesquisa sobre o registro de propriedade do carro se mostrou muito mais complicada na Cidade do México do que seria nos Estados Unidos, onde ele faria uma simples ligação para o Departamento de Trânsito da cidade. Williams tinha certeza de que devia haver algum antigo ditado mexicano que as pessoas aprendiam quando pequenas e que, quando traduzido, queria dizer: "Por que manter registro das coisas se você pode *não* manter registro das coisas?"

Furioso, ele presumiu que a Desaparecidos provavelmente possuía pelo menos *algumas* dessas informações. Mas, como haviam escolhido não compartilhá-las com os Clancy por motivos que só eles mesmos sabiam, mas se recusavam terminantemente a retornar uma única ligação de Williams, só restou ao detetive tentar reinventar a roda na Cidade do México.

Durante aquele tempo ocioso, enquanto esperava que alguém retornasse suas ligações, Williams fez pesquisas sobre Luis Rodriguez, o bilionário queridinho de todos e uma lenda local por sua generosidade, seu jeito simples e pelo apoio a toda e qualquer causa que ajudasse os pobres da cidade.

Eu vim dessas ruas. Eu conheço essas ruas, dissera Rodriguez a um jornalista do *La Jornada* no ano anterior, para uma matéria que a essa altura Williams já havia lido mais de dez vezes. *Algumas pessoas não gostam que eu doe dinheiro à polícia. Mas a gente precisa da polícia. Eles são a linha de frente na guerra contra as drogas, e que ninguém duvide: isso é, sim, uma guerra.*

É, pensou Williams. *É uma guerra, com certeza. O problema é que metade da polícia daqui na verdade é espiã do outro lado.*

É por isso que eu também doo dinheiro aos centros de reabilitação, continuou Rodriguez. *Perdi minha própria irmã para as drogas. Faço questão de empregar ex-viciados em recuperação nas minhas empresas. Não sou um homem político. Sou um homem piedoso.*

A entrevista era meio "eu sou a luz do mundo" demais para o gosto de Williams. Um pouco "vejam como sou um cara fantástico!" demais.

Completamente bajuladora. Mas os números comprovavam o falatório de Rodriguez. O sujeito realmente havia doado um caminhão de dinheiro para boas causas, sobretudo as relacionadas à guerra contra as drogas. Ele até podia ser um mulherengo, mas essa característica parecia aumentar ainda mais a lenda em torno do homem. Os pobres da Cidade do México o veneravam, e não era difícil enxergar o motivo.

Era uma quarta-feira quando Williams finalmente teve sua chance de abordar Luis Rodriguez no momento em que ele saía de sua sessão semanal regular com um quiroprático.

— Estou investigando o desaparecimento de uma jovem americana — falou Williams, ofegante, a voz rápida e enrolada, ao mesmo tempo que o único segurança que acompanhava Rodriguez saltou do carro e começou a embarreirar o detetive. — Só preciso de um minuto do seu tempo, senhor. Acredito que um dos seus parceiros de negócios a conheça. O nome dela é Charlotte Clancy.

Quando o segurança já estava prestes a derrubar Williams, o detetive viu Luis Rodriguez erguer a mão. O segurança parou na hora, como um brinquedo de controle remoto. Pela primeira vez, Rodriguez olhou para Williams.

— Charlotte? *Carlotta*. Esse era o nome da minha irmã. Você disse que está procurando um sócio meu?

— Sim, senhor. Exatamente. Um americano. Provavelmente trabalha no ramo financeiro ou é advogado. E acho que ele dirige um Jaguar verde-escuro.

Rodriguez franziu o cenho.

— Ninguém me vem à mente. Mas eu trabalho com muitos advogados americanos, senhor...

— Williams. Derek Williams.

Eles trocaram apertos de mãos.

— Vamos fazer o seguinte: por que não aparece no meu escritório em Colonia del Valle hoje à noite, lá pelas seis? Nesse meio-tempo, vou pedir à minha secretária que dê uma olhada nisso. De repente eu e ela juntos conseguimos um nome para você.

— Obrigado, Sr. Rodriguez — agradeceu-lhe Williams, com sinceridade. Após tantos telefonemas infrutíferos, dias e dias de espera, finalmente havia obtido algum resultado. — Estarei lá.

Às seis em ponto, Williams se apresentou à recepção no térreo do escritório de Luis Rodriguez em Colonia del Valle. Havia feito a barba, tomado banho e colocado um terno de linho claro para o encontro — estava elegante ao atravessar, todo feliz, o lobby com piso de mármore.
Era difícil não ficar empolgado por estar ali.
Enfim, tinha chegado a hora. Aquele era o momento decisivo do caso.
Claro, ele ainda precisaria provar que o namorado de Charlotte Clancy era responsável pelo desaparecimento da garota, e também — Williams agora tinha certeza — pela morte dela. Mas, assim que ele descobrisse a identidade do homem, poderia começar a elaborar um caso contra ele. No mínimo, teria algo de concreto para informar aos pobres pais de Charlotte, mesmo que não fosse uma boa notícia.

— Boa tarde. Estou aqui para falar com Luis Rodriguez. — Ele entregou seu cartão de visita à recepcionista. — Ele está me esperando.

A garota sorriu e pegou o telefone. Após uma rápida conversa em espanhol, colocou o fone de volta no aparelho e olhou para Williams.

— Tem certeza de que era hoje, Sr. Williams? — perguntou ela, com toda a educação. — Parece que não está na agenda do Sr. Rodriguez.

Williams ficou tenso. *E lá vamos nós de novo...*

— Tenho certeza absoluta. Falei com Rodriguez hoje de manhã, e ele me pediu que viesse às seis. Eu...

Mas a aparição de dois policiais armados, um de cada lado, o interrompeu.

— Derek Williams?

— Sim? — Ele ergueu a cabeça, estupefato. Não só porque os dois haviam aparecido do nada, mas porque sabiam seu nome.

— Sr. Williams, o senhor está preso.

Antes que Williams conseguisse dizer qualquer coisa, os homens o pegaram pelos cotovelos e o ergueram do chão, puxando-o para trás, na direção da porta por onde ele havia entrado.

— Preso? Pelo quê? — questionou Williams, ciente dos olhares curiosos de todas as pessoas no lobby e se sentindo estranhamente constrangido. — Isso é um engano!

— Por violar as regras do visto — respondeu um dos policiais, enquanto o outro cravava o cotovelo com força nas costelas de Williams, com intenção de machucá-lo. — Temos ordens para deportá-lo imediatamente.

— Me deportar? *O quê?!* — explodiu Williams. — Que palhaçada é essa? Eu não preciso de visto. Sou um turista em...

Um soco forte acertou seu queixo e o interrompeu no meio da frase. Um segundo golpe provocou um estalo alto ao quebrar o osso do nariz. Como uma torneira aberta, o sangue começou a jorrar do rosto de Williams. A dor era lancinante, mas o que retardava seus movimentos era o choque, a surpresa total diante de tudo o que estava acontecendo. Antes mesmo de se dar conta, ele estava sendo jogado no banco traseiro de um carro sem identificação. E foi então que a surra começou para valer.

Ele presumiu que devia ter estado consciente quando embarcou no avião, mas não tinha nenhuma lembrança disso — ou sequer de ter chegado ao Aeroporto Internacional da Cidade do México. Mas ele se lembrava de ter acordado no meio do voo sentindo uma dor indescritível no rosto e nas costelas, ao lado de um homem de jaleco branco que enfiou uma seringa em sua perna. Quando chegou ao Aeroporto de Los Angeles, porém, o assento vizinho estava vazio, então talvez ele tenha imaginado essa parte.

Sua primeira lembrança "real" foi a expressão ansiosa de Lorraine à sua espera.

— Recebi um telefonema de algum babaca grosseiro da embaixada americana na Cidade do México me informando que você estaria neste voo — explicou ela. — Quase não vim. No começo achei que fosse um trote. Meu Deus, Derek, o que aconteceu? O que fizeram com você?

— Não tenho certeza — balbuciou Williams, o lábio inchado dificultando sua fala. — Em um minuto estou esperando um encontro com o empresário sobre quem falei com você por telefone, e no instante seguinte dois lunáticos estão metendo a porrada em mim e me deportando.

— Bom, você precisa ir a um médico. Vou levar você na emergência em Pico, a caminho de casa. Mas depois é melhor irmos à polícia. Sério, Derek, você é um cidadão americano. Você tem direitos.

— Não — interrompeu Williams. — Nada de polícia. E também não preciso de médico.

— Claro que precisa! Ficou maluco?

— Não! — retrucou ele, a voz saindo mais alta do que queria. — Me desculpe, querida. Eu só quero ir para casa, dormir um pouco e depois ligar para os Clancy. Tente marcar uma reunião com eles amanhã bem cedo.

A cabeça de Williams estava explodindo de dor antes mesmo de Tucker Clancy começar a gritar.

— Como se atreve? — O pai de Charlie balançava o punho na direção de Williams como se fosse um personagem irritado de desenho animado. — Nós mandamos você para o México para descobrir o que aconteceu com a nossa filha, não para voltar aqui e difamá-la, arrastar o nome de Charlie na lama. Se repetir essas alegações mais uma vez, juro por Deus que vou processar você e arrancar até seu último centavo!

— Não são "alegações", Sr. Clancy — disse Williams, mantendo a calma diante do ataque inesperado. — Pense bem. Eu não tenho motivo para inventar nada disso, tenho? Estou falando com os senhores em particular, como meus clientes.

— Ex-clientes — vociferou Tucker Clancy.

— Senhor, meu único interesse é fazer justiça para a sua filha. E acho que estamos muito mais perto disso. O que aconteceu comigo é uma prova do que estou falando. Estamos mexendo com gente poderosa por lá.

— Não estamos "mais perto" de nada — rosnou Tucker Clancy, a camisa branca de botão parecendo mais apertada e desconfortável do que nunca.

— Vocês sabiam que a Desaparecidos vinha investigando o desaparecimento de Charlotte desde muito antes de entrarem em contato com vocês? — perguntou Williams, mudando de assunto de repente.

— Como é? — Os olhos de Tucker se estreitaram.

— Frederique Zidane, a amiga da Charlotte, recebeu uma visita da Sra. Baden em pessoa meses antes de eu aparecer lá. Vocês fazem alguma ideia do motivo pelo qual ela esconderia essa informação?

Mary Clancy e o marido trocaram um olhar aflito.

— Não — respondeu Tucker, ainda visivelmente irritado. — Só sei que, seja lá o que essa garota francesa, Valentina Baden ou qualquer outra pessoa tenha lhe contado, é mentira. Minha filha nunca teria um relacionamento com um homem casado. Nunca! Charlie nem era... pelo amor de Deus, ela tinha 18 anos! Ainda era virgem.

— Ah, Tucker! — A esposa esfregou os olhos, cansada. — Não faça isso, meu bem.

— Isso o quê? — retrucou Tucker, ainda mais irritado.

— Ela não era virgem — disse Mary, com toda a calma. — Ela já estava namorando aquele Todd devia fazer um ano.

— Namorando, sim. Mas isso não significa...

A mulher de Tucker Clancy lançou um olhar de pena para ele.

— Gritar não vai ajudar em nada, meu bem — insistiu Mary. — Se o Sr. Williams encontrou um suspeito ou mesmo um motivo para alguém querer fazer mal a Charlie, isso é um progresso. Ainda mais se a Desaparecidos está realmente escondendo coisas da gente... mesmo eu não conseguindo imaginar um motivo para isso.

— Progresso porra nenhuma! — berrou Tucker Clancy, dando um soco na mesa e se levantando. — Isso é uma puta de uma palhaçada, isso sim! Você está demitido! — disse ele a Williams. — E eu espero um reembolso total da semana adicional que pagamos, tendo em vista que você conseguiu a proeza de ser expulso daquele país de merda. Vamos, Mary.

Mary Clancy lançou um olhar para Williams, um pedido mudo de desculpas, antes de seguir o marido e sair do escritório.

Minutos depois, a mulher de Williams entrou na sala.

Graças a Deus eu me casei, pensou Williams admirando os seios curvilíneos de Lorraine sob o suéter verde-limão apertado, a barriga de grávida começando a aparecer sob a saia lápis que grudava em seu traseiro como plástico filme envolvendo um par de peras. É mais fácil suportar os reveses provocados pela tremenda falta de sorte — naquele caso, ser demitido por fazer exatamente o que o contrataram para fazer — quando se sabe que tem alguém para cuidar de você. A vida era melhor em equipe. Talvez mais tarde ele fosse ao médico, no fim das contas. E depois de tudo Lorraine podia cuidar dos ferimentos dele e dizer o quanto o amava e apoiá-lo daquele jeito que só uma mulher sabe...

— Mas que merda, Derek! — O tom agressivo de Lorraine acabou com a fantasia dele como um alfinete estourando um balão. — Eles *demitiram* você! A gente precisava desse dinheiro. Sabe quantos clientes rejeitei só para você ir ao México por causa daqueles idiotas? E agora, depois disso tudo, você está fora do caso?

Do jeito que falava, era como se a culpa fosse dele.

— Eu fiz um trabalho bom pra caramba no México — retrucou ele, irritado. — Um pouco de apoio seria bom, Lorraine, ainda mais depois disso. — Ele apontou para o rosto inchado, o olho roxo e a bochecha dilatada, que o faziam parecer um boxeador que havia acabado de perder a luta pelo cinturão.

Mas Lorraine estava inflexível.

— Essa investigação era uma furada. Eu avisei assim que eles entraram por essa porta.

— Ah, é? Que pena. Porque eu ainda não terminei — afirmou Williams, finalmente perdendo a paciência. — Vou descobrir o que aconteceu com Charlotte Clancy mesmo que seja a última coisa que eu faça. Quem quer que esteja protegendo esse tal amante americano acha que ganhou. Mas eles mal perdem por esperar. E a Sra. Baden também, se acha que pode continuar se escondendo de mim.

— Ah, é mesmo? Então *você* também mal perde por esperar, Derek Williams, se acha que vou continuar casada com um homem que se recusa a sustentar a família e insiste em jogar dinheiro no lixo. Pense bem nisso enquanto estiver lá fora perdendo seu tempo.

Dito isso, ela saiu bufando de raiva e bateu a porta com violência ao deixar a sala.

Seis cervejas depois, a garçonete do Luca's se mostrou muito mais compreensiva.

— Acho incrível você se importar com essa garota, meu bem. Entendo perfeitamente.

— Caramba, alguém precisa fazer isso, não é? — disse Williams, a voz arrastada, os olhos hipnotizados pelo sobe e desce constante dos seios dela. — O pai dela vive no mundo da lua. Não quer ouvir a verdade.

— Entendo — disse a garota, enchendo o copo dele.

— E a minha esposa... ou melhor, a mulher que se diz minha *esposa*... só quer saber de dinheiro. Adora as verdinhas.

— Que pena.

Williams fitou o copo com um olhar melancólico. Estava naquele estágio do porre em que o tempo perdia todo o sentido, e os minutos e as horas voavam com a mesma rapidez, tornando impossível distinguir um do outro. Não sabia exatamente quando o homem ruivo se sentou ao seu lado e começou a falar. Mas em determinado momento o sujeito agarrou Williams pelos ombros com força, machucando-o, e o encarou de um jeito ameaçador, como se fosse bater nele.

— Agora escuta aqui, seu gordo de merda — disse o homem. — Se afasta do caso Clancy, senão você vai se arrepender.

Num reflexo tardio, Williams deu de ombros para afastá-lo e, totalmente desorientado, ergueu os punhos como se estivesse desafiando o sujeito.

— Eu vou me arrepender, é? Quem disse? — perguntou, enfiando o indicador com raiva no peito do homem.

— Os profissionais. — O homem ruivo mostrou o distintivo e a arma.

— Você chama o FBI de profissionais? Não me faça rir.

— É sério, Williams, você é um amador e está se metendo onde não deve. Não sabe o que está fazendo.

— Mas sei o que *vocês* estão fazendo — retrucou Williams, tentando entender, apesar da razão afetada pela cerveja, como aquele babaca sabia o nome dele e onde encontrá-lo. — Nada! Vocês nunca sequer *tentaram* encontrar Charlotte.

— Isso porque Charlotte era uma puta barata que muito provavelmente foi morta por um traficantezinho de merda naquele lugar.

— Você não sabe do que está falando — balbuciou Williams.

— Na verdade, sei, sim. Você tem que esquecer esse caso. Ah, e já que estamos falando disso, também precisa parar de assediar os Baden. E Luis Rodriguez.

— Assediar? Eu não assediei ninguém!

— Rodriguez é um bom homem... na verdade um grande homem, e além de tudo um amigo desse país.

— Eu nunca disse o contrário.

— Você não tem cacife nem para engraxar os sapatos dele.

— Ah, vá se foder! — Williams ergueu o braço, acabando com a conversa. Estava de saco cheio de discutir com aquele idiota e bêbado demais para compreender os insultos enigmáticos dele.

O homem se levantou e deixou uma nota de vinte dólares na bancada.

— Considere isso um aviso amigável — disse ele a Williams. — O próximo não vai ser tão educado.

CAPÍTULO VINTE E TRÊS

Dias atuais.

— Aaaaah! Luis... Ah, isso! Isso!

Luis Rodriguez fechou os olhos e tentou ignorar os gemidos de prazer exagerados da garota. Por que as mulheres faziam isso? Achavam que ele era idiota demais para se dar conta de que estavam fingindo? Ou que ele nem sequer ligava para o prazer delas?

Com a mulher dele — ou melhor, ex-mulher — era diferente. Com ela, Rodriguez fazia amor. Era uma coisa real. Mas essas modelos/atrizes/piranhas de 20 e poucos anos que se amontoavam na cama dele desde que sua mulher o deixou, esperando por algumas migalhas da sua fortuna? Elas só estavam ali para satisfazer o prazer de Rodriguez. Se elas iriam viver ou morrer, para ele dava na mesma.

Rodriguez grunhiu, finalmente chegando ao clímax dentro da linda mulher que se contorcia debaixo dele. Annabella. Ou era Isabella? Era algo parecido com isso. Estavam no escritório dele em Colonia del Valle, após um encontro no almoço que se estendeu por toda a tarde. A garota ganhara dele uma pulseira de ouro da Tiffany, e Rodriguez havia saboreado um almoço excelente, sob os olhares invejosos de outros clientes do restaurante, tudo seguido de vinte minutos de um sexo razoavelmente satisfatório com a garota, que tinha mostrado seus movimentos de ioga enquanto ele a dobrava para trás e para a frente no sofá.

— Ai, meu Deus! Isso foi incrível, meu bem. — Ela continuou bajulando Rodriguez enquanto colocava a calcinha e o vestido. Mas ele já estava de volta ao modo trabalho, sentado à mesa e abrindo o laptop. Tinha um grande negócio para fechar naquela tarde com Willie Baden, dono do Los Angeles Rams, e um importante novo contato com quem devia se encontrar antes de embarcar em seu jatinho particular para Los Angeles, naquela mesma noite.

O negócio com Baden acabou se mostrando mais complicado do que ele imaginara. Foi a mulher de Willie quem havia apresentado os dois. Valentina Baden cresceu na Cidade do México e costumava ir aos mesmos eventos beneficentes que Luis. Ambos eram filantropos comprometidos com a causa e, no passado, foram assolados por tragédias parecidas — a irmã mais nova de Valentina tinha desaparecido quando era adolescente, exatamente com a mesma idade que Carlotta, adorada irmã de Luis que perdeu a vida para as drogas. Luis e Valentina se deram bem de imediato. Por isso, ele estava esperando que a negociação com Willie fosse tranquila. Infelizmente, a ganância do outro homem dificultou as negociações. Baden tentou jogar duro. O problema era que, quando a coisa ficava feia, ninguém era mais durão que Luis Rodriguez. Ele podia ser um homem generoso e piedoso — qualidades que lhe renderam muitos fãs entre as camadas mais pobres da cidade, que o idolatravam —, mas, no fundo, continuava sendo um guerreiro das ruas.

Mesmo assim, estava nervoso por causa da viagem. As ruas de Los Angeles eram território de Willie Baden, não dele, e as regras eram diferentes lá.

A ansiedade era um dos motivos, talvez o principal deles, pelo qual Luis precisou de sexo naquela tarde. A adulação de Isabella havia sido uma distração e um alívio.

Assim como tentava analisar tudo, Rodriguez tentou analisar o próprio medo. Parte dele era causado pelo acordo com Baden. Uma parte maior, porém, vinha do fato de que, pela primeira vez, em alguns anos ele pisaria em solo americano, algo que sempre lhe causava estresse. Daquela vez, porém, o novo clima político em Washington piorava tudo. Não era um bom momento para ser um cidadão mexicano extremamente rico e conhecido pelo FBI, por melhores e mais honestas que fossem suas intenções. Não importava que você doasse milhões para instituições de caridade voltadas para a recuperação de dependentes químicos ou qualquer outra causa respeitável. Não importava que você fosse parte da solução no México. Se você era um homem marcado, nada mais interessava. Eles odiavam você.

Desgraçados! O que os americanos tinham na cabeça que os faziam invejar tanto o sucesso alheio, não importando quanto as pessoas trabalharam duro para conquistá-lo? Luis Rodriguez era um empresário, pura e simplesmente. Para ele, seu único "crime" era ter sido bem-sucedido. Metade da Cidade do México comia na mão dele, e a outra metade o faria em breve, ainda que no início ele fosse um nada, menos que nada. Veio de uma miséria absoluta que a maioria dos americanos não conseguia sequer imaginar.

— Você parece estressado, meu bem. Deixe eu ajudar.

A garota se aproximou por trás dele e tentou massagear aqueles ombros de touro com seus dedos longos e ossudos. Ela exalava um odor forte de almíscar e sexo. Como peixe embebido em patchuli. O cheiro era repugnante — o desejo já havia sido saciado, e o excelente linguine com lagosta que comera no almoço se revirava violentamente em seu estômago.

— Você tem que ir embora agora. Preciso trabalhar.

— Sério? — Ela fez um beicinho, mas a expressão no rosto de Rodriguez foi o suficiente para responder à pergunta. — Ok, meu bem. Bom, você tem o meu número. A gente se vê depois.

Luis não se deu ao trabalho de erguer a cabeça para olhar enquanto ela saía rebolando da sala, equilibrando-se nos saltos plataforma ridiculamente altos, os quadris esguios balançando junto com o cabelo, que batia na cintura. *Puta idiota.* Ele ansiava pela esposa como uma criança anseia pela mãe. Tudo estava pior desde que ela fora embora.

Assim que a garota saiu, Marisol, a secretária de Luis — uma mulher leal e nada atraente —, abriu a porta.

— A delegação colombiana chegou, Sr. Rodriguez. Peço que subam ou o senhor precisa de alguns minutos?

Luis sorriu. Amava Marisol por sua capacidade de discernimento e por sua discrição. Ele a remunerava muito bem, mas ao mesmo tempo sabia que a lealdade dela ia além do dinheiro.

— Leve o grupo à sala azul. Ofereça café e avise que logo me juntarei a eles.

Luis olhou para o relógio. Em quatro horas estaria no aeroporto. Em sete, estaria em Los Angeles. No olho do furacão. Agora que o dia havia chegado de verdade, de alguma forma, era difícil de acreditar.

Para Luis Rodriguez, Los Angeles significava perigo. Risco. Mas também recompensas, ou pelo menos a chance de obtê-las, tanto nos negócios quanto na vida pessoal.

Vai valer a pena, disse a si mesmo. *É hora de ir. De reivindicar e pegar o que é seu.*

Fechando os olhos, ele desligou o computador e tirou o rosário da mãe do bolso interno do paletó, onde sempre o carregava. Três ave-marias para a mãe, mais três para a mulher, e ele estaria pronto para encarar os colombianos.

E, depois disso, Willie Baden.

"Deus está do seu lado, Luis." Ele se lembrou do mantra de sua mãe. "Deus sempre está do seu lado."

— Falta muito ainda?

Andrés Malvino sentiu uma pressão no peito. Estava doido para afrouxar a gravata, mas sabia que seria um erro mostrar o menor sinal de fraqueza, ou mesmo de um simples desconforto, na frente do chefe.

— Se tudo der certo, acho que só mais uns minutinhos. A torre de controle disse que somos os próximos a decolar da pista 2.

Trabalhar como piloto particular de Luis Rodriguez ao longo dos últimos oito anos havia transformado Andrés em um sujeito razoavelmente bem de vida. Mas seus nervos tinham pagado o preço: estavam em frangalhos. O *señor* Rodriguez não gostava de ser decepcionado e não tinha o menor pudor em descontar em quem estivesse em sua frente, fosse a pessoa certa ou não.

— Melhor que seja isso mesmo — resmungou Rodriguez, saindo contrariado da cabine de comando.

Paola, a sexy comissária de bordo do G650, pousou a mão bem cuidada no ombro de Andrés.

— Não se preocupe — disse ela. — Ele só está estressado com a viagem no geral. Não é nada com você.

Não precisa ser comigo, pensou Andrés. *Ele desconta tudo no primeiro saco de pancada que vê pela frente.*

— Acho que ele está com saudade da mulher — sussurrou Paola.

Outra má notícia. Nada, nada mesmo, deixava Luis Rodriguez mais mal-humorado que pensar no fim do casamento. Andrés chegou a levar a esposa do chefe uma ou duas vezes no jatinho quando estavam juntos. Gostava dela, mas sempre achou que os dois formavam um casal estranho. Luis era um sujeito expansivo, uma superestrela da Cidade do México, conhecido por sua generosidade e por defender os oprimidos, os cidadãos comuns. A mulher dele era o oposto: tímida, quieta. Claro que era uma pessoa bondosa, mas nunca de um jeito espalhafatoso. Outra diferença entre os dois era que ela não tinha o lendário temperamento explosivo de Luis e vivia se desculpando com os empregados e outras pessoas próximas pelos acessos violentos dele. Alguns eram aterrorizantes de verdade. Fazia a pessoa se perguntar o que será que *ela* deveria passar, vivendo com ele...

Os headphones de Andrés estalaram com um chiado.

— Piper 175JP, decolagem autorizada. Repito: 175JP, decolagem autorizada.

— Melhor você ir lá para trás — disse Andrés a Paola com um profundo suspiro de alívio. — Vamos decolar.

Lá atrás, na cabine interna, Luis Rodriguez se recostou em sua poltrona personalizada de couro de bezerro. Suspirou de alívio enquanto o avião rugia à toda ao avançar pela pista antes de estremecer ruidosamente e ganhar o céu noturno e sem nuvens da Cidade do México. Seu encontro com os colombianos fora bom, e também garantira alguns negócios bem produtivos em Los Angeles — ou era o que esperava, pelo menos. Mas era em Valentina Baden que Luis deveria focar agora. Willie podia até ser o dono da coroa, mas estava claro que a mulher era o verdadeiro poder por trás do trono.

Eu tenho que tentar me concentrar nos negócios, e não na minha mulher, disse Luis a si mesmo.

Luis era um empresário forte, poderoso e cheio de confiança na época em que sua mulher o conheceu e se apaixonou por ele. Se sua intenção era conseguir reconquistá-la, agora mais do que nunca ele precisaria projetar aquela mesma força do passado.

Nunca parecer carente. Nunca parecer fraco.

Colocando o notebook de lado, ele voltou a atenção para a pilha de revistas americanas que a comissária de bordo lhe entregara. Abriu uma ao acaso — a última edição da *Time* — e deu de cara com uma matéria que chamou sua atenção de imediato.

O mais novo presidente americano, o republicano linha-dura Michael Marks, havia lançado um monte de novas iniciativas nos cem primeiros dias de governo. Luis não era fã de Marks, um sujeito chato e entediante que tinha pegado a retórica anti-imigrante do antecessor e elevado a um novo patamar. Nesse pouco tempo de governo já havia feito muito para piorar as relações dos Estados Unidos com a América Latina — algo que, antes da eleição, poucos mexicanos acreditariam ser possível. Um dos esforços mais chamativos do presidente Marks tinha sido retomar a guerra às drogas, em especial a epidemia de drogas derivadas do ópio, descrita por ele como "o inimigo público número um" do país. Pelo menos nisso provavelmente ele tinha razão, refletiu Luis, embora a estratégia da Casa Branca para resolver o problema estivesse fadada ao fracasso.

O jornalista da *Time* começou a matéria com uma entrevista com o novo tsar do ópio de Marks, um sujeito chamado Richard Grier, mas depois permitiu que a matéria ampliasse o tema, retratando a mais recente droga a inundar o mercado americano e seu impacto devastador nos usuários e em suas famílias: a *krokodil*, uma derivada russa da desomorfina.

Fotos pavorosas de pessoas com o olhar vazio e membros gangrenosos deixaram Luis de estômago embrulhado. Mas as imagens não eram mais chocantes que as estatísticas. Apenas dois anos após entrar nos Estados Unidos, a *krokodil* já havia alcançado o mesmo número de usuários que a metanfetamina, e a previsão era de que, nos vinte e quatro meses seguintes, a droga russa tivesse mais usuários que a metanfetamina, a heroína e o crack *juntos*. Como destacou o repórter da *Time*, essa notícia era ruim não só para a população americana, mas também para os cartéis mexicanos, que estavam vendo seu negócio ser dizimado pelos russos. A longo prazo, porém, a *krokodil* poderia ser ruim para todos os traficantes de drogas tradicionais, inclusive os próprios russos, "pois, assim como a metanfetamina da qual é derivada, a *krokodil* é fácil de ser feita em casa".

O artigo também comparou o colapso previsto para os cartéis de drogas com a queda de outros negócios tradicionais, como gravadoras, redes de TV e editoras. "A partir do momento em que o consumidor sabe que pode obter o produto de graça ou muito mais barato por conta própria, seja uma música da Beyoncé ou uma droga, as forças do mercado ditam que o intermediário seja expulso do negócio."

Interessante, pensou Rodriguez. Então pegou o celular e gravou um lembrete para si mesmo.

— Mandar Marisol descobrir instituições de caridade que ajudem clínicas de reabilitação de dependentes químicos nos Estados Unidos. Quais delas focam no tratamento contra a *krokodil*?

Ele ainda precisava finalizar os planos filantrópicos para aquele ano, mas uma doação generosa para combater a *krok* havia acabado de chegar ao topo da lista. As fotos dos pobres coitados eram assustadoras, o tipo de coisa que chama atenção até do público mais indiferente. Além do mais, se Luis canalizasse o dinheiro corretamente, talvez conseguisse impressionar as pessoas certas em Washington, assim como a administração do governo de Marks. E, como um bônus, qualquer gesto de generosidade impressionaria sua mulher.

Incrível como, no fim das contas, tudo remetia a ela.

CAPÍTULO VINTE E QUATRO

O detetive Mick Johnson coçou o antebraço até ficar vermelho e esfolado. A comichão havia começado assim que ele saiu do carro na Denker Avenue, na frente da casa de Treyvon Raymond. Era como se estivesse com urticária. Como se tivesse uma alergia violenta àquele bairro de merda. *Westmont.* O nome parecia tão insípido... Dava até para pensar que era um lugar gentrificado. Na verdade, porém, as ruas onde Trey Raymond tinha vivido sua vida curta e brutal eram um poço de violência, drogas, corrupção e imundície.

Muitas pessoas consideravam Mick Johnson racista. Ele costumava se defender da acusação, mas a essa altura se deu conta de que talvez fosse, sim. E a verdade é que estava se lixando. Dois dos amigos mais próximos de Mick, entre os quais Dave Malone — seu parceiro anterior —, haviam morrido naquelas mesmas ruas, ambos assassinados por jovens traficantes negros. Os crimes tinham sido cometidos em plena luz do dia, mas, mesmo assim — que surpresa! —, nenhuma testemunha havia se apresentado para identificar os atiradores. Se não fosse pela câmera instalada no painel da própria viatura de Dave, os assassinos dele jamais teriam sido pegos — ambos, aliás, estavam no corredor da morte de San Quentin, e lá era o lugar deles.

Era difícil se manter neutro a respeito de uma comunidade que matava seus amigos e mentia a respeito disso. O que acontecia nas ruas do Centro-Sul de Los Angeles todos os dias era uma guerra — não havia forma melhor de descrever —, e viciados negros como Treyvon Raymond e seus amiguinhos eram o inimigo. Liberais de esquerda, como Doug e Nikki Roberts, podiam choramingar quanto quisessem sobre reforma, reabilitação e os efeitos da pobreza e da cultura das gangues, e também falar de como "o sistema" estava fracassando com jovens afro-americanos. Só que eles dois não estavam nas trincheiras, como a polícia de Los Angeles. Não foi "o sistema" que executou Dave Malone e ficou ali parado, rindo enquanto via o policial sangrar até a morte na calçada.

Johnson socou a porta da casa dos Raymond como se estivesse prestes a fazer uma batida policial.

— Abra a porta! — gritou, sua forma corpulenta exalando hostilidade. — Abra a porra da porta! É a polícia!

Uma voz fina e frágil respondeu.

— Estou indo. Estou indo!

— Anda logo! — ordenou Johnson.

Estacionado do outro lado da rua a quase cem metros de distância, esparramado no banco do motorista de seu velho Nissan Altima, Derek Williams observava Johnson trabalhando, com um sentimento profundo de repugnância alojado no peito. O detetive sentiu o estômago se revirar ao assistir à agressividade desnecessária do policial, nítida na linguagem corporal e no jeito de falar dele, quando a porta foi aberta por uma idosa pequena e negra, que devia ser a avó de Treyvon. Ali estava uma família em luto, *vítimas* de um crime, sem qualquer culpa no cartório, sendo tratada como criminosos. Para Williams, só havia um motivo plausível para aquela atitude: o racismo do detetive Johnson. Era isso que a polícia de Los Angeles chamava de "policiamento comunitário". A razão pela qual era odiada.

Derek Williams também odiava a polícia, mas não pelos mesmos motivos. Havia se candidatado para ingressar na força policial, três vezes. Mas foi rejeitado todas as vezes, considerado "indigno" pelos mandachuvas que tomavam as decisões. Ele passara pelo exame físico. Tinha passado em todos os testes teóricos. Mas, ainda assim, por três vezes as cartas que chegaram à sua casa começavam com: *Caro Sr. Williams, lamentamos informar...*

Isso tinha acontecido vinte anos antes, mas ainda doía. Sobretudo quando idiotas ignorantes e preconceituosos como Mick Johnson — ou babacas vaidosos como o parceiro dele, Goodman — evidentemente alcançavam esse objetivo.

Johnson passou quarenta minutos na casa dos Raymond. Quando saiu, estava com o rosto corado e parecia ainda mais irritado do que quando entrou. Williams esperou que ele entrasse no carro e fosse embora antes de saltar do próprio carro, se aproximar da casa e bater à porta de um jeito respeitoso.

— O que foi agora? — reclamou uma voz cansada e cheia de ressentimento de uma mulher de meia-idade. — Já contamos tudo o que sabemos. Por que não deixa a gente em p... ah!

A porta se abriu, e uma mulher baixinha e atraente de 40 e poucos anos analisou Williams de cima a baixo. Era óbvio que havia pensado que era o detetive Johnson batendo à porta, pronto para mais. Mas a surpresa dela logo deu lugar à hostilidade.

— Você também é da polícia? — perguntou, semicerrando os olhos.
— Seu amigo acabou de sair daqui, sabia? Vocês deviam estar na rua atrás do assassino do meu filho, em vez de perder a manhã toda aqui importunando duas mulheres inocentes.

— Não sou da polícia — garantiu Williams, tirando um cartão de visita meio ensebado do bolso e entregando-o à mulher. — Sou detetive particular. E *estou* tentando pegar o assassino de Trey, Sra. Raymond. Fui contratado exatamente para isso. Posso entrar?

Dez minutos depois, Williams estava sentado no sofá de uma sala impecavelmente limpa, tomando café numa xícara de porcelana com desenhos de rosas. Diante dele, em poltronas iguais, estavam a mãe e a avó de Treyvon Raymond, as duas tão educadas e hospitaleiras quanto possível.

— Então você trabalha para a Dra. Roberts? — perguntou a mãe. — Acho que ela é uma boa mulher. Não é tão animada ou extrovertida quanto o marido costumava ser. O Dr. Roberts. Quer dizer, aquele homem era um santo.

— Um santo — ecoou a avó de Treyvon, assentindo com a cabeça.

— Mas ela deu um emprego ao Trey e sempre foi muito boa para ele, mesmo depois que Dr. Douglas morreu. Então sempre vamos ser muito gratas a ela. E agora ela contratou você, certo?

Williams assentiu.

— Ela acha que a polícia não está fazendo o suficiente para pegar o assassino do seu filho. E além disso sofreu ameaças.

As duas se entreolharam, preocupadas.

— Eu não sabia — disse a mãe de Trey. — Isso é terrível...

— E também teve o caso da outra jovem assassinada, Lisa Flannagan...

A mãe de Trey pegou um lenço e usou-o para secar delicadamente os olhos.

— Se não me engano, o Trey adorava ela. Era uma das pacientes da Dra. Roberts, não era? Tadinha. Estão publicando coisas horríveis sobre a moça nos jornais, sobre o namorado dela e tudo mais. Quer dizer, a coitada perdeu a vida! Não é certo.

— Não, senhora, não é mesmo — concordou Williams. — Preciso lhe perguntar uma coisa: a senhora se importaria em me contar o que conversou com o detetive Johnson? Estou curioso para saber que linhas de investigação a polícia está adotando.

A avó de Trey revirou os olhos.

— "Linhas de investigação?" Ele não estava investigando nada. Só veio aqui acusar o Trey de traficar drogas.

— O que é uma mentira descabida — acrescentou a mãe de Trey, com um olhar de indignação. — Meu filho estava limpo havia quase dois anos quando morreu. Graças ao Dr. Roberts.

— Eu sei, senhora — garantiu-lhe Williams. — Então, Johnson veio aqui só para perguntar sobre drogas?

Ela fez que sim.

— Queria saber quem fornecia drogas para Trey, quem eram os amigos do meu filho, que "elos" ele tinha com os criminosos. Quer dizer... *meu Deus*! Meu filho era um bom garoto, Sr. Williams. Dissemos isso ao detetive, mas ele foi ficando cada vez mais irritado, aí começou a perguntar sobre a Dra. Roberts e sobre o que exatamente o Trey fazia no consultório dela.

— Ele achou que o trabalho do Trey podia ser importante para o caso?

— Não sei o que ele achou. Para mim, ele só veio aqui porque queria gritar e xingar. Disse umas coisas horríveis a respeito da Dra. Roberts e do Dr. Douglas. Disse que era gente como eles que mantinha esse bairro cheio de drogas e de crime, que impedia a polícia de nos ajudar. Como se eles quisessem ajudar a gente! Ele basicamente deu a entender que a Dra. Roberts nunca se importou de verdade com o Trey, que talvez ela até tivesse alguma relação com as pessoas que mataram o meu filho... — Ela ficou com os olhos marejados outra vez, a voz tão embargada pela emoção que não conseguia continuar.

— Não tenha pressa, Sra. Raymond — tranquilizou-a Williams.

A avó de Trey se inclinou para perto da filha e pousou a mão no ombro dela para reconfortá-la.

— A gente disse ao detetive que não acreditava nessa história — informou a idosa. — Mas a verdade é que aquele homem não estava nem aí para o que tínhamos a dizer. Ele já tem ideias preconcebidas sobre a Dra. Roberts e sobre o Trey. Não quer saber a verdade.

Quando se recompôs, a mãe de Trey acrescentou:

— Ele nos acusou de obstruir a Justiça e disse que, se descobrisse que estamos escondendo informações da polícia de propósito, jogaria nossas "bundas negras" na cadeia. Então foi embora. Disse que conseguia encontrar os amigos traficantes do Trey por conta própria. O que vai ser difícil, Sr. Williams, porque meu filho não andava com *nenhum* desses caras. Nenhum mesmo.

Williams ofereceu suas condolências e foi embora, mas não sem antes agradecer-lhes o tempo e o café.

— Se as senhoras se lembrarem de alguma coisa de útil ou importante, não hesitem em me ligar no número que está no cartão. Pode ser a qualquer hora, dia ou noite — disse ele à mãe de Trey.

— Obrigada. — Ela apertou a mão de Williams, demonstrando sua gratidão. — Com certeza farei isso. E mande nossos cumprimentos à Dra. Roberts.

Já na rua, Williams parou e pensou no que faria em seguida. Estava a poucos quarteirões de onde ficavam todos os traficantes de Westmont. Era um dos poucos lugares onde os brancos tinham permissão para passar perto dos "soldados" das gangues locais, porque ninguém tinha interesse em atirar em possíveis consumidores.

Era provável que Johnson, irritado e negligente como era, tivesse ido direto para lá ao sair da casa de Trey. O sujeito era um grande babaca, mas também tinha a reputação de ser corajoso, e, comparado a seus colegas, era menos provável que se sentisse intimidado diante dos traficantes reconhecidamente violentos de Westmont. Williams olhou em seu relógio barato. Já fazia mais de uma hora que Johnson havia saído da Denker Avenue. A essa altura, a barra devia estar limpa.

Williams voltou para o carro e andou devagar pela região, fazendo um reconhecimento do terreno. Tudo parecia tranquilo, embora ele soubesse por experiência própria que, em lugares como aquele, a violência podia eclodir de uma hora para outra. Então parou a cinquenta metros da esquina e caminhou com cautela até um trio de jovens latinos.

Em um espanhol perfeito — após a viagem frustrada ao México em busca de Charlotte Clancy, anos antes, ele decidira aprender o idioma —, Williams perguntou a eles se um policial tinha passado por ali uma hora antes e feito perguntas sobre Trey. Os três o encararam, inexpressivos. O detetive entregou então uma nota de vinte dólares e um maço de cigarros a cada um e tentou de novo.

— O policial era muito gordo, muito branco e muito grosseiro — acrescentou, arrancando um sorriso de um deles. — Um cara meio babaca.

— O cara passou por aqui — confirmou o risonho. — Mas ninguém falou com ele. Ele foi falar com aqueles viciados ali antes de ir embora. — O sujeito apontou a cabeça para um grupo de viciados espalhado numa faixa de grama no fim da rua, de frente para um parque municipal.

— Obrigado — agradeceu-lhe Williams, entregando-lhe outra nota de vinte dólares. — E nenhum de vocês conhecia o Trey?

O risonho negou com a cabeça.

— Mas a gente sabe quem é o cara. O garoto que foi morto a faca, né? Pelo zumbi.

— Zumbis não existem — disse Williams, em voz baixa.

— Que seja. O moleque nunca parava por aqui.

— Ele usava? — arriscou Williams.

— Foi o que eu falei... nunca vi o cara por aqui.

— Vendia?

— Não por essas bandas. Mas talvez na Zona Oeste. Me falaram que ele tinha uns amigos com grana.

Williams assentiu e se dirigiu aos viciados na beira do gramado. Dois estavam dormindo, ou desmaiados, encolhidos em sacos de dormir que eram mais sujeira do que tecido. Um pobre coitado branco, com uma barba estilo ZZ Top, se balançava para a frente e para trás enquanto murmurava coisas ininteligíveis para si mesmo e de vez em quando caía numa gargalhada de quem parecia possuído. Com isso, só restava uma garota branca e esquelética com quem ele poderia conversar. Sentindo-se culpado, Williams entregou a ela uma nota de vinte, de maneira discreta, sabendo exatamente como ela gastaria o dinheiro.

Ela abriu um sorriso.

— Obrigada! Nossa... obrigada!

Ele enfiou a mão no fundo do bolso, pegou uma barrinha de chocolate meio amassada e a entregou à garota.

— Tome isso também. Você precisa comer alguma coisa.

Williams repetiu a pergunta que fizera aos traficantes. Ela confirmou que Johnson havia feito perguntas não só a ela, mas aos seus amigos também, ameaçando prendê-los por posse de drogas.

— Mas dava pra ver que ele estava falando de sacanagem. Ele não estava nem aí pra gente. Só queria saber de um garoto.

— Trey Raymond. E o que você contou a ele?

— Nada. — Ela abriu a embalagem do chocolate e começou a comer meio desanimada. — Nunca ouvi falar dele. Mas é que não sou desse bairro. Eu vim pra cá com o meu namorado. — Ela apontou para o barbudo que estava se balançando. — Ele não costuma ficar assim — acrescentou ela, corando de um jeito tão doce que deixou Williams condoído. *Ela já foi o bebezinho perfeito de alguém no passado.*

— Não?

— Não. — Ela balançou a cabeça, triste. — Ele está assim por causa dessa merda nova que chegou aqui. A *krok*. Conhece? É a pior que tem.

— Não conheço — admitiu Williams. — Ele consegue por aqui mesmo?

De repente, a garota fechou a cara, a suspeita e o medo tardios tomando conta de sua expressão.

— Quem é você, afinal? — perguntou. — Por que está fazendo todas essas perguntas?

— Sou amigo do garoto sobre quem o policial estava perguntando — respondeu, tirando devagar outra nota de vinte da carteira e girando-a entre os dedos lentamente. A pobre garota ficou olhando para o dinheiro, incapaz de disfarçar o desejo. — Ele foi capturado perto daqui. Depois, torturado e assassinado. Fizeram a mesma coisa com uma garota dias antes.

Ela estremeceu.

— Que coisa horrível!

— Pois é — disse Williams, ainda brincando com a nota. — Não sei se o que aconteceu com ele tem alguma coisa a ver com drogas, mas é possível. O que pode me dizer sobre os traficantes daqui?

Ela balançou a cabeça. Williams percebia a batalha interna que a garota estava travando: por um lado, a necessidade desesperadora de dinheiro; por outro, o medo. E o medo estava vencendo.

— Nada — respondeu ela.

Williams tirou uma segunda nota, dessa vez de cinquenta dólares, e observou os olhos da garota se arregalarem como se ele fosse Jesus prestes a alimentar cinco mil pessoas. O dinheiro de Nikki Roberts para despesas extras já estava se mostrando muito útil.

— Que pena... — disse ele.

— Tá bom, olha. — Havia um tom de urgência em sua voz enquanto ela sussurrava, fazendo um gesto para Williams se aproximar. — Westmont é uma zona de guerra atualmente, mas também é um lugar onde você pode ter certeza de que vai conseguir *krok* limpa. Sacou? — Ela tentou pegar o dinheiro de Williams, mas ele puxou a nota para longe.

— Continue.

— É uma droga russa, entendeu? Em todos os outros lugares de Los Angeles, a *krok* é vendida pelos russos. Os desgraçados vendem barato, mas misturam com um bando de merda. Merda ruim de verdade. Um monte de gente já morreu. Um monte *mesmo*. Terry e eu viemos para cá porque ouvimos falar que os mexicanos estão vendendo a *krok* em Westmont agora. Não me entenda mal, eu também odeio aqueles caras. Eles não são os mocinhos. Mas pelo menos a *krok* deles é limpa.

Ela tentou pegar a nota de cinquenta novamente. Dessa vez Williams deixou a garota tocar na cédula, mas segurou a outra ponta.

— Que mexicanos? — perguntou o detetive, olhando no fundo dos olhos aterrorizados da garota.

— Não sei, cara. Não sei! Eles são os traficantes do Terry, não meus. Eu não toco em *krok*.

— Preciso de um nome, meu anjo. Ninguém vai saber que você me contou, está bem? Não sou da polícia. Estou tentando ajudar um amigo.

A pobre garota parecia prestes a surtar de tão indecisa. Depois de um tempo, porém, não aguentou mais e cedeu. Pôs as mãos em volta da boca, aproximou-se de Williams e sussurrou no ouvido dele.

Um nome.

Williams gelou. Soltou a nota, e ela a pegou, triunfante, e a enfiou no mesmo bolso onde tinha colocado a de vinte.

— Obrigada! — agradeceu-lhe a jovem de novo, enquanto Williams se virava para ir embora. — E boa sorte, viu? Com o seu amigo.

— Boa sorte para você também.

Depois do que a garota havia acabado de contar a Williams, os dois precisariam muito disso.

CAPÍTULO VINTE E CINCO

Anne Bateman secou o suor da testa e das axilas. Estava com um ótimo humor ao sair cambaleante da aula de spinning em direção ao dia ensolarado em Brentwood.

Seu desempenho nos concertos de Stravinsky havia lhe rendido críticas excelentes, e os convites chegavam diariamente. Tudo isso queria dizer que ela podia aproveitar o descanso de três semanas longe da Orquestra Filarmônica de Los Angeles sem precisar se preocupar com dinheiro nem com o local do próximo concerto.

Tudo estava calmo também na vida pessoal. Seu marido havia parado de bombardeá-la com mensagens, ligações e flores, o que lhe causara uma pontada aguda, mas breve, de tristeza, seguida por uma enorme sensação de alívio. Anne ainda o amava. Parte dela sempre o amaria. Mas Nikki estava coberta de razão: no caso deles, o amor não era o suficiente.

Esse era o outro motivo do bom humor de Anne aquela manhã. Ela e Nikki tinham feito as pazes. Depois da briga horrível e dolorosa no camarim na noite do concerto, quando recebera a montanha de flores enviada pelo marido, a violinista começou a temer que aquela seria a última vez que veria sua terapeuta e amiga. Envergonhada demais para comparecer à sessão seguinte, ela faltou sem ligar para cancelar. Porém ficou mais envergonhada ainda por ter feito *isso* e acabou faltando à seguinte também. Anne esperava receber um telefonema ou um e-mail do consultório de Nikki informando que as faltas seriam cobradas, mas não recebeu nenhum comunicado. Estava quase decidindo engolir o orgulho e pedir desculpas, ainda que ela continuasse achando que fez o certo ao repreender Nikki pelo comportamento daquela noite, mesmo agora, quando já tinha se acalmado. Mas a vida já era solitária e dolorosa demais para Anne perder os poucos amigos próximos que tinha. Estava prestes a ligar quando Nikki tomou uma atitude inesperada. Naquela manhã, uma carta escrita à mão havia chegado ao apartamento de Anne com um pedido de desculpas breve mas sincero.

Vou entender se você achar que é melhor procurar uma nova terapeuta. Sem ressentimento algum, escreveu Nikki. *Mas espero que não faça isso. Porque sinto de verdade que nosso trabalho tem ajudado você. E, no fundo, acho que você também pensa assim.*

Anne não sabia ao certo se concordava com isso. Só tinha certeza do sentimento de felicidade, quase euforia, que a tomou quando viu que Nikki havia ido atrás dela. E sim, ela sabia que isso não era normal, mas não se importava. A sensação era ótima! Ela acusara Nikki de ultrapassar os limites da relação terapeuta-paciente, e isso era verdade. Mas Anne fizera o mesmo. Se não tinha percebido isso antes, percebia agora.

Anne atravessou a rua em direção ao Coral Tree Café, onde pediu um suco de couve caro demais e entrou no carro rumo ao consultório de Nikki. Sua sessão estava marcada para o meio-dia, mas ela não tinha nenhum outro lugar para ir, e o desejo de ver o rosto da terapeuta era tão forte que nem tentou resistir. Talvez, se Nikki não tivesse outro paciente antes, elas poderiam sair para tomar um café ou bater um papo antes da sessão.

Ligando o rádio e abrindo o teto do carro, Anne deixou o vento secar o suor dos seus braços enquanto acelerava pelo Wilshire Boulevard, virando à direita e entrando em Beverly Glen. As palmeiras balançavam dos dois lados da pista ao som de Justin Bieber e Wiz Khalifa, e acima dela um céu azul lápis-lazúli parecia brilhar de alegria, refletindo sua felicidade. Ela parou o carro na frente do prédio do consultório e estava prestes a deixar a chave com o novo manobrista quando uma voz familiar a fez congelar por inteiro.

— *Hola*, meu anjo.

E de repente ali estava ele. Seu marido.

O coração de Anne foi parar na boca. Ela havia imaginado esse momento inúmeras vezes desde o dia em que o deixou. Ele indo atrás dela, aparecendo na porta de sua casa. No começo, esses pensamentos eram pesadelos, carregados com o medo de que ela seria arrastada de volta à vida entediante da qual havia fugido. Mas, conforme o tempo foi passando e a frequência dos sonhos diminuiu, o medo físico de Anne desapareceu. Então seu marido passou a fazer coisas românticas e a usar uma retórica carinhosa, conciliatória, e ela permitiu que esse cenário se transformasse em algo próximo de um sonho, um momento romântico. Uma fantasia.

Mas agora era real. Ele estava ali. E havia ido buscá-la.

Todo o terror voltou de uma só vez.

— Me deixe em paz! Fique longe de mim! — Por instinto, ela se aproximou do balcão dos manobristas, onde havia um grupo de motoristas parados, esperando a chegada de seus carros. *Quanto mais gente em volta, mais segura estou.*

— Anne.

Luis Rodriguez encarou sua amada esposa com um olhar magoado, recriminador.

— Sou eu, minha querida. O Luis. Do que está com medo?

Não havia raiva em seu tom de voz. Só tristeza. Anne sentiu o coração começar a bater um pouco mais devagar.

Ele estava impecável, como sempre, com um terno comprado na Savile Row e uma gravata de seda. Havia acabado de se barbear e exalava a fragrância do pós-barba Gucci que sempre usava, uma essência que, mesmo naquele momento, provocava uma reação involuntária entre as pernas de Anne. Na mão esquerda, ele segurava um buquê muito mais simples que o último que mandara para o camarim dela. Era um buquê pequeno, de flores da primavera, amarrado com um laço feito à mão, mas tinha várias das preferidas de Anne: cravo-dos-poetas, íris e peônias delicadas. *Ele lembrou.*

— O que está fazendo aqui, Luis? — perguntou ela, num tom um pouco mais calmo, mas ainda desconfiado.

— Vim resolver uns negócios em Los Angeles — respondeu ele casualmente. — Vou ficar aqui alguns dias, no mínimo.

Anne estreitou os olhos.

— Você me disse que nunca mais poderia voltar aos Estados Unidos. Que não podia sair da Cidade do México.

— Eu evito o máximo que posso. Mas isso... era muito importante.

Ela se perguntou se "isso" se referia ao seu negócio ou a ela. Mesmo não querendo, parte dela torcia para que fosse a segunda opção.

Em silêncio, Anne analisou o rosto dele, como se estivesse tentando desvendar um quebra-cabeça enquanto uma torrente de emoções conflitantes percorria seu corpo. Será que ele estava falando a verdade sobre os negócios em Los Angeles? Ou tinha ido atrás dela? Se fosse esse o caso, o que significava? Ela deveria se sentir lisonjeada ou amedrontada?

— Você sabe que eu sinto a sua falta, Anne. — A voz dele saiu embargada, carregada de muito amor.

— Também sinto a sua falta — disse ela, sendo sincera. — Mas você não pode... você devia ter me ligado antes.

— Não tenho seu telefone.

— Podia ter deixado uma mensagem com a orquestra. Não é difícil me encontrar. Podia ter me avisado, em vez de me pegar desprevenida.

— Se eu tivesse avisado, acho que você não aceitaria me encontrar — retrucou Luis.

— Bom, teria sido a *minha* decisão, certo?

— Teria. Isso se eu tivesse avisado — concordou Luis, com um sorriso. — Mas, do jeito que eu fiz, a decisão foi *minha*. Prefiro assim.

Anne não conseguiu conter o sorriso. Era a lógica típica de Luis. Ele era realmente incorrigível, mas de alguma forma sempre conseguia combinar sua arrogância repulsiva com uma boa dose de charme para torná-la cativante. Anne nunca havia conhecido um homem como ele, e, depois de todas as advertências de Nikki, sabia que nunca conheceria outro.

— Vamos almoçar juntos. — Ele lhe entregou as flores, tentando tirar vantagem do momento.

Anne aceitou o buquê e, por uma fração de segundo, a ponta de seus dedos se tocaram. Era o primeiro contato físico entre os dois desde a noite anterior à sua fuga e foi eletrizante, carregado tanto de desejo como de medo.

— Não posso. — Anne desviou o olhar. — Você sabe que eu não posso.

— Por quê? — A voz de Luis ficou mais dura. — Porque *ela* mandou? — Ele acenou para o consultório de Nikki. — Sua suposta terapeuta?

O medo gélido voltou lentamente às veias de Anne, como se alguém tivesse acabado de injetar soro nelas.

Como Luis sabe de Nikki? Aliás, como ele sabia que eu estaria aqui?

De repente Anne se lembrou dos carros misteriosos e da certeza de estar sendo seguida. Os mesmos carros que Nikki dizia serem apenas fruto de sua imaginação.

— Você mandou pessoas me seguirem! — Ela se afastou dele novamente, dessa vez indo mais para longe. — Como fazia no México. Mandou que me espionassem!

Luis não se desculpou.

— Só porque não estamos mais juntos não significa que parei de me preocupar com a sua segurança, Anne.

— Como assim, "segurança"? Eu estou perfeitamente segura. Por que não estaria?

— Bom — começou ele, sorrindo —, caso ainda não tenha notado, meu amor, pessoas próximas à sua terapeuta estão desenvolvendo o péssimo hábito de serem assassinadas. Sei que a polícia pediu a você que tomasse cuidado, mas o que eles estão fazendo para te proteger? E o que você está fazendo para se proteger? Até onde eu pude ver, nada.

— Não preciso da sua proteção, Luis — murmurou Anne, assustada ao perceber que sua determinação começou a ruir de uma hora para outra. — Eu não pedi por ela. Não preciso dela.

De repente ele avançou e agarrou os pulsos de Anne. Ela se debateu, sem muita resistência, e esperou que alguém fosse socorrê-la, mas ninguém pareceu notar — ou se importar, talvez.

— Precisa, *sim* — sussurrou Luis no ouvido dela, puxando-a para perto. — Acredite em mim, a Dra. Roberts não é quem diz ser. Você me entende, Anne? Ela não é inocente nessa história toda.

— Pare de ser ridículo. — Anne o encarou com um olhar desafiador. — Nikki é completamente inocente.

— Não. — Luis balançou a cabeça com veemência. — Tem muita coisa que você não sabe, minha querida. Muita, muita coisa. Ela está envenenando você contra mim, mas não é de mim que você deve ter medo. É dela.

Com um puxão forte, Anne se soltou das mãos dele.

— Me deixe em paz, Luis! — gritou ela, alto o suficiente para que nenhuma das pessoas na fila do estacionamento pudesse fingir que não escutou. — É sério. Se eu vir você de novo, juro que vou chamar a polícia.

— Anne! Por favor!

Mas era tarde demais. Anne já tinha dado meia-volta e fugido, correndo para dentro do prédio como se fosse um coelho sendo caçado.

Vendo que Anne estava tremendo e não parava de apertar o botão do elevador, um rapaz se aproximou dela.

— Está tudo bem, senhorita?

— Estou bem, obrigada — mentiu ela.

Anne não acreditou no que Luis disse sobre Nikki. Mesmo assim, as palavras de seu marido pareciam ecoar em seu cérebro.

A Dra. Roberts não é quem diz ser. Ela não é inocente nessa história toda.

O que ele queria dizer com isso? E por que falaria uma coisa dessas?

Ah, meu Deus! Por que ele teve que vir para cá?

Anne esperou até estar sozinha no elevador, com a porta fechada. Só então cedeu às lágrimas.

CAPÍTULO VINTE E SEIS

Kim Choy prendeu a respiração e fingiu que estava digitando no computador quando Lana Grey saiu do consultório da Dra. Nikki Roberts.
Estagiária de graduação do Instituto Semel para Neurociência da UCLA, Kim era a assistente recém-contratada de Nikki, a substituta do pobre Trey, contratada às pressas. Embora fosse brilhante e linda com aquela pele suave e perfeita típica dos asiáticos, olhos grandes e um cabelo preto, longo e sedoso, Kim havia sido criada por pais chineses bastante rígidos e, até então, em seus 24 anos de existência, passou a vida sendo protegida. Resultado: estava completamente estupefata ao ver Lana, *uma famosa estrela da TV*, passar na frente dela em *carne e osso*.
— Posso agendar a próxima sessão, Srta. Grey? — O pobre coração de Kim estava batendo tão rápido que as palavras mal saíram de sua boca. Ela nunca havia interagido com uma "celebridade" antes. Claro que seu novo trabalho de meio período a faria ter contato com um mundo diferente, um lado de Los Angeles do qual ela tinha apenas ouvido falar, mas nunca visto com os próprios olhos, porque passava muito tempo na biblioteca do campus Westwood, da UCLA, e virava a noite estudando no Departamento de Neurociência. Aquilo era empolgante demais para ser colocado em palavras!
Lana olhou para a garota asiática magra e atraente atrás do balcão do consultório da Dra. Roberts e sentiu a inveja asfixiá-la como uma

bola de golfe entalada na garganta. Como se o jeito presunçoso de sua terapeuta já não bastasse — com Nikki esfregando em sua cara aquela vida perfeita, aquele corpo bonito e aquela pele quase sem rugas a cada sessão —, agora a cachorra havia contratado uma rainha da beleza adolescente como secretária.

Era óbvio que Nikki tinha feito isso de propósito. *Ela quer jogar minha autoestima na lama, para eu continuar voltando e fazendo mais sessões a trezentos dólares por hora.* Não se podia mais confiar em ninguém naqueles dias.

Apoiando-se sobre o balcão com uma postura ameaçadora, Lana vociferou:

— Se eu quisesse marcar outra sessão, iria dizer, não acha?

— Ah. — Kim corou até o último fio de cabelo. Dera uma mancada, cometera um erro. Será que não deveria falar com os clientes ou perguntar se queriam marcar as próximas sessões?

— Desculpe, Srta. Grey. Só achei...

— Bom, é melhor não achar nada. Não vou voltar mais aqui — anunciou Lana, saindo do consultório como um furacão e batendo a porta atrás de si.

Ao ouvir a confusão, Nikki saiu do consultório e encontrou a pobre recepcionista à beira das lágrimas.

— Me desculpe, Dra. Roberts. Acho que sem querer ofendi a Srta. Grey. Perguntei se ela queria agendar outra sessão, e ela... ela... bom, ela ficou muito irritada comigo.

— Não se preocupe, Kim. Não foi culpa sua — disse Nikki, tentando acalmá-la. — Infelizmente Lana tem essa raiva há muito tempo. Estou certa de que não teve nada a ver com você.

— Ela disse que não ia voltar mais aqui — admitiu Kim, nervosa.

— É. — Nikki sorriu. — Ela também vive dizendo isso. Você vai se acostumar. Pode mandar Carter Berkeley entrar assim que ele chegar.

De volta à sua sala, Nikki fechou os olhos e começou a fazer os exercícios de respiração que Doug lhe ensinara anos antes para se acalmar, os mesmos em que ela ainda confiava.

Primeiro respire. Nikki era capaz de ouvir a voz de Doug em sua cabeça, como se ele estivesse em pé ao lado dela. *Depois separe seus pensamentos um a um, devagar e com calma, como se estivesse colocando folhas numa mesa, uma depois da outra, ou sementes em uma bandeja.*

Pensamento número um: Lana estava piorando e já começava a beirar a psicose. Qualquer mulher mais bonita e mais jovem representava uma ameaça, seria uma inimiga. Havia chegado o momento de pedir gentilmente que ela procurasse outro terapeuta. Sinceramente, era provável que ela precisasse ir a um psiquiatra também. Mas será que Nikki conseguiria fazer Lana seguir suas instruções?

Respire.

Pensamento número dois: ninguém mais tinha sido assassinado ou ferido desde Trey, e as ameaças a ela também haviam cessado, ao menos por ora. Será que a pessoa que estava tentando matá-la havia desistido? Ou estava apenas esperando a hora certa, brincando com ela como se estivessem num jogo de gato e rato? Se fosse isso, será que Derek Williams conseguiria pegar o criminoso antes de outro ataque? A polícia estava quieta demais, e Nikki concluiu que isso queria dizer que Johnson e Goodman não tinham avançado na investigação. O que significava que ou Williams resolvia a situação ou ela se daria mal.

Respire. Um passo de cada vez, Nikki. Concentre-se nos seus pacientes. Foque no momento.

O pensamento número três não foi bem um pensamento, e sim uma série de rostos. Doug. Anne. Goodman. E um quarto rosto, ainda oculto, ainda escondido pelas sombras: Lenka, a amante de Doug. Será que, ao contrário de Nikki, que havia fracassado, Williams conseguiria encontrar alguma informação, *qualquer informação,* sobre a mulher cuja morte destruiu a vida de Nikki?

A lâmpada vermelha instalada na parede acendeu, indicando que um paciente havia chegado. Devia ser Carter Berkeley. Nikki vinha achando as sessões com Carter muito complicadas. A paranoia dele sempre atrapalhava e parecia cada vez mais intensa, quase fora de controle. Desde o assassinato de Lisa Flannagan, ele ficou tão sobressaltado, tão desconfiado de todo mundo que era difícil fazer qualquer avanço efetivo no tratamento.

Estou fracassando com ele, assim como estou fracassando com Lana, pensou Nikki, desanimada. *Já não fui uma esposa boa o suficiente, não consegui nem engravidar... E agora também estou fracassando como terapeuta.*

Escondendo a própria depressão como se estivesse jogando um cobertor úmido sobre uma chama acesa — ela podia ouvir a voz de sua amiga Gretchen Adler dizendo "Controle-se!" em sua cabeça —, Nikki se empertigou e, com um sorriso sereno no rosto, abriu a porta.

— Carter. Entre, por favor.

Carter se levantou, revelando uma atadura cobrindo grande parte da perna esquerda, do joelho para baixo. Olhando furtivamente para os lados, pegou um par de muletas apoiado na poltrona e entrou mancando no consultório.

— O que aconteceu? — perguntou Nikki, assim que ficaram sozinhos.

Colocando as muletas de lado, Carter se sentou com cuidado na poltrona. Seu rosto estava pálido, gotas de suor brilhando na testa como pequenas pérolas, e suas pernas tremiam descontroladamente. Ele ergueu a cabeça, olhou para Nikki e, com os dentes cerrados, respondeu:

— Levei um tiro. Atiraram em mim.

— Meu Deus! — Nikki ficou horrorizada. — Carter, sinto muito. Quem atirou em você? Quando isso aconteceu?

— Não deu para ver o rosto deles. Mas foram os mesmos caras, a gangue mexicana de que venho falando. Eles tinham feito ameaças... aí invadiram minha casa. Eu contei à polícia, mas eles não fizeram nada. Agiram como se eu tivesse inventado a história.

Nikki sentiu um calafrio. Aquilo era muito parecido com o que havia acontecido com ela. Invasões misteriosas. Polícia descrente...

— Enfim... — disse Carter, com raiva. — Que se danem. Eu sei qual é a verdade. Foram os mesmos caras. Sábado passado. Uma e meia da madrugada. Eu estava saindo de uma casa noturna no centro da cidade. Eles devem ter me seguido até lá. Eu estava do lado de fora, esperando o manobrista aparecer com o meu carro, e de repente um automóvel para na minha frente, dois caras saem dele, um deles dá um tiro na minha canela, e eles arrancam com o carro logo em seguida.

Carter terminou o monólogo em um tom estranhamente monótono. Quando parou de falar, Nikki percebeu que ele estava batendo os dentes. Como se ainda estivesse em estado de choque — o que seria normal, se a história fosse verdade.

— Alguém mais viu o que aconteceu?

— Não. Eu era a única pessoa do lado de fora, e o manobrista já tinha saído para pegar o carro. Quando voltou, eu estava no chão, sangrando e quase desmaiado.

— Certo — disse Nikki. Seu cérebro processava as informações. Ela queria acreditar em Carter. Afinal, ele realmente parecia ter sido baleado. Se a história dele não fosse verdadeira, significaria que havia atirado em si mesmo e inventado uma mentira descabida. Com que propósito? Para chamar atenção? Ela não conseguia acreditar que Carter poderia ir tão longe. Ele ainda estava trabalhando normalmente no banco, ainda estava lúcido.

Por outro lado, mais uma vez esses misteriosos "mexicanos" pareciam ter atacado num momento que não havia testemunhas e não deixaram evidências para corroborar a história de Carter.

— Você chamou a polícia? Ou o manobrista fez isso? Ele deve ter ficado em estado de choque ao ver você desse jeito.

Os olhos de Carter se reviraram descontroladamente. Por um instante ele pareceu realmente fora de si.

— Talvez. — Ele baixou o tom de voz, sussurrando. — Ou talvez ele também tenha participado disso. Talvez tenha dado a deixa para os caras. Já pensou nessa hipótese? Eles têm gente espalhada por todos os lugares, por toda a cidade de Los Angeles, pelo país inteiro. São como uma *praga*.

— Quem são "eles", Carter? — perguntou Nikki, tranquilamente. — Você já me disse que acha que são mexicanos, mas além disso...

— Eu não *acho*, eu *sei* que são. E eu sei *quem* são, mas não posso revelar, porque colocaria você em perigo. E me colocaria em perigo também, se eles descobrissem que contei a você. — Ele estava falando a mil por hora, as palavras saindo atropeladas, num fluxo de consciência bizarro, paranoico. — Eles atiraram na minha perna, podiam ter me matado, não é? Mas não fizeram isso. Isso significa que só queriam me dar um aviso. Não me querem morto, só querem que eu *fique quieto*.

— Tudo bem.

— Não está tudo bem, não, porque eu preciso falar sobre isso, doutora! Preciso contar a alguém o que aconteceu! Eu estava lá. Eu vi. Eu vi uma garota sendo assassinada. Eles me fizeram assistir, como se fosse um show. *Ah, meu Deus!* — Carter se inclinou para a frente, se apoiou nos joelhos e começou a chorar, deixando escapar soluços aflitos.

Nikki se sentou ao lado dele e pousou o braço sobre os ombros trêmulos de seu paciente. Aquilo era importante. Muito importante. Podia ser o sinal pelo qual ela vinha esperando.

— Fizeram você assistir ao que, Carter?

Ele balançou a cabeça violentamente.

— Não posso!

— Pode, sim. Feche os olhos.

Ele fez o que ela pediu.

— Agora respire fundo. E imagine que está lá. O que está vendo?

— Vejo árvores — disse ele, a voz parecia a de alguém que estava em transe. — Vejo uma clareira entre as árvores. É noite. Está escuro, mas a lua ilumina o lugar. Faz calor.

— Bom, Carter. Muito bom. O que mais?

— Vejo a garota. Ela está no meio da clareira.

— Certo. Como ela é? — perguntou Nikki. Guiar os pacientes por lembranças dessa natureza era algo muito arriscado, ela sabia. Era como andar na corda bamba. Se o terapeuta não desse comandos suficientes, as imagens podiam escapar e voltar para o inconsciente profundo. Se desse comandos demais, o paciente podia ficar assustado e se negar a obedecer. E, uma vez interrompido o fluxo, era praticamente impossível recuperá-lo.

— Ela está nua — continuou Carter, com uma expressão concentrada. — Não, nua não. Está de calcinha. Está ali parada, meio que se balançando. E aí...

Ele parou e se encolheu como um cachorro se chocando com uma cerca elétrica invisível.

— E aí...? — repetiu Nikki em voz baixa.

A respiração de Carter acelerou, e suas mãos começaram a se agitar sobre as pernas. Ele soltou um gemido agudo e amedrontado, parecido com um uivo.

Nikki esperou.

— Eu escuto as armas — contou ele. — Parece com o som de fogos. *Pá pá pá pá pá!* Submetralhadoras. Não consigo vê-las. Mas vejo a garota. Se contorcendo. Pulando. É horrível! O sangue é... — Ele ofegou forte, cravando as unhas com força nas pernas. — Pedaços dela estão se soltando. Meu Deus! Acho que ela morreu, mas ainda está se mexendo...

Carter voltou a chorar. Nikki se deu conta de que provavelmente lhe restavam apenas alguns segundos.

— Você conhece a garota, Carter?

Ele assentiu.

— Qual é o nome dela?

Ele abriu os olhos com um espasmo e encarou Nikki.

— Ele me fez assistir. Ele me obrigou! Estava rindo. Tinha sangue por todo lado. *Todo lado.* A coisa mais nojenta que eu já vi na vida. Ele é um animal.

— Qual era o nome da garota, Carter? — perguntou Nikki, mas já sabia que ele não iria mais responder.

— Doutora, se eu contasse, ele mataria você também.

— E quem é "ele"?

Carter sorriu. Foi um sorriso cansado, mas sincero. Ele se levantou.

— Muito obrigada por tudo o que você fez por mim, Dra. Roberts. Especialmente hoje. Eu precisava tirar isso de dentro de mim. Precisava falar.

— Fico feliz que tenha feito isso, Carter. Talvez na próxima sessão a gente possa...

— Não — cortou Carter. — Não vai haver próxima vez. Infelizmente, não pode haver. Não posso fugir dele. — Ele a encarou com lágrimas nos olhos. — Achei que pudesse. Que pudesse recomeçar, sabe? Mas agora vejo que essa opção nunca existiu. Mas você? Você pode fugir. Você ainda pode sumir daqui. Se reinventar. Recomeçar.

— Não vou a lugar algum, Carter — retrucou Nikki, firme.

— Espero que mude de ideia — disse ele, a mão trêmula, uma reação aos próprios sentimentos. — Boa sorte, Dra. Roberts. E adeus.

Nikki observou Carter sair mancando do consultório. Um sentimento estranho se alojou em seu peito. Ela havia acabado de ajudá-lo nessa sessão mais do que tinha ajudado durante todo o processo da terapia até agora. Isso estava claro. Como uma médica perfurando uma bolha infeccionada, aquele momento havia sido doloroso, mas Carter Berkeley sentiu um alívio visível e imediato ao esvaziar o próprio subconsciente.

Agora, se o relato sobre a garota era *verdadeiro* ou não, era outra história. A garota podia ser real. Ou imaginária, representando algum aspecto da personalidade do próprio Carter ou alguma pessoa de seu passado.

Mas aquele peso no coração de Nikki não foi pela história em si, e sim pelas últimas palavras de Carter.

Você ainda pode sumir daqui. Se reinventar. Recomeçar.

Podia mesmo?

Era uma ideia empolgante, disso não tinha dúvida.

Não fazia muito tempo, Anne Bateman havia ligado para cancelar a sessão de meio-dia. Na hora, Nikki ficou desapontada, mas agora estava aliviada por poder ficar sozinha e dar o dia por encerrado. Ela se recostou na poltrona e de repente sentiu-se tonta. Foi quando se deu conta de que não tinha comido nem bebido nada desde o café da manhã.

Enquanto procurava uma barrinha de proteína na gaveta da escrivaninha, seu celular tocou. Nikki pensou em ignorar a ligação, mas então viu o nome de Derek Williams na tela.

— Tem alguma novidade? — perguntou ela, ansiosa.

— Tenho, sim — respondeu ele, com uma voz desanimada, para surpresa dela. — Onde você está agora? Pode vir ao meu escritório?

— Posso — concordou Nikki com cautela. — Estou em Century City. Mas não dá para falar por telefone?

Williams hesitou.

— Melhor não. Pode ser daqui a uma hora?

— Tudo bem — concordou Nikki, os batimentos já começando a acelerar.

Ele tinha novidades. Novidades importantes demais para falar por telefone. Envergonhada, Nikki se viu rezando para que não fosse sobre os assassinatos, e sim sobre a misteriosa Lenka.

Por favor, que ele tenha descoberto alguma coisa, rogou ela ao Deus em quem não acreditava. *Por favor, que depois de todo esse tempo eu possa encontrar alguma paz.*

Antes de sequer pensar em aceitar o conselho de Carter Berkeley e recomeçar, ela precisava saber a verdade.

CAPÍTULO VINTE E SETE

— Sente-se, por favor.

Com uma das mãos, o detetive fez um gesto de boas-vindas a Nikki, enquanto com a outra literalmente afastava pilhas de papéis velhos da poltrona de couro sintético reservada para os "clientes".

— Como está sendo o seu dia, Dra. Roberts? — perguntou ele, animado. Apesar do tom reticente que usara ao telefone mais cedo, Williams agora parecia surpreendentemente entusiasmado.

— Meu dia? Na verdade, está sendo bem exaustivo — respondeu Nikki com sinceridade enquanto passava a mão pelo cabelo. — Dois dos meus pacientes piraram de vez.

Ela não sabia exatamente por que, mas algo em Derek Williams a fazia se sentir segura, disposta a baixar a guarda de um jeito que jamais faria com outras pessoas. Certamente não com outros homens. Ela se deu conta de que talvez fosse porque ele nunca flertava com ela. Em se tratando de Nikki, isso era bem raro.

— Só dois? Eu diria que você está com sorte — brincou ele, reorganizando suas coisas, deixando sua cadeira e sua mesa relativamente livres para poderem começar. — Quase todos os meus clientes piraram. A maioria há muito tempo. Minha cliente atual é uma exceção, é claro.

Williams sorriu de novo, e Nikki retribuiu o gesto.

— E então? Qual é a novidade? — perguntou ela, ansiosa. — Por favor, me diga que é sobre a amante do meu marido.

Williams abriu os dedos sobre as coxas gordas, depois ergueu as palmas das mãos.

— Não é — informou. — Sinto muito.

Foi nítida a decepção no rosto de Nikki.

— Ainda estamos no começo. — Williams tentou consolá-la. — Em algum momento vamos chegar à garota, acredite. O que eu *tenho* de fato — ele a encarou com orgulho — é um começo incrível, se é que posso dizer assim.

— Tudo bem. — Nikki respirou fundo. Ela estava precisando de algo incrível no momento. — Vá em frente.

Derek Williams pigarreou.

— Bom, eu li todo o material que você me deu, todas as informações. E decidi começar por Trey Raymond.

Ele contou a Nikki sobre sua ida a Westmont, que começou como uma simples perseguição ao detetive Johnson.

— Para a minha sorte, nosso policial racista favorito facilitou muito as coisas, esfregando o distintivo na cara de quem passasse por perto e confrontando todo mundo, da família Raymond aos traficantes do bairro, de quem tentou arrancar informações. Não surpreende que ninguém tenha contado nada a ele. Depois disso, tudo o que eu tive que fazer foi aparecer lá e ser educado, e todas as portas se abriram.

Nikki esperou Derek continuar.

— Trey parou de usar drogas há dois anos, logo depois de conhecer seu marido — disse ele.

— Isso mesmo — confirmou Nikki. — Doug livrou Trey de um fim trágico.

— Exato — concordou Williams. — Mas as coisas não são tão simples assim. Antes de ficar limpo, Trey estava traficando para alimentar o hábito. Principalmente heroína. Mas, depois, já no fim, começou a vender um tipo novo de desomorfina, baseado na codeína, uma droga pesada pra caramba. É conhecida nas ruas como *krokodil*.

— Eu sei o que é. Haddon Defoe, o parceiro de Doug, me contou que não param de ver isso na clínica. É horrível. Ele disse que foram os russos que trouxeram a droga para cá.

— Isso mesmo — disse Williams, impressionado. — Bom, antes de conhecer seu marido, Trey vinha trabalhando para um cartel mexicano concorrente dos russos. Os caras para quem ele trabalhava na época não acreditam em "recomeços". Acho que não tinham intenção alguma de deixar Trey ir embora.

— Mas foi o que ele fez — insistiu Nikki. — Doug o salvou e o ajudou, e Trey mudou de vida completamente. Eu dei um emprego a ele. Trey ia trabalhar no meu consultório todos os dias, sempre na hora, sempre profissional.

— Bom, esse era o trabalho que ele tinha de dia — retrucou Williams, de maneira franca. — Não duvido que seu marido fosse um homem bom, Nikki. Mas, em se tratando do lado empresarial do mundo dos narcóticos, Doug era ingênuo demais para alguém que trabalhava de perto com dependentes químicos. O outro "chefe" de Trey era um narcotraficante mexicano chamado Carlos de la Rosa.

Ele ficou observando a reação de Nikki, mas dava para ver que o nome não significava nada para ela. A psicóloga estava em estado de choque por descobrir que Trey vinha traficando drogas às escondidas.

— Acha que foi esse homem quem matou Trey? — perguntou ela. — Ou que mandou matá-lo?

— Não tenho certeza. Mas eu diria que a chance é grande, especialmente se Trey realmente *estava* tentando sair dessa vida, como você mesma disse, ou se pisou no calo desse homem de alguma forma. De la Rosa é peixe grande em Westmont — explicou Williams. — Mas não passa de uma sardinha no mundo dos cartéis. O chefe dele é um sujeito muito, muito mais perigoso. E é aí que a coisa fica bem mais interessante.

— Quem é o chefe dele?

— Acredite ou não, Dra. Roberts, é uma pessoa que você conhece. Ou pelo menos de quem já ouviu falar. Luis Domingo Rodriguez.

Nikki refletiu sobre o nome, tentando associá-lo a algum rosto conhecido.

— Anne Bateman, sua paciente, é a mulher dele, apesar de agora estarem separados — explicou Williams, então virou o laptop e mostrou uma foto que encontrou no Google Images de um latino bonito e elegante, de cabelo preto com as têmporas grisalhas e um olhar intenso e observador.

Nikki pareceu confusa.

— Acho que deve ter se enganado, Sr. Williams. Ou talvez se confundido. O marido de Anne é um empresário do ramo imobiliário.

— Por favor, me chame de Derek — observou Williams. — E eu não estou enganado. Luis Rodriguez se casou com Anne Bateman numa cerimônia privada na Costa Rica há oito anos. Posso mostrar uma cópia da certidão de casamento, caso queira ver. *Eu* fiquei interessado porque já cruzei o caminho de Luis Rodriguez uma vez, em um caso antigo. Oficialmente era um caso de desaparecimento, mas extraoficialmente todo mundo sabe que a garota foi assassinada. Já ouviu falar em Charlotte Clancy?

Nikki fechou os olhos e massageou as têmporas. A conversa com sua amiga Gretchen semanas antes voltou à sua mente. *Charlotte Clancy, a au pair. A pessoa que Valentina Baden ajudou a procurar.* Nikki teve a sensação de que havia entrado num mundo além da imaginação, um bizarro universo alternativo onde a vida de todos era entrelaçada por forças sombrias e misteriosas em uma teia de dor e sofrimento. Um mundo onde Trey era traficante, e o marido de Anne era um chefão do mundo das drogas. Nada daquilo fazia o menor sentido.

— Mas... Anne me disse que o marido dela trabalhava no ramo imobiliário — repetiu Nikki, como se estivesse entorpecida, tentando desesperadamente se agarrar à realidade. — Foi assim que ele enriqueceu.

— Não. É assim que ele *investe* a fortuna que *fez* há vinte anos, inundando cidades do oeste dos Estados Unidos de cocaína.

Durante os quinze minutos seguintes, Derek colocou Nikki a par do caso que havia virado sua vida de cabeça para baixo havia quase dez anos: o desaparecimento de Charlotte Clancy. Falou da esperança de que Luis Rodriguez o levasse ao amante secreto e casado de Charlotte, o americano que dirigia um Jaguar e que Williams tinha certeza de ser o culpado pelo desaparecimento da jovem — mas que, em vez disso, o detetive acabou sendo raptado por policiais mexicanos, espancado e deportado de volta para os Estados Unidos. Falou de como Valentina Baden e sua instituição de caridade afirmaram que iriam "ajudar" os Clancy, bancando anúncios de TV sobre o desaparecimento da filha, mas na verdade já vinham conduzindo investigações durante todo esse tempo na Cidade do México e escondendo informações da família. E falou também da visita que recebeu do FBI certa vez, já de volta aos Estados Unidos, e do "aviso" do agente de que ele deveria parar de investigar os Baden e os Rodriguez.

— Na época, Rodriguez nem era o meu foco — explicou. — Eu não achava que ele era o responsável direto pelo desaparecimento de Charlie Clancy, só que talvez soubesse quem tinha sido o culpado. E talvez Valentina Baden também soubesse. Mas quando todo mundo fica dizendo para *não* investigar alguém, *não* fazer perguntas... é normal que a pessoa fique curiosa. Pelo menos eu fico. Então, com o passar dos anos descobri muita coisa sobre Luis Rodriguez.

— Como o quê? — perguntou Nikki, que havia muito tempo estava fascinada pela influência estranha e dominadora que o marido de Anne parecia exercer sobre a mulher. Talvez Williams pudesse preencher aquelas lacunas.

— Bom, por exemplo, que ele é basicamente duas pessoas. O médico e o monstro ao mesmo tempo. Surgiu do nada, por isso é como um herói para a população pobre de lá. Ele é visto como uma espécie de Robin Hood da Cidade do México, e de certa forma é isso mesmo. Doa rios e rios de dinheiro, especialmente para causas relacionadas a drogas. O México inteiro conhece a história da irmã de Rodriguez, que morreu por causa de overdose de heroína, e sabe como isso mudou a vida dele.

Nikki relembrou suas sessões com Anne. Ela de fato havia mencionado algo sobre os trabalhos filantrópicos e o passado trágico do marido.

— Isso tudo é real — explicou Williams. — E o império que ele construiu no mercado imobiliário também. Acontece que também é a melhor história *de todos os tempos* para acobertar o que ele é de verdade: um grande produtor de cocaína.

Williams explicou como Rodriguez tinha se livrado da justiça tanto no México quanto nos Estados Unidos com uma manobra habilidosa: direcionando seus recursos em favor tanto da polícia quanto das comunidades carentes e assoladas pelas drogas, as mesmas comunidades a que as forças policiais diziam servir.

— Ele é amigo de todo mundo. É incrível. As pessoas comuns não sabem que ele é o chefe de um cartel nem acreditariam se ouvissem essa história. Ao mesmo tempo, as autoridades que *sabem a verdade* fazem vista grossa em benefício próprio. E isso vai muito além de simplesmente encher os bolsos dos policiais corruptos. A genialidade de Rodriguez é exatamente essa: ele é generoso e charmoso e se envolve em todos os aspectos possíveis das infraestruturas dessas comunidades. No México ele paga escolas, estradas e hospitais. Aqui nos Estados Unidos, financia candidaturas ao senado e dá uma bolada aos nossos amigos da polícia de Los Angeles. Ele é um mestre da manipulação.

Com base em suas longas e tortuosas conversas com Anne, essa última parte soou verdadeira aos ouvidos de Nikki. Quanto ao restante, não sabia no que acreditar. Estava muito satisfeita em imaginar que o marido de Anne era apenas um *"hombre* mau" com negócios legítimos servindo de fachada para negócios ilícitos. Mas a descrição que Williams fez de Luis Rodriguez — como uma espécie de barão das drogas intocável — pareceu uma teoria da conspiração digna de Carter Berkeley.

— Você pode provar o que está me contando? — perguntou ela imediatamente.

— Não muita coisa. Pelo menos por enquanto. Mas estou trabalhando nisso. Na verdade, venho trabalhando nisso há quase uma década, desde que o pai de Charlotte, Tucker Clancy, me demitiu.

— Por que ele demitiu você?

Williams deu de ombros.

— Não quis ouvir a verdade sobre a própria filha. Que ela estava saindo com um homem casado e tudo o mais. Quer dizer, eu entendo. Ele era o pai da garota, afinal.

Nikki pensou por um instante.

— E quanto à instituição de caridade de Valentina? Você disse que achava que eles estavam envolvidos.

Williams respirou fundo.

— Achava. Quer dizer, ainda acho, em tese. Mas essa parte é muito mais complicada de desvendar, um verdadeiro vespeiro. E, para ser franco com você, depois de um tempo, acabei deixando essa história para lá, porque Rodriguez era nitidamente o tubarão desse caso. — Ele pigarreou. — Mas tenho certeza de que a Desaparecidos não é tudo o que parece ser. Quando eu estava na Cidade do México, ouvi rumores de que eles participaram do planejamento de alguns dos sequestros que tempos depois ajudaram a "resolver".

Nikki franziu o cenho, confusa.

— Por que fariam uma coisa dessas?

Williams esfregou o indicador e o polegar um no outro, indicando que era uma questão de dinheiro.

— Existem várias formas de lucrar com um sequestro. Ouvi dizer que Valentina "ajudava" as famílias a pagarem pelo resgate e depois pegava uma parte do lucro com os sequestradores. Esse é o modelo de negócios mais óbvio. Outras vezes, as gangues pagavam a Desaparecidos para tirar integrantes e contraventores do país de maneira ilegal, supostamente ajudando alguns deles a entrarem em programas de proteção à testemunha daqui dos Estados Unidos. O que significa que a Sra. Baden deve ter recebido ajuda interna.

— Você quer dizer da polícia?

Williams deu uma risada.

— Não fique tão chocada. A polícia de Los Angeles é muito mais corrupta do que você imagina. Também tenho informações confiáveis de que a Desaparecidos está envolvida em tráfico humano. Garotas novas estão sendo raptadas nas ruas e vendidas para gangues sexuais russas. Nada que eu possa provar, mas rumores não faltam.

Nikki arregalou os olhos.

— Você acha que... Charlotte Clancy?

Williams balançou a cabeça.

— Improvável. O tráfico sexual é mais comum entre pessoas de renda inferiores: meninas da favela, garotas jovens, garotos também. São pessoas que não tem família para cuidar delas. Uma americana de 18 anos teria causado tanto problema que não valeria a pena. Mas de uma forma ou de outra tenho a forte impressão de que o lado humanitário da Desaparecidos não passa de fachada. Quantias enormes de dinheiro entravam e saíam da organização... muito mais do que se vê em uma ONG legítima.

Nikki ficou em silêncio. Era difícil conciliar os "rumores" de Williams com o que Gretchen havia lhe dito sobre Valentina Baden — o desaparecimento da irmã mais nova quando ambas eram adolescentes e a forma como a tragédia mudou e moldou a vida dela. Nikki não sabia bem o motivo, mas estava desesperada para acreditar na versão inspiradora dos fatos, não na corrupta. Já havia podridão demais ao seu redor. Era pedir muito que Williams estivesse errado sobre isso?

— Seja como for — continuou Williams, quebrando o silêncio —, a Sra. Baden é uma atração secundária aqui. A peça-chave dessa história sempre foi Luis Rodriguez. Nos últimos dois anos, o foco dele mudou totalmente da cocaína para a *krok*. Ele vem tentando tomar dos russos o controle da cadeia de suprimentos bem aqui em Los Angeles. Tem gente espalhada pela cidade toda. São como uma praga.

O coração de Nikki acelerou. *Praga*. Não foi exatamente essa a palavra que Carter usou mais cedo no consultório para descrever os misteriosos assassinos mexicanos que, segundo ele, estavam tentando matá-lo — ou pelo menos assustá-lo e fazê-lo se calar em relação ao assassinato que tinha visto? Isso, claro, se as divagações desconexas de Carter fossem dignas de credibilidade.

Outro elo. Outro fio obscuro na teia de aranha.

Ela se obrigou a pensar de forma racional, a peneirar os fatos nesse mar de especulações.

— Digamos que você esteja certo sobre Luis, e ele seja um narcotraficante. Você acha que Anne sabe disso? — perguntou a Williams.

— Eu *estou* certo. Quanto à mulher dele saber de onde vem o dinheiro, não faço ideia. Não conheço Anne pessoalmente. Mas, pelo que você já me contou sobre ela, duvido. Como eu disse, Rodriguez tem dupla personalidade. Pode muito bem ter mantido os negócios e a vida pessoal totalmente separados.

Eu tenho que contar a ela, pensou Nikki. *Ela tem o direito de saber quem o marido é de verdade. Toda mulher tem esse direito. O direito de não viver uma mentira por causa dos segredos do marido.*

Nikki se perguntou quantos amigos de Anne sabiam a verdade sobre Luis e a esconderam dela. Do mesmo jeito que Haddon Defoe e inúmeros outros amigos de Doug esconderam a verdade dela própria.

— Mas você disse que a polícia *sabe*? — Nikki olhou para Williams. — O FBI e a polícia daqui de Los Angeles?

— Ah, sim... Eles sabem. — Williams assentiu com uma expressão sombria. — Pode apostar que a Divisão de Entorpecentes da polícia de Los Angeles tem um arquivo do tamanho de uma lista telefônica sobre Rodriguez e De la Rosa. Eles sabem por onde e como essa suposta *krok* mexicana "limpa" está entrando na cidade. Mas parece que estão deixando os homens de Rodriguez agirem impunemente.

— Por quê? — Nikki ergueu uma sobrancelha com um ar questionador. Williams deu de ombros.

— Ou preferem os mexicanos aos russos e a questão é escolher o menor dos males, ou alguém grande lá de dentro está levando uma parte.

Nikki demorou um momento para digerir a informação.

— Então o que você está dizendo é que a polícia faz parte do acordo? Que divide os lucros do cartel, do mesmo jeito que fizeram com a Desaparecidos?

— Acredito que sim. A polícia está nessa e talvez outros na comunidade também. Rodriguez está agindo exatamente da mesma forma que agiu no México. Fazendo amigos, cumprimentando as pessoas certas, mas ao mesmo tempo falando pelos menos favorecidos... que são a base dos consumidores dele.

Percebendo a expressão cética de Nikki, Williams resolveu se aprofundar na teoria.

— Tenho certeza de que os cartéis mexicanos fazem parte disso. Estão envolvidos nas mortes de Trey e Lisa. É melhor estar preparada para a possibilidade de eles terem algo a ver com o "acidente" do seu marido também.

Os olhos de Nikki ficaram vidrados. Ela deixou as palavras do detetive se dissiparem, entrando no modo de autoproteção. Não queria pensar que a morte de Doug fazia parte dessa teia. O acidente e a amante dele não tinham nada a ver com o marido de Anne Bateman. Como isso seria possível?

— Enfim... esse é o resumo de tudo até agora. — Williams se recostou na cadeira, satisfeito. — No que você quer que eu me concentre a partir de agora?

Nikki lançou um olhar impassível para o detetive.

— Essa semana foquei no Trey — recapitulou Williams. — A partir de amanhã posso focar em Lisa Flannagan e em seu passado como usuária de drogas... talvez encontrar uma ligação com um dos traficantes do cartel. Ou o caso com Willie Baden. Talvez Willie e Valentina tenham um papel mais importante do que eu imaginava nisso tudo. *Ou* eu posso tentar descobrir por que a polícia está tão interessada no seu antigo paciente, Brandon Grolsch. *Ou* eu posso continuar seguindo o detetive Johnson para descobrir se aqueles dedos gordos e corruptos estão metidos nessa merda toda. Você é quem manda — acrescentou Williams. — Escolhe a dança quem paga o músico.

O ditado antigo fez Nikki abrir um sorriso.

— Falei algo engraçado? — perguntou ele.

— Não, de jeito nenhum — respondeu ela, ainda sorrindo. — É só que... você é um bom homem, Derek. Está trabalhando duro nisso, e parece ter muita energia. Minha cabeça está a mil, mas só quero dizer que estou grata. Confio em você.

Williams abaixou a cabeça, constrangido. Era a primeira vez em muito tempo que alguém lhe fazia um elogio, ainda mais vindo de uma mulher linda.

— Bom... obrigado. — Ele pigarreou, ainda visivelmente tímido. — Fico muito agradecido. Pode, por favor, escrever isso para a minha ex-mulher? A parte do "bom homem"? Se fizer isso, dispenso você do pagamento do próximo mês.

— Sério?

— Não, estou brincando. Preciso do dinheiro. — Williams abriu um sorriso. — Por falar nisso, estou precisando de um pequeno acréscimo na conta de despesa...

Nikki pegou o talão de cheques. Sabia muito bem que estava pagando caro, mas não se importava. Em quatro dias Williams havia feito mais progresso que Johnson e Goodman em quase duas semanas. Por outro lado, ela não sabia exatamente o que fazer com aquele monte de rumores, teorias e conexões inconclusivas. Ainda.

— Essa semana quero que você foque no acidente do meu marido — declarou ela, tirando o cheque do talão e pressionando-o na mão fria e úmida de Williams. — Quero saber mais sobre Lenka.

Williams pensou no que ela disse.

— Tem certeza? Sua prioridade é essa?

— Essa é a minha prioridade.

— Você se dá conta de que a sua vida provavelmente ainda está em perigo? — ressaltou Williams, com sensatez. — Esses cartéis são negócios multimilionários comandados por psicopatas. Não estou falando só de Luis Rodriguez. Os russos, os mexicanos, os chineses... essa gente toda age da mesma forma na hora de se livrar dos inimigos.

— E como eu sou o inimigo?

— Ainda não sei. Mas gostaria de passar a semana tentando descobrir, antes de você aparecer retalhada numa autoestrada ou caída no meio de uma pista como um pino de boliche. Sem querer ofender.

— Não ofendeu. E obrigada pela preocupação, Derek. Agradeço de verdade. Mas se existe o risco de eu morrer amanhã, o que eu *preciso* acima de tudo é saber a verdade sobre o meu marido. A outra mulher, essa Lenka... *quem* era ela? Não deve ser uma pergunta tão difícil de responder.

— Você é a chefe — repetiu Williams.

Da janela, ele ficou observando enquanto ela entrava no carro e ia embora. Ela era uma pessoa estranha, a Dra. Nikki Roberts. Por outro lado, todo mundo é estranho à sua própria maneira. Ele gostava dela. Gostava sobretudo do fato de ter sido chamado de "bom homem". Talvez não fosse o elogio mais impactante do mundo, porém era sincero, e ele havia se sentido tocado, mais do que gostaria de admitir.

Já no carro, voltando para casa, Williams repetiu as palavras em voz alta.

— Você é um bom homem. Você é um bom homem, Derek.

Eu sou um bom homem.

Ele iria desvendar a história por trás da amante de Doug Roberts. Porque Nikki tinha razão — não podia ser muito difícil. E também descobriria a identidade desse assassino e das pessoas por trás dele, as forças obscuras que ameaçavam Nikki. De alguma forma os Baden estavam metidos nisso. E Rodriguez, claro. Embora Williams suspeitasse de que, assim como aconteceu no caso de Charlotte Clancy, Luis devia ser apenas um jogador em uma trama maior e muito mais sinistra. Ele,

Derek Williams, desvendaria o mistério do Assassino Zumbi, salvaria a pátria e resolveria o problema de sua linda cliente.

Não porque ela o pagou.

Mas porque ele era um bom homem.

Nikki estava a poucos quarteirões do escritório de Williams quando viu os faróis de um carro piscando atrás dela. Inicialmente, achou que devia ser algum motorista puto da vida após levar uma cortada. Em Los Angeles, a hora do rush era dominada de babacas impacientes e com raiva. Mas as luzes continuaram piscando até que ela ouviu um breve som de sirene. Foi quando se deu conta de que devia parar.

Irritada, ela estacionou no acostamento e abaixou o vidro.

— O que eu estava fazendo de errado, poli... Ah! É você.

O belo rosto do detetive Goodman apareceu, sorridente, na janela.

— Estou tentando chamar sua atenção há mais de um quilômetro. Na verdade, desde que você saiu do escritório de Derek Williams.

Nikki ficou ruborizada.

— Como sabe sobre Williams? Estava me seguindo?

— Não precisa ficar indignada. Esse é o meu trabalho. Ou pelo menos parte dele. Eu sou detetive, e isso é um caso de assassinato. Um caso no qual *você* é um alvo em potencial, caso tenha esquecido.

Nikki encarou os olhos azuis dele, sem conseguir desviar o rosto, e mais uma vez ficou surpresa com o poder da atração que sentiu.

— Desculpe — murmurou ela. — Não quis acusar você. Sei que só está fazendo o seu trabalho. Você me pegou de surpresa, foi só isso.

— E para onde está indo agora?

— Para casa.

— Já comeu?

A pergunta a pegou desprevenida.

— Ainda não.

— Ótimo. Me siga então — pediu Goodman, resoluto. — Conheço um restaurante grego a alguns quarteirões daqui. Você vai adorar.

Precisamos conversar — acrescentou, vendo a hesitação de Nikki. — É sobre seu novo amigo, o Sr. Williams. Tem algumas coisas que você precisa saber sobre ele.

Dez minutos depois, Nikki se viu sentada a uma mesa nos fundos da taverna Stavros, no Westwood Boulevard, de frente para Lou Goodman, que estava visivelmente relaxado. Os dois botões de cima da camisa dele estavam abertos, e as mangas, enroladas, revelando antebraços musculosos. Sua pele era bronzeada, e os dentes, tão brancos que chegava a ser até desconcertante quando ele sorria. *Parece o Lobo Mau*, pensou Nikki, embora, na verdade, o comportamento dele não tivesse nada de predatório. Ela só não estava acostumada com a companhia de homens solteiros e atraentes. Para piorar o constrangimento, ainda havia o fato de que, da última vez que jantaram juntos, no Dan Tana's, ela tomou um porre e por pouco não acabou indo para a cama com ele. Tudo isso enquanto alguém — talvez o assassino — assistia a tudo.

— Melhor a gente evitar o Retsina — disse Goodman, adivinhando o que se passava na mente de Nikki e pedindo água e um alguns petiscos de entrada. — Não quero ser acusado de tirar proveito de uma dama.

A tensão sexual crepitava no ar, mas Nikki estava determinada a ignorá-la. Sua vida já era complicada demais sem relacionamentos românticos. Seus sentimentos por Anne Bateman sugavam grande parte de sua energia emocional. Além do mais, ela ainda estava de luto por Doug. Não se sentia pronta.

— E então? O que eu preciso saber sobre Derek Williams? — perguntou ela.

— Além do fato de que ele é um desleixado, teórico da conspiração e antipolicial de carteirinha? — comentou Goodman em um tom mordaz. — Muita coisa, na verdade.

— Eu gosto dele — retrucou Nikki, com audácia.

— É mesmo? — indagou o policial com bom humor. — Por quê?

— Ele é autêntico.

— *Autêntico...* — Goodman parecia estar se divertindo. — Bom, acho que é um jeito de colocar as coisas. A repulsa dele pela nossa instituição com certeza é autêntica.

— E *por que* esse ódio, na sua opinião? — Nikki estava realmente curiosa a respeito disso. Era verdade, afinal, que por mais de uma vez tinha ouvido Derek falar mal da polícia de Los Angeles.

Goodman tomou um gole de água.

— Ele vai dizer que é porque todos nós somos corruptos, preguiçosos e burros. Mas a verdade é que ele é movido pela própria amargura. O cara tentou entrar na polícia várias vezes quando era mais novo, mas sempre foi rejeitado.

— E qual foi o motivo? Na minha opinião, ele é um bom detetive.

— Não faço ideia. Mau-caratismo? Impulsividade? Derek Williams não é exatamente o tipo de cara que trabalha em equipe. Seja qual for a razão, acho que ele levou para o lado pessoal, porque tem sido uma pedra no sapato do departamento desde então. Sabota e obstrui casos. Compromete evidências, influencia testemunhas. A Entorpecentes tem uma foto dele na parede da sala de recreação. Enfiam alfinetes na cara do homem. Williams já ferrou aqueles caras tantas vezes que eles já perderam a conta.

Nikki estava confusa. A sinceridade de Goodman era clara, mas a descrição de Derek Williams — de um homem amargurado e vingativo — não batia com a do homem que ela conhecera.

— Para Williams, esse caso não tem a ver só com fazer justiça, seja lá o que ele tenha dito a você — acrescentou Goodman, amargurado. — Ele quer acertar as contas com a gente, se vingar da polícia. Claro, e tem a ver com dinheiro também. Ele vai limpar sua conta se você deixar. Só por curiosidade, quanto ele já tirou de você?

Nikki reduziu à metade o valor que de fato pagara a Williams, mas mesmo assim ficou constrangida com a quantia quando disse em voz alta.

— Olha, minha querida, a decisão é sua. — Goodman tentou não ser indelicado. — Mas não diga que não avisei. Williams é um charlatão. Cuidado com o que conta a ele.

Após conseguir plantar uma pequena semente de dúvida na cabeça de Nikki, ele mudou de assunto.

— Na verdade eu queria perguntar outra coisa a você.

— Ah, é? — Nikki tomou um gole de água, ainda sentindo certo desejo provocado pela maneira carinhosa com a qual ele a tratara antes.

— Brandon Grolsch — falou Goodman sem papas na língua, apagando o desejo na mesma hora. — Sei que você disse que ele nunca foi seu paciente, mas será que seu marido já cruzou com ele em uma das clínicas? Brandon era viciado em heroína, além de outras drogas.

— É possível — respondeu Nikki com cautela. — Doug e Haddon ajudaram tanta gente...

— Mas eles devem ter arquivado os registros, certo? Dos pacientes, digo.

— Sim. De alguns. — Nikki estava hesitante. — Mas não era como no meu consultório. Ou mesmo numa clínica normal. Era um centro em que as pessoas chegavam para se internar. Elas passavam por lá, iam e vinham. Muitos eram sem-teto, não tinham identidade, plano de saúde, número do seguro social. Tentar encontrar alguém que passou por lá seria como procurar uma agulha num palheiro.

— Sabe, Johnson não tira isso da cabeça — advertiu Goodman. — Se no fim das contas *houver* um elo entre Grolsch e seu marido, ou até mesmo entre Grolsch e você, a coisa não vai ficar boa para o seu lado, Nikki.

— Não entendo o motivo. — Nikki se empertigou para responder à altura o desafio de Goodman, se é que era isso que ele estava fazendo. — Você não pode esperar que eu me lembre de todos os dependentes que meu marido tratou.

— Verdade. — Goodman sorriu, seus olhos brilhando outra vez.

Nikki não sabia ao certo o que pensar. Toda aquela conversa parecia um estranho jogo de tênis em que parte era flerte e outra parte, algo bem sério. Será que ela deveria acreditar em Goodman?

— Por que está tão interessado nesse tal de Brandon Grolsch, afinal de contas?

Goodman a encarou por alguns instantes, como se estivesse se perguntando até onde poderia ir.

— Encontramos o DNA dele nos dois corpos — disse, por fim. — Ok? Agora é a sua vez.

— Minha vez de quê?

— Ah, vamos lá, Nikki! — Goodman revirou os olhos. — Se você sabe alguma coisa sobre Brandon, é melhor contar. Aliás, a gente acha que ele está morto.

Se ele estava esperando alguma reação de Nikki, ficou desapontado.

— É daí que vem todo esse papo idiota de "zumbi" — continuou. — O DNA que encontramos não era de um ser humano vivo, mas de um cadáver. O cadáver de Brandon. Então, se você acha que está protegendo o garoto, não está. Só está protegendo o assassino.

— Primeiro, não estou protegendo assassino nenhum — insistiu Nikki em tom desafiador. — Então seu parceiro Johnson pode procurar aquela agulha no palheiro o tempo que quiser. Segundo, avise a ele que eu sei muito bem me virar em um tribunal. Já fui convocada várias vezes como perita no passado e não é fácil me intimidar.

— Disso eu tenho certeza. — O tom de admiração na voz de Goodman era nítido.

— Sem querer ofender — prosseguiu Nikki, feliz por ver que Brandon não era mais o tema da conversa. Ela já havia tomado uma decisão. Como começou mentindo, agora era tarde demais para recuar. — Mas acontece que, por mais de uma vez, já tive que testemunhar contra policiais. Sabe os seus amigos da Entorpecentes, os caras que ficam espetando alfinetes na foto de Derek Williams? Adivinhe só, Williams *tem razão* quando chama todos de corruptos.

— Alguns deles, talvez — admitiu Goodman.

— Muitos. Um número enorme.

Em algum lugar no fundo da mente de Goodman, uma ficha caiu lentamente.

Já fui convocada várias vezes como perita...

Mais de uma vez, já tive que testemunhar contra policiais...

— Já vi seus colegas se levantarem no meio do tribunal e mentirem na cara de pau para protegerem uns aos outros. — Com os ânimos exaltados, Nikki convenientemente se esqueceu de que ela mesma havia acabado de mentir a respeito de Brandon Grolsch. — Doug me contou inúmeras histórias horríveis de policiais que forjavam evidências, incriminando dependentes e traficantes menores, tudo isso enquanto os grandes fornecedores ficavam livres. Derek Williams não é o único que tem o pé atrás com a polícia.

— Ok, ok... — Goodman ergueu as mãos, dando a entender que era inocente. — Entendi. Mas não se esqueça: *eu* não sou o inimigo, ok?

— Eu sei disso — falou Nikki, se acalmando. — Nunca achei que fosse. Só contratei Derek porque preciso de respostas. E porque estava cansada de ser tratada como suspeita.

Goodman pegou a conta e mais uma vez se recusou a deixar Nikki dividir. Depois, acompanhou a psicóloga até o carro dela.

— Tome cuidado — pediu ele. — Até pegarmos esse cara, por favor, tome cuidado.

— Pode deixar. — Então acrescentou, com ironia: — Derek Williams me deu exatamente o mesmo conselho mais cedo.

Goodman fechou a cara.

— Williams quer a sua grana, Nikki. Eu não. Lembre-se disso quando decidir em quem deve confiar.

Assim que Goodman foi embora, as últimas palavras dele ressoaram nos ouvidos de Nikki.

CAPÍTULO VINTE E OITO

A cidadezinha de Chowchilla, no condado de Madera, na Califórnia, tinha apenas duas características consideradas interessantes o suficiente para serem mencionadas em sua página na Wikipédia. A primeira era o próprio nome do lugar, que significava "assassinos", referência aos chaushila, uma tribo de nativos americanos, que foi o primeiro povo a colonizar aquela terra e que carregava a má fama de ser ameaçador. E a segunda era a Prisão Estadual Valley, antes uma instituição que aceitava apenas mulheres, e agora o lar de quase mil condenados do sexo masculino.

Classificada como uma prisão de "segurança média", quando vista de fora, a prisão era formada por um quadrilátero de edifícios baixos de concreto, rodeado de arame farpado e cercas elétricas. Parecia assustador o suficiente para qualquer visitante se perguntar como seria então uma prisão de "alta segurança".

Jerry Kovak não via o lado de fora da Prisão Estadual Valley havia seis anos, desde o dia em que chegara ao lugar, transferido de um inferno superlotado que era a penitenciária do condado de Los Angeles. Jerry tinha de agradecer a Mick Johnson pela mudança — e por muitas outras coisas, aliás. Os advogados inúteis de Jerry haviam lhe dito que era melhor não perder tempo com outra apelação "impossível" — como se ele tivesse algo melhor para fazer, preso naquele lugar! Mas Mick Johnson não desistiu e ajudou Jerry a dar entrada na papelada. Sem isso, ou um milagre, Jerry só veria os muros externos da prisão estadual, e qualquer coisa além deles, no dia que fosse carregado para fora dali num caixão.

Arrastando os pés ao entrar na sala de visita, Jerry se sentou e aguardou. Haviam tentado dar uma animada no lugar pintando as paredes com cores vivas e instalando uma área de recreação para crianças ali. Jerry tinha esperança de que sua filha aparecesse. Já fazia quase seis meses que não via Julie. Mas agora a moça tinha três filhos, além de um marido que não gostava de Jerry. E, para piorar, Chowchilla ficava a quatro horas de carro de Los Angeles. *Não dá para esperar muito*, disse ele a si mesmo, fazendo de tudo para esconder a decepção ao ver Mick Johnson entrar sozinho. *Agora ela tem a própria vida para viver.*

Mick sentou-se diante de Jerry e lhe entregou os parcos presentes que teve permissão para levar: uma revista de pesca, uma revista de sudoku e um remédio fitoterápico que diziam ser bom para dor nas articulações.

— Como você está, cara? — perguntou Mick. — Você parece bem.

— Obrigado. Estou bem, considerando tudo.

Era uma mentira deslavada. Quando Mick Johnson e Jerry Kovak se conheceram, ainda cadetes da polícia, Jerry era um cara muito bonito. Jogador de futebol americano e em plena forma, tinha aquele corpo sarado de atleta que atraía qualquer mulher. Apesar da ótima aparência e das incontáveis oportunidades, Jerry era um homem de uma mulher só, devotado à esposa, Marianne, e à filha, Julie.

Isso já fazia quinze anos. Desde então todos tinham envelhecido. Mas, enquanto Mick e o restante dos caras haviam simplesmente engordado e ficado carecas, Jerry definhara como uma árvore no deserto. Arqueado e franzino, a pele tão rachada e ressecada quanto um pergaminho, os olhos remelentos e vermelhos, ele havia se tornado um velho. Artrítico. Debilitado. Patético, no verdadeiro sentido da palavra.

Foi quando completou 45 anos que tudo começou a desmoronar. Era como se de repente um Deus vingativo tivesse enviado uma tempestade de granizo sobre a vida do pobre Jerry Kovak. Primeiro, Marianne adoeceu. Em seguida, muito rápido, mais rápido do que qualquer um esperava, ela morreu. Mick nunca se esqueceria de como Jerry ficou durante essa época, uivando como um cão ferido, destruído por um sentimento de luto perturbador diferente de tudo que ele já tinha visto na vida.

Kovak devia ter pedido licença na polícia. Devia ter tido direito a uma espécie de licença, um tempo para processar as coisas, para viver o luto em particular com a filha. Mas as coisas eram diferentes naquela época. Jerry havia acabado de ser transferido para a Divisão de Entorpecentes, o primeiro polonês num departamento praticamente todo irlandês, e isso era algo importante. Aqueles caras não iam para casa chorar. Estavam lutando numa guerra, e a guerra não parava só porque a mulher de alguém caíra dura, vítima de um câncer aos 42 anos. Além do mais, Jerry não queria parar de trabalhar. Na época, disse que precisava da distração, isso sem falar do dinheiro.

— Agora somos só eu e Julie. Tenho que sustentá-la.

E assim o detetive Kovak voltou às ruas, e no começo parecia bem. Mas as coisas mudaram conforme o luto foi se transformando em desespero, depois em negação e por último em raiva. Jerry começou a perder a paciência com os colegas, se descontrolando por qualquer coisa. Certo dia discutiu com um jovem cadete a respeito de uma vaga no estacionamento, deu um soco no pobre rapaz e acabou quebrando o nariz dele. Toda a situação foi contornada por baixo dos panos, e Jerry pediu desculpas. Nas ruas, porém, nas interações diárias com os viciados, os traficantes, as prostitutas e os informantes — o dia a dia de uma divisão de entorpecentes —, ele se tornou outra pessoa. Um cara mais duro. Cansado da batalha, mas, ao mesmo tempo, louco por uma briga.

E quem procura acha. Certa vez, Kelsey James, um cafetão pilantra e, nas horas vagas, traficante de crack em Watts, deu informações falsas a Jerry, e isso acabou arruinando o primeiro grande caso dele. Jerry saiu do tribunal, pegou o carro e foi direto atrás de James. Quando o encontrou, arrancou-o do carro à luz do dia e o espancou ali mesmo, na rua, até só restar um corpo ensanguentado. O garoto ficou três semanas na UTI, e por um tempo todos pensaram que não iria sobreviver. No fim das contas, ele conseguiu sair de lá — infelizmente, na opinião de Johnson —, mas os médicos disseram que ele passaria o resto da vida numa cadeira de rodas e precisaria de cuidados constantes de uma enfermeira até para suas necessidades mais básicas.

Jerry foi indiciado por lesão corporal qualificada e tentativa de homicídio. Todos os policiais compareceram ao tribunal para depor — era o dever deles. Disseram que Kelsey tinha tentado sacar a própria arma. Que Jerry poderia ter usado sua arma, mas não o fez. Que mostrou comedimento. Mas então a mãe de Kelsey James apareceu chorando de tristeza, e as irmãs dele fizeram um escândalo, reclamando no tribunal sobre a brutalidade da polícia, alegando que o irmão delas, aquele traficantezinho vagabundo, era um "bom garoto" e acusando Jerry Kovak de ter acabado com o futuro brilhante de Kelsey.

Mick Johnson foi ao tribunal todos os dias. Ele via que a juíza — uma esquerdista — estava engolindo toda a conversa fiada da família de James. Ouvir aquelas mentiras descaradas e ver aquela família sujar o nome de um homem de bem faziam o estômago de Johnson se revirar. Mas não havia nada que ele pudesse fazer. Jerry claramente precisava mudar a linha de defesa, usar um dramalhão para amolecer o coração da juíza.

Por sorte, ele tinha um. Inimputabilidade penal, devido a seu estado mental após a morte de Marianne. O advogado de Jerry estava se saindo bem nessa linha, chegando ao ponto de levar Julie para dar seu testemunho e dizer quanto amava o pai e como a perda da mãe havia sido dura para a família. Testemunhas de defesa da escola de Julie e do time de futebol também depuseram a favor de Jerry. Até o pastor da igreja local apareceu e fez elogios ao acusado.

Mas foi então que aquela puta da Nikki Roberts testemunhou. E, assim, num estalar de dedos, a defesa de Jerry Kovak ruiu, e com isso seu futuro foi por água abaixo. A Dra. Roberts foi convocada como perita, para falar sobre os efeitos psicológicos do luto. O luto poderia explicar o que Jerry tinha feito? Poderia servir de desculpa para uma demonstração súbita e compulsiva de violência ou, pelo menos, minimizar a culpa dele? Era possível que Jerry Kovak estivesse fora de si quando atacou Kelsey James?

Não.

Não.

Não.

A "doutora" Roberts não vacilou em momento algum em seu julgamento ao pobre Jerry. Em sua opinião de especialista, ele não mostrava qualquer sinal de incapacidade mental. Seu ataque foi premeditado, e não compulsivo ou espontâneo. Segundo Nikki, o policial havia sido motivado por racismo e egoísmo, e suas ações tinham sido motivadas pela raiva, não pelo luto. Mick Johnson não pôde fazer nada além de assistir, de mãos atadas, àquela mulher franzina que não sabia nada sobre Jerry — e muito menos sobre os perigos que policiais corriam diariamente nas mãos de outros homens como Kelsey James — aniquilar qualquer chance de clemência para seu amigo.

Jerry Kovak foi considerado culpado e condenado a vinte e cinco anos de prisão.

Ele apelou duas vezes. Por duas vezes Nikki Roberts se *voluntariou* a testemunhar: não deveria haver piedade, compaixão ou "circunstâncias especiais" para Jerry. Aparentemente, "justiça para Kelsey" era tudo o que importava. Nikki Roberts fez de tudo para garantir que Jerry Kovak passasse o restante da vida atrás das grades.

Mick Johnson jamais a perdoaria.

Sorrindo para o velho amigo e dando o melhor de si para deixar transparecer um otimismo que não sentia, Mick disse a Jerry que tinha enviado a apelação.

— Você acha que a gente tem alguma chance? — perguntou Jerry, em tom de lamúria.

— Claro. Mas essas coisas demoram. Não vamos receber resposta nas próximas seis semanas. E isso é só o processamento inicial.

— Eu tenho tempo — disse Jerry, sarcástico. — Isso é a única coisa que ainda tenho. Então me diga... como vai o seu caso? Você disse que envolvia assassinatos a facadas, certo?

— Isso — murmurou Johnson. — Vai indo, acho... Mais devagar do que eu gostaria, mas acho que estamos chegando lá.

Ele tinha decidido não contar a Jerry sobre a ligação entre a Dra. Nikki Roberts e o Assassino Zumbi ou sequer compartilhar qualquer detalhe chocante do caso. A essa altura, Johnson tinha certeza de que Nikki estava envolvida nos dois crimes e na morte do próprio marido. Mas precisava de provas. Ele só contaria a boa-nova a Jerry quando conseguisse colocar a psicóloga atrás das grades. Talvez então finalmente os tribunais descartassem os depoimentos dela como perita, os mesmos que condenaram Jerry. De qualquer forma, Mick não daria esperanças ao pobre amigo para depois ter de acabar com elas. Até o momento ele não tinha nenhuma evidência concreta. Porra, não tinha sequer conseguido convencer o próprio *parceiro* de que a Dra. Nikki Roberts não era a idealista santa do pau oco que fingia ser, mas uma mulher vingativa, certamente capaz de cometer uma maldade premeditada, e muito possivelmente uma assassina em série.

Durante o restante do tempo de visita, os dois conversaram sobre amenidades. Beisebol, velhos amigos da época da Divisão de Entorpecentes. Mick prometeu voltar no mês seguinte e tentar convencer Julie a acompanhá-lo. Ele não tinha filhos, mas ficava chocado e triste de ver a única filha de um homem virar as costas para ele do jeito que Julie Kovak estava fazendo com Jerry. Era outra coisa que Nikki Roberts havia roubado de seu amigo — o relacionamento com a própria filha. A menina tinha 13 anos quando o pai foi preso. Muito tempo havia se passado, e a distância entre os dois era enorme.

Tudo aquilo era uma grande tristeza.

No caminho de volta para Los Angeles, o ar-condicionado do carro de Johnson quebrou. Ele desceu os vidros das janelas, mas mesmo assim foi ficando ensopado de suor, a camisa grudada em suas costas flácidas e suas palmas frias e úmidas deslizando no volante sempre que mudava de faixa no trânsito. Quando Goodman ligou, Johnson estava arfando como um cachorro com hipertermia. Era como atender ao telefone numa sauna.

— O que foi? — perguntou ele, sem paciência.

— Cadê você? — Irritado, Goodman falou no mesmo tom de Johnson.

— Dirigindo.

— Para onde?

— Meu Deus, como assim? Se quer saber, estou voltando da Prisão Estadual Valley.

— Visitando seu amigo, o detetive Kovak, imagino — disse Goodman, maliciosamente. — Olha que coincidência... nesse exato momento estou segurando as transcrições do julgamento de Kovak. E você não imagina quem aparece como *perito principal* da acusação! — continuou Goodman num tom triunfante. — Jantei com Nikki Roberts ontem à noite.

— Claro que jantou... — murmurou Johnson de forma áspera.

Goodman o ignorou.

— E ela mencionou que tinha experiência nos tribunais. Por algum motivo aquilo ficou na minha cabeça, então dei uma fuçada e veja só o que descobri: vocês dois de fato *têm* um histórico.

— Ok, tudo bem — cortou Johnson, mal-humorado. — Pode parar com o sarcasmo.

— Por que você não me contou? — perguntou Goodman em tom de acusação.

— Não tem nada para contar.

— "Não tem nada para contar"? Ah, qual é?! É por isso que você odeia a Nikki, não é? Por que ela testemunhou contra o seu melhor amigo.

— Não — disse Johnson lentamente. — Odeio porque ela é uma puta ardilosa. E também porque acredito que ela orquestrou os assassinatos de três inocentes.

— Você devia ter se recusado a pegar o caso, Mick — afirmou Goodman, irritado.

— Porra nenhuma. Por quê?

— Porque você está predisposto a ir contra ela!

— Ah, é mesmo, não? E você? — retrucou Johnson, na defensiva. — Você vem tentando levar a mulher para a cama desde o primeiro dia!

Pelo amor de Deus, você jantou com ela ontem à noite! Isso também não significa que está sendo igualmente parcial, mas para o outro lado?

— Não — negou Goodman, ríspido. — E, para sua informação, não estou tentando levá-la para a cama. Estou tentando me aproximar, ganhar a confiança dela. Tem uma diferença aí.

Johnson bufou, desdenhando da explicação de Goodman, mas no fundo ficou abalado. Não esperava que o colega descobrisse sua ligação com Kovak. A partir de agora, Johnson precisaria ter ainda mais cuidado perto de Nikki Roberts.

— Imagino que você não tenha se "aproximado" o suficiente dela ontem à noite a ponto de fazê-la parar de mentir sobre Grolsch e contar a verdade, não é? — perguntou Johnson, sabendo que esse era o único ponto fraco da confiança inabalável de seu parceiro na Dra. Roberts.

— Ainda estou tentando. Mas prepare-se para essa notícia, meu amigo. Descobri que tem mais gente no caso. Parece que sua falta de confiança em Nikki Roberts é recíproca.

— *Recíproca?* — repetiu Johnson, em tom de zombaria. — Esse é o tipo de palavreado que ensinam a vocês em Harvard?

— Ela contratou Derek Williams, Mick — cortou Goodman.

Johnson deu uma guinada, quase batendo o carro num caminhão de carga na pista à esquerda. Do outro lado, Goodman ouviu o guincho agudo do freio, depois uma sequência de palavras num linguajar que nenhuma avó merecia ouvir.

Quando Johnson voltou à linha parecia ofegante.

— Você está brincando, não é?

— Quem me dera. — Goodman suspirou. — Segui Nikki até o escritório dele ontem.

— Aquele gordo desgraçado... — murmurou Johnson. Era o sujo falando do mal lavado, mas Goodman concluiu que não era o momento de ficar proferindo insultos.

— Nikki diz que contratou Williams para obter respostas. Porque até agora não demos nenhuma. E porque está cansada de ser tratada como suspeita.

A gente já deu um monte de respostas, pensou Johnson. *O problema é que ela não gosta de nenhuma porque todas indicam que ela é culpada.*

A mente de Johnson se esforçou para processar essa nova informação. Por que a Dra. Roberts havia contratado Derek Williams? Se ele tinha razão e Nikki estava por trás dos assassinatos, não fazia sentido a psicóloga contratar um detetive particular.

A não ser que esteja usando Williams para descobrir nossos podres. Para tirar o crédito da nossa investigação e sair impune. Literalmente.

Os pensamentos de Johnson viraram um turbilhão de confusão. Parte dele queria compartilhar essas dúvidas com Goodman. Mas seu colega já acreditava que ele estava contra Nikki. Essa nova teoria seria a cereja do bolo. Por outro lado, não podia ficar sentado sem fazer nada enquanto ela instruía o terrível Williams a pisotear em toda a investigação como a porra de um elefante.

— A gente tem que colocar um freio nele — declarou Johnson.
— Finalmente concordamos em alguma coisa. A questão é: como?

Os dois ficaram em silêncio por um instante. Então, Johnson disse:
— Um de nós precisa fazer uma visitinha a ele.
— Um, não. Os dois. A gente conversa sobre isso quando você chegar.

Goodman desligou o telefone e colocou as transcrições do julgamento de Kovak de volta na pasta.

Bom, parecia que ele e Johnson estavam no mesmo time novamente, embora fosse uma parceria estranha. Era um pequeno passo na direção certa. Ele se lembrou do velho conselho de seu pai, sobre manter os amigos perto e os inimigos mais perto ainda. Lou Goodman sempre tentou adotar esse lema para sua vida.

E esse era um dos motivos pelos quais ele ainda estava vivo.

CAPÍTULO VINTE E NOVE

Derek Williams folheava de qualquer jeito a última edição da *Angeleno Magazine*, espiando o relógio de vez em quando. Estava na sala de espera do consultório particular de Haddon Defoe em Beverly Hills, seu traseiro amplo encaixado numa poltrona italiana de couro que custara os olhos da cara. Para Williams, a sala tinha um ar propositalmente "chique", como se os quadros de estrelas do cinema mudo alinhados nas paredes ou o elegante vaso de vidro veneziano repleto de peônias na mesinha de centro compensassem os honorários ridiculamente caros que Defoe cobrava de seus pacientes particulares.

Williams estava ciente de que o trabalho com fins lucrativos era apenas uma pequena parte do que Haddon Defoe fazia para viver. O detetive havia feito o dever de casa e estava familiarizado com o trabalho incansável do médico, ajudando os dependentes químicos da cidade e oferecendo os cuidados básicos de saúde aos sem-teto. Isso sem contar as doações particulares mas vultosas às causas afro-americanas em alguns dos bairros mais violentos de Los Angeles. Pelo menos no papel, o sujeito era quase um santo. Williams não tinha por que se ressentir do consultório chique em Beverly Hills, da casa luxuosa no Palisades Riviera ou da coleção inestimável de *memorabilia* de filmes mudos. No entanto, parte dele não conseguia deixar de se irritar com a opulência pretensiosa daquela sala de espera, cheia de velas aromáticas da Diptyque e almofadas de seda, e dominada pela música clássica que saía dos alto-falantes Bose de última geração.

— Sr. Williams?

A linda secretária de Haddon, uma deusa cor de café, com pernas compridas e esguias e um sorriso fascinante, gesticulou para a porta atrás de sua bancada.

— O Dr. Defoe irá atendê-lo agora, pode entrar.

Com um barulho constrangedor de pele se descolando do couro, Williams se levantou e caminhou pesadamente até o consultório.

— Olá, Sr. Williams! Como posso ajudá-lo?

A simpatia inesperada de Defoe deixou o detetive numa situação ainda mais desvantajosa. Com um sorriso amplo, Haddon saiu de trás de sua mesa, as mangas da camisa enroladas, e estendeu a mão para Williams.

— Queria falar comigo sobre Doug Roberts?

— Isso mesmo. — Williams pressionou sua palma pegajosa na mão seca de Haddon. — A mulher dele... ou melhor, a viúva... recebeu umas ameaças bem desagradáveis. Ela é minha cliente — acrescentou ele. — Preciso descobrir se a pessoa que está fazendo as ameaças tem alguma ligação com o falecido marido.

— Nikki tem recebido ameaças? — A expressão de Haddon se anuviou. — Ela não me contou.

— Por que ela contaria? — perguntou Williams como quem não queria nada. — Digo, vocês dois são íntimos?

— Bom, eu... — A pergunta pareceu pegar Haddon desprevenido. — A polícia sabe dessas ameaças? — indagou ele, se esquivando de dar uma resposta.

Williams bufou.

— A polícia? Ah, claro. A polícia sabe. Mas vamos dizer que a segurança da Dra. Roberts não está entre as prioridades deles. Foi por isso que ela me contratou. — Ele entregou um cartão de visita. — Por isso e por outros motivos.

Haddon examinou o cartão com curiosidade. Depois se sentou e indicou com um gesto que Williams fizesse o mesmo.

— Que outros motivos? — Ele encarou o detetive com um olhar intrigado.

Williams pigarreou.

— Pelo que sei, quando Doug Roberts morreu, ele estava com a amante no carro, certo?

— Ah. Isso. — Haddon fechou a cara.

— Então é verdade?

— Sim, é verdade. Foi por isso que Nikki contratou você? Para investigar o caso de Doug?

— Em parte, sim. Ela me disse que não sabia da existência da amante até o dia do acidente. Isso o surpreende?

Haddon suspirou e massageou as têmporas.

— Não. Na verdade, não.

— Mas *você* sabia da amante? — questionou Williams. — Quer dizer, acho que sim, não é? Você e Doug eram amigos tão próximos, trabalhavam juntos e tudo o mais.

— Nós éramos próximos, sim — disse Haddon, evitando responder diretamente à pergunta de Williams mais uma vez. O médico parecia irritado, sua simpatia inicial estava rapidamente se evaporando. — Queria que Nikki esquecesse essa história — comentou, balançando a cabeça. — Pelo bem dela e de todos. Doug está morto. Lenka está morta.

— Você disse a Nikki que não chegou a conhecer Lenka pessoalmente — observou Williams, soltando a informação como se fosse um detalhe sem importância.

— Isso. Não conheci.

— Hmmm. Que estranho. — Williams parecia intrigado. Então, tirando o celular do bolso, ele o entregou a Defoe, do outro lado da mesa. — Porque isso aqui me *parece* uma foto de vocês três em um evento para arrecadar fundos há dois anos. No jantar de gala do Vitória contra o Vício, salvo engano. Não se lembra dessa noite?

Haddon observou a imagem com toda a calma antes de devolver o celular. Era uma foto de grupo granulada — as feições estavam meio borradas —, mas claramente mostrava Doug Roberts com o braço ao redor de uma mulher alta e curvilínea demais para ser a mulher dele.

— Infelizmente, não. Vou a muitos eventos de arrecadação de fundos. Ela é a morena, presumo. Certo?

— É, ela mesma. Mas acho que você a conhecia, sim, já que foi você quem a convidou para o evento e a apresentou a Roberts para começo de conversa.

Haddon Defoe deu um leve sorriso.

— Parece que você fez seu dever de casa direitinho. Vejo que Nikki fez uma boa escolha ao contratá-lo, Sr. Williams.

Ele é um cara tranquilo, pensou Williams, embora tenha notado uma pequena contração involuntária dos músculos acima da mandíbula do médico.

— Mas talvez ela não tenha escolhido bem o marido. Ou os amigos.
— Williams retribuiu o sorriso.

— Ah, eu não diria isso. — Haddon se recusava a morder a isca. — Doug e Nikki tinham um casamento sólido. E, embora eu me considere amigo de Nikki, era mais próximo de Doug. Não me sentiria bem revelando os segredos dele, ainda mais agora que ele se foi. Todo mundo comete erros, Sr. Williams. Sejam lá quais tenham sido os de Doug Roberts, com a esposa ou com qualquer outra pessoa, será que ele já não pagou por todos eles e com juros ainda por cima? Afinal, ele está morto. Partiu dessa para a melhor no auge da vida.

— *Ele* pagou pelos erros, sim — concordou Williams. — Mas, e você, Dr. Defoe?

Haddon semicerrou os olhos.

— Como assim?

Williams se recostou na cadeira.

— Vou compartilhar com você o que andei pensando: você tinha inveja de Doug Roberts. Seu suposto "amigo" era melhor que você em tudo. Tirava notas melhores nas provas da faculdade. Conseguiu um estágio de mais prestígio. Fundou as clínicas para dependentes químicos e recebeu toda a glória por isso, todo o reconhecimento público, enquanto *você* ficou em segundo plano.

Haddon deu uma risada alta.

— Não seja ridículo, cara! Isso é uma instituição de caridade, não uma competição.

— Ele se casou com uma mulher linda — continuou Williams, ignorando-o. — Uma mulher que você sempre desejou. E, como você mesmo disse, era um casamento sólido, ao contrário do seu, que ruiu depois de quanto tempo? Um ano?

— Dezoito meses — murmurou Haddon, cerrando os dentes. Por mais que tentasse, ele não conseguia sorrir ao ouvir uma menção à sua ex-mulher, Christie, e à humilhação de ter sido abandonado publicamente.

— Mas, acima de tudo, você odiava Doug por ter conseguido o cargo mais importante na clínica de reabilitação de dependentes no Cedars. Os dois se candidataram ao cargo, e fizeram você acreditar que ficaria com a vaga, não foi? Mas então seu *grande amigo*, o Sr. Carisma em pessoa, puxa o seu tapete e fica com o cargo...

— Ah, não pare agora, Sr. Williams — pediu Haddon tranquilamente, recompondo-se enquanto o detetive fazia uma pausa para respirar. — Adoro uma boa ficção. Quero saber como a história termina.

— Termina com você apresentando Doug Roberts a uma mulher chamada Lenka Gordievski. Criando uma armadilha para destruir o casamento feliz que ele tinha.

Haddon balançou a cabeça.

— Olha... — Haddon colocou as mãos sobre a mesa. — Talvez você tenha razão sobre alguns pontos, ok? Talvez eu *sentisse* inveja de Doug. Era difícil não sentir, Sr. Williams. Ele era um homem incrível, incrível mesmo. Um ser único. Mas eu também era amigo dele. E, sim, eu o apresentei a Lenka. Nikki não sabe disso, e prefiro que continue assim.

— Tenho certeza de que prefere — disse Williams, mas Haddon o interrompeu, sem paciência.

— Não é o que está pensando — insistiu o médico. — Conheci Lenka em Nova York, em outro evento de caridade. Ela era uma garota doce, tinha dinheiro, se importava com as mesmas questões que Doug e eu nos importávamos. Mas ela não foi uma *armadilha*. Eu apresentei um ao outro sem segundas intenções. Nunca planejei que Doug tivesse um caso com ela! Por que ia querer isso?

Derek Williams titubeou por um momento. Não gostava de Haddon Defoe, não acreditava na imagem de bom samaritano que o médico tentava passar. Ainda assim, alguma coisa em sua fala parecia estranhamente convincente.

— O que sabe sobre o passado de Lenka? Sobre a vida dela na Rússia? — perguntou Williams.

— Nada. Como eu disse, ela não passava de uma conhecida.

Williams balançou a cabeça.

— Não estou comprando essa mentira, Dr. Defoe. Veja bem: eu fiz uma pesquisa sobre a Srta. Gordievski essa semana. E o mais curioso de tudo é que não há nada.

— Não entendi.

— Nem eu! — concordou Williams. — É algo impressionante. Não há registro da saída dela da Rússia, nem da entrada nos Estados Unidos, embora obviamente ela tenha feito as duas coisas. Não há endereço registrado no nome dela antes de chegar a Los Angeles, nem histórico de crédito. Você diz que ela tinha dinheiro, mas não consegui encontrar nenhum registro de contas bancárias. Só encontrei o proprietário do imóvel que ela alugava aqui em Los Angeles, que me deu o sobrenome dela sem querer, mas disse que a mulher sempre pagava em dinheiro vivo. É quase como se ela fosse uma espiã ou coisa do tipo! — Williams soltou uma gargalhada fria. — Ou alguém que usava uma identidade falsa. Talvez ela estivesse no programa de proteção à testemunha...

— Eu já disse: mal a conhecia — insistiu Haddon.

— Ela foi amante do seu melhor amigo por um ano! — exclamou Williams, com ironia. — Você deve ter se encontrado com ela várias vezes. Mas mentiu para Nikki com relação a isso, do mesmo jeito que está mentindo para mim agora. *Quem* era ela, Dr. Defoe?

— Sei lá! — gritou Haddon, frustrado. — Pelo amor de Deus, cara, qual é o seu problema? Você tem razão, eu menti para Nikki quando disse que não conhecia Lenka. Mas você não faria a mesma coisa no meu lugar? Doug amava Nikki. Aquele caso era um erro, uma paixãozinha. Estava fadado a acabar.

— E de fato acabou. Em uma bola de chamas na autoestrada que, de maneira muito conveniente, deixou *você* no comando de toda a operação da instituição, além da vaga que abriu no Cedars para exatamente o mesmo cargo que tinha almejado. Você se candidatou à antiga vaga do Dr. Roberts, não foi, Dr. Defoe?

Haddon fechou a cara, desistindo de tentar conter a raiva.

— Sim, eu me candidatei à vaga. Porque sou um profissional altamente qualificado. E, além do mais, por que não faria isso? Doug teria gostado de saber que eu me candidatei. Ele teria me dado toda a força, algo que você saberia se conhecesse Doug. Como se atreve a entrar no meu consultório e fazer acusações e insinuações?

— Não estou fazendo acusações.

— Ah, acho que está, sim. — Haddon voltou a elevar o tom de voz. — Está me acusando de querer a morte de Doug! É isso que você pensa. Mas está enganado. Ele era meu *melhor amigo*. Então sinto muito que isso não tenha aparecido na sua pesquisa, Sr. Williams, mas a verdade é essa. Isso é um fato.

Williams abriu a boca para falar, mas Haddon o interrompeu.

— Chega! — vociferou, tremendo de raiva. — Saia do meu consultório agora!

Do lado de fora, parado sob o sol na estrada Bedford, Derek Williams se perguntou se havia ido longe demais e qual seria o resultado da conversa com Defoe. Será que Haddon ligaria para Nikki e reclamaria com ela? Será que o médico diria que o cão de guarda que ela contratara estava no caminho errado para descobrir informações sobre Lenka? Será que tentaria convencê-la a despedir Williams e deixar a polícia cuidar de tudo?

Williams duvidava disso. Haddon Defoe havia mentido para Nikki sobre não conhecer a amante de Doug. Aquela situação era uma caixa de Pandora que o médico não queria voltar a abrir. Tampouco era a intenção de Haddon entrar nos detalhes obscuros de sua rivalidade profissional com Doug, informação que Williams podia apostar que Nikki desconhecia. Era impressionante a frequência com que as pessoas se contradiziam só porque não queriam arrumar confusão. Derek Williams via isso acontecer todos os dias.

Felizmente, Derek já estava metido em confusão. Não tinha nada mais a perder, não importava quanto as pessoas tentassem prejudicá-lo.

Diante da janela do consultório, Haddon Defoe ficou observando o sapo em forma de detetive que Nikki havia contratado parado na calçada, perdido em pensamentos, antes de finalmente desaparecer no estacionamento do outro lado da rua.

O rosto de Haddon não exibia emoção alguma. Mas ele sentia um nó apertado na garganta.

Ele pegou o telefone e discou o número de um serviço de chamadas não rastreáveis. Instantes depois, com a ligação já impossível de localizar, seu telefonema foi completado.

— O detetive acabou de sair daqui — avisou Haddon. — O cara que Nikki contratou. Williams.

— E daí?

— E daí que ele é um problema — disse Haddon, curto e grosso. — Precisamos tomar uma providência.

— Então... estou em um dilema.

Anne Bateman olhou para Nikki, mordendo o lábio inferior, nervosa. Era a primeira sessão a que comparecia desde a briga no concerto, e ambas queriam que tudo corresse bem.

— É sobre o meu marido. Meu *ex-marido* — acrescentou Anne, num impulso. — Mas você precisa me escutar até o fim. Não tire conclusões precipitadas.

— Tudo bem — concordou Nikki tranquilamente, tanto para combater os próprios medos quanto os de Anne, sentindo-se animada por ouvir a paciente usar a palavra "ex-marido".

Aquilo era novidade, e Nikki esperava que significasse que os trâmites do divórcio estivessem de fato avançando. Mas depois de tudo que Derek Williams lhe contara sobre o ex de Anne, ela ainda não sabia bem como lidar com a situação. Deveria contar tudo o que descobrira? Avisar sua paciente de que o ex talvez não fosse quem ela imaginava ser? Isso colocaria em risco o que quer que tivesse restado da amizade entre elas, a intimidade que haviam conquistado e que significava tanto para Nikki. Por outro lado, se ela não dissesse nada, se Williams estivesse certo sobre a vida secreta de Luis Rodriguez como narcotraficante e alguma coisa acontecesse com Anne... Ela quase quis bater na madeira ao pensar nisso. A história toda era uma confusão.

— O que tem seu ex-marido?

Anne respirou fundo.

— Ele está aqui. Em Los Angeles. Eu o vi.

— Entendo — falou Nikki, com uma calma que estava longe de sentir. Luis Rodriguez estava na cidade? O que aquilo significava para a investigação? E para sua própria segurança? Será que Williams sabia disso? Será que a polícia sabia?

Não diga nada, disse Nikki a si mesma. *Deixe Anne falar. Deixe que ela venha até você.*

— Ele me disse que está aqui a trabalho, mas não sei se acredito — prosseguiu Anne. — Acho que veio atrás de mim. Para tentar me convencer a voltar com ele.

— Entendo. — Nikki se esforçou para esconder o choque. — E como foi que vocês acabaram se encontrando?

— Não foi escolha minha! — defendeu-se Anne rapidamente. — Ele armou uma emboscada para mim. Bem aqui, na verdade, do lado de fora do prédio. No dia que cancelei, eu tinha vindo aqui, para a terapia. Foi quando o encontrei.

Nikki sentiu os pelos do braço se arrepiarem. Rodriguez havia estado *ali?* Em frente ao seu consultório? Ele estivera perto demais.

— Não contei a você na hora porque não queria... — Anne contorceu os dedos, aflita. — Sei como se sente em relação a ele. E eu não queria piorar as coisas. Entre nós duas.

Sentada em sua poltrona, Nikki esticou o braço e segurou a mão de Anne.

— Sinto muito por ter feito você se sentir assim. Estou aqui para ajudá-la. Sempre estarei. Espero que saiba disso.

— Agora eu sei. — Anne fungou.

— Gostaria de saber mais sobre ele — declarou Nikki, vendo a chance de fazê-la se abrir.

Anne pareceu surpresa.

— Sério? O que, por exemplo?

— Qualquer coisa, na verdade. — Nikki sorriu. — Não sei se você já percebeu, mas nunca me contou o nome dele.

— O nome dele é Luis. Luis Rodriguez.

— E você não quis usar o sobrenome dele?

— Eu não colocaria isso em análise. — Anne deu uma risada, satisfeita por ver que a conversa finalmente parecia estar correndo tranquila. — Sempre me apresentei usando o sobrenome Bateman, então não fazia sentido mudar.

— É justo. E, se bem me lembro, você mencionou que ele trabalhava com empreendimentos imobiliários, certo?

— Isso mesmo.

— E ele trabalha só com isso?

A pergunta foi feita de forma tão casual que Anne nem pareceu estranhar.

— Até onde sei, sim. É por isso que não acredito que ele esteja aqui a trabalho. Todos os negócios dele são na Cidade do México, então por que viria para cá, se não fosse para me ver?

A perplexidade de Anne pareceu genuína aos olhos de Nikki. Se Williams estava certo sobre o império do crime de Rodriguez, então a esposa dele não fazia ideia. Nikki apostaria a reputação profissional nisso. Ou o que restava dela.

— A verdade é que ele me assustou naquele dia, aqui fora. Ele foi tão enérgico, tão insistente em me convencer a voltar para ele. Mas não foi violento — acrescentou Anne, rapidamente. — É mais como se ele meio que... me *dominasse*. Luis é um homem muito teimoso, muito determinado. Quando quer alguma coisa, não sossega até conseguir.

— E ele quer você — acrescentou Nikki em voz baixa.

— Sim. Quer. Ele me quer. — A voz de Anne era quase um sussurro.

Nikki deixou o silêncio tomar conta do consultório por uns bons vinte segundos antes de voltar a falar.

— E quanto a você, Anne? O que você quer?

— Eu quero ser livre — respondeu Anne em tom firme e de maneira muito mais categórica do que Nikki esperava. — Uma parte de mim sempre vai amar Luis. Essa é a verdade nua e crua. Mas eu quero viver a minha vida, Nikki. Quero parar de desconfiar de tudo o tempo todo.

— Então você está pronta para deixar isso tudo para trás. — Nikki abriu um sorriso de aprovação e sentiu uma doce sensação de alívio percorrendo seu corpo. Ela queria que Anne fosse livre. Esperava um dia ser livre também. Assim que todo esse pesadelo com os assassinatos acabasse e Derek Williams descobrisse a verdade sobre o caso de Lenka e Doug e tudo o mais que aconteceu no ano anterior. Assim que aquele pesadelo de mortes tivesse um fim.

— Sim — concordou Anne. — Estou pronta. Mas é aí que está o dilema. Também preciso que Luis esteja pronto. Preciso que ele volte para casa, não porque estou mandando, mas porque *ele* compreendeu que nosso relacionamento acabou. Preciso que os homens dele parem de me seguir. Mas acho que isso só vai acontecer quando ele e eu conseguirmos dar ao nosso casamento uma espécie de encerramento. De alguma forma, precisamos concordar em ser amigos. Em dar um novo começo à nossa relação.

— Entendo. — Nikki ainda estava tentando se adaptar a essa nova Anne, a essa mulher mais forte.

— E é sobre isso que eu queria conversar... — continuou Anne, encorajada pelas reações positivas de Nikki. — Ele me convidou para um baile no Four Seasons amanhã à noite, da Parceria pela Vida contra as Drogas. Acho que eu devia ir.

Uma expressão de dor tomou conta do rosto de Nikki. Ela e Doug costumavam ir ao mesmo jantar de gala. Era uma das noites preferidas do casal, uma rara chance para Nikki vestir uma roupa especial e para que os dois saíssem juntos em um "encontro romântico" de verdade. Memórias boas daquela época se misturaram a uma preocupação genuína com o bem-estar de Anne.

— Você acha que deve sair com seu ex-marido em um encontro? — perguntou Nikki.

— Não seria um encontro.

— Então por que ir?

— Para recomeçar as coisas entre nós, como eu disse — explicou Anne. — Para mostrar a ele que podemos ser amigos, que ele não "me perdeu", mas que as nossas vidas precisam continuar.

Pela forma como Anne falava, parecia algo tão sensato, tão racional... Mas ainda assim o alarme não parava de tocar na cabeça de Nikki. Aquilo era perigoso. Aquilo era errado. Algo de ruim ia acontecer.

— O trabalho filantrópico é uma das poucas coisas que Luis e eu temos em comum — prosseguiu Anne, da maneira mais sincera. — Ele se importa muito com o problema das drogas no México... aliás, no mundo todo. Você se lembra do que contei sobre a irmã dele?

Nikki assentiu. Ela se lembrava. Ainda tinha dificuldade em conciliar essa imagem de Luis Rodriguez, do herói que combatia a dependência química, com a versão de Williams, do magnata da cocaína e da *krok*, cuja vida de luxo havia sido totalmente construída sobre a desgraça e o desespero dos outros.

— É por isso que eu acho que esse evento pode ser uma boa oportunidade para nós recomeçarmos. O fato de a irmã dele ter morrido de overdose mudou a vida do meu marido. Talvez seja hora de ele mudar outra vez, sabe? Começar um novo capítulo. O que acha?

Essa é a minha chance, pensou Nikki. *É agora que eu revelo o que Williams me contou.* Se ela iria alertar Anne, aquele certamente era o momento.

— Não tenho muita certeza — respondeu Nikki para ganhar tempo. Mas Anne continuou falando, empolgada.

— Luis doou milhões de dólares para instituições de caridade que vêm ajudando dependentes químicos e programas de reabilitação ao longo dos anos, como aquele que seu marido comandava. — Anne sorriu, e a impressão era de que ela havia acabado de se dar conta disso. — Sei que não quer acreditar, mas ele não é uma pessoa de todo ruim, entende?

— Tenho certeza de que não é — concordou Nikki, se xingando por ser tão covarde.

— Então eu devo ir ao baile com ele? Ou não? — Os olhos inocentes de Anne miravam Nikki em busca de uma orientação.

— Não posso responder por você. — Nikki se sentiu mal por se eximir da responsabilidade, mas que escolha tinha? Não conhecia Luis Rodriguez pessoalmente. Não tinha como saber qual versão do mexicano era a verdadeira: a contada por Williams ou a de Anne. Ou se, como Derek havia sugerido, ambos os lados coexistiam. Afinal, Robin Hood ajudava os pobres, mas para isso roubava dos ricos. — Você precisa se decidir sozinha. Só não abra mão do seu direito de querer ser livre. Com isso em mente, faça o que *você* acredita que vai ajudá-la a alcançar esse objetivo.

Depois da sessão, Nikki tentou processar os próprios sentimentos conflitantes. Embora a ideia de Anne comparecer ao baile com o ex--marido fosse aterrorizante por um lado, por outro, Nikki sentia um grande alívio. Porque as grandes lições daquela sessão certamente foram de que: a) o casamento de Anne finalmente havia acabado, pelo menos no coração da paciente; e que b) Anne não fazia a menor ideia da suposta "vida secreta" de Luis como barão das drogas. Se é que isso era verdade mesmo.

Mais uma vez, Nikki se viu duvidando do que Derek Williams lhe contara sobre o passado de Luis Rodriguez. Goodman havia dito para ela que não confiasse em Williams. E, embora a certeza do detetive particular a seduzisse, até agora ele não tinha apresentado nenhuma evidência concreta da ligação entre Rodriguez e a *au pair* desaparecida, Charlotte Clancy, ou pelo menos nada que indicasse que a fortuna do mexicano tinha sido construída com base em algo além de seus empreendimentos imobiliários. Nikki queria acreditar em Williams. Queria acreditar que o ex-marido controlador de Anne era um criminoso e um homem muito mau. Mas querer acreditar em alguma coisa sempre foi um ponto de partida perigoso.

Nikki pegou o celular e foi passando pelas mensagens antigas até encontrar a que queria. Fazia mais de um mês que havia recebido aquela mensagem de Haddon.

O Dr. Haddon Defoe cordialmente a convida à sua mesa no baile da Parceria pela Vida contra as Drogas deste ano.

Nikki já havia respondido que não iria havia semanas. Desde a morte de Doug, tinha adquirido o hábito de recusar todos os convites para eventos sociais. A única coisa pior do que ver sua vida se desintegrar por causa do luto e da vergonha era permitir que isso acontecesse diante de uma plateia. As cinco palavras que Nikki mais odiava naquele momento eram: "Sinto muito pela sua perda."

"Como você pode sentir muito?", era o que queria gritar toda vez. "Você nem me conhece!"

Mas agora as coisas eram diferentes. Agora Nikki tinha uma razão para ir, uma razão para vestir uma roupa de festa, sorrir, trocar apertos de mãos e tolerar as ondas nauseantes de condolências. Essa seria sua chance, talvez sua única chance, de ver Luis Rodriguez com os próprios olhos, em pessoa. De tirar as próprias conclusões sobre ele, em vez de apenas confiar cegamente nas informações de Derek Williams ou de Anne. Se havia uma possibilidade, mesmo que remota, de Luis estar envolvido nos casos do Assassino Zumbi, então ela devia tentar descobrir tudo o que pudesse, honrando a memória de Trey e de Lisa. Além do mais, se Luis de fato era um mau-caráter, conforme Williams havia alegado, ela estaria mais preparada para se defender, e talvez defender Anne também.

Haddon vai ficar feliz de saber que mudei de ideia, pensou Nikki, enquanto digitava um novo e-mail.

Desde a morte de Doug, Haddon tinha sido um grande amigo e alguém em quem ela podia confiar.

Oi, escreveu ela. *É tarde demais para aceitar o convite de me juntar à sua mesa amanhã à noite?*

A resposta chegou em segundos.

Claro que não! Vou adorar. Vejo você lá. Bjs, H

Nikki guardou o celular e abriu um sorriso. Estava empolgada e nervosa ao mesmo tempo. De um jeito ou de outro, as coisas estavam começando a acontecer.

E já não era sem tempo.

CAPÍTULO TRINTA

O salão de festas do Four Seasons, localizado na icônica Rodeo Drive, em Beverly Hills, era um lugar grandioso e com vários níveis, dominado por um palco espaçoso e formal em uma das extremidades. Do centro do teto pendia um candelabro colossal em forma de espiral, acima de uma pista de dança rodeada de mesas, e iluminava um tapete azul e dourado que poderia muito bem estar no palácio de algum sultão no deserto.

A riquíssima instituição de caridade Parceria pela Vida contra as Drogas, organizadora do evento, tinha movido mundos e fundos para transformar o espaço já luxuoso em uma visão de conto de fadas de proporções homéricas. Só as flores — arranjos enormes de hortênsias e rosas brancas, cada uma do tamanho de um homem adulto — deviam ter custado centenas de milhares de dólares. Placas de prata polida brilhavam e reluziam à luz de velas sobre mesas cobertas com toalhas de linho brancas, taças de cristal lapidado e inestimáveis talheres de porcelana da Spode. No palco, uma orquestra de cordas de dezoito integrantes tocava em roupa de gala, enquanto os garçons — todos parecendo estrelas de cinema andando de um lado para outro entre o grande número de convidados — ofereciam caviar e taças de champanhe vintage, além de coquetéis sem álcool para os convidados da Alcoólicos Anônimos e da Narcóticos Anônimos.

Tudo era tão exagerado que a impressão era a de se estar entrando em um suflê decadente prestes a desmoronar. De mau gosto, na opinião de Nikki, sobretudo quando se considerava a vida das pobres almas perdidas, destruídas pelas drogas, que o evento supostamente pretendia ajudar. Mas ela já era cobra criada e sabia que, pelo menos em Los Angeles, era preciso gastar dinheiro para ganhar dinheiro nesse tipo de evento de arrecadação de fundos. Sim, aquela permissividade era obscena, desde o salão à comida avaliada pelo Guia Michelin até os vestidos de alta-costura, alguns mais caros que um ano de salário da maioria dos garçons ali. Mas, com o ingresso a mil dólares por cabeça e as mesas custando vinte vezes esse valor — além de um leilão que aconteceria após o jantar e que, pela cara, arrecadaria milhões de dólares —, do ponto de vista da caridade, aquela noite já era um sucesso estrondoso.

— Nikki, minha querida! Que bom que você veio!

Haddon Defoe estava mais elegante do que nunca, num terno Armani de corte perfeito e uma gravata de seda azul-clara. Ele era todo sorrisos ao se aproximar dela e cumprimentá-la com um beijo em cada bochecha.

— Eu bem estava precisando de apoio — confidenciou ele. — Tenho que fazer um discurso essa noite e estou em pânico. Doug sempre teve mais habilidade com isso do que eu.

Nikki deu um abraço carinhoso em Haddon, inalando a essência do pós-barba caro misturado com o antisséptico bucal. Haddon sempre foi uma daquelas pessoas que tinham tudo para ser atraentes, mas de alguma forma não eram.

— Você vai se sair bem — garantiu ela. — É uma honra ser convidado para um discurso desses.

— Pois é. Uma honra que eu não podia recusar. A Parceria pela Vida contra as Drogas foi uma das nossas maiores doadoras esse ano.

Nikki ergueu a sobrancelha. No passado, Haddon e Doug haviam penado para obter apoio dessas grandes instituições que faziam caixa dois e nas quais se fiavam tantas pequenas instituições de caridade que ajudavam dependentes químicos. Em grande parte, tiveram essa dificuldade porque faziam questão de que as clínicas deles fossem autônomas, e nenhuma doação que aceitassem poderia ser na base do uma mão lava a outra.

— Isso é bom, não é? — Ela olhou para Haddon com uma expressão questionadora.

— Acho que sim — respondeu ele, a todo momento olhando por cima do ombro dela para ver quem estava chegando. — Sei lá. Talvez Doug não aprovasse. Mas esses caras tinham tanto dinheiro para oferecer esse ano... Eles conseguiram dois novos doadores de peso. E deram uma maneirada nessa coisa toda do compartilhamento de agulhas. Além do mais, como você sabe, com a clínica de Venice a gente passou a precisar muito do dinheiro.

— Você não precisa se justificar — garantiu Nikki, tocando o braço dele.

Ela estava linda naquela noite, pensou Haddon enquanto a admirava. Usava um tomara que caia vermelho longo, o cabelo escuro preso em um coque e brincos de diamante refletindo na pele suave de seu pescoço e de seus ombros. Não era um traje de uma mulher em luto, sem sombra de dúvida. Será que tinha vestido aquela roupa como uma espécie de declaração? Para simbolizar o fim do período oficial de luto?

— Doug se foi — continuou ela, como se estivesse lendo a mente de Haddon. — Agora você é quem deve tomar essas decisões. Além do mais — ela sorriu —, Doug não era perfeito. Nem todas as decisões que ele tomou foram corretas.

— Isso é verdade. — *Mas nem todas as suas também são, Nikki*, quis acrescentar Haddon enquanto olhava uma segunda vez para a entrada. Não conseguia acreditar que estava vendo a figura rotunda de Derek Williams, o abjeto detetive particular contratado por ela, na entrada do salão. *Mas que diabo ele está fazendo aqui?*

Haddon cogitara contar a Nikki sobre a visita de Derek Williams e todas as acusações insensatas e ofensivas que fizera. Mas, no fim das contas, achou melhor não falar nada. Se em algum momento Williams contasse a Nikki sua versão da conversa, o médico estaria preparado para se defender e contra-atacar. Mas, se o detetive não fizesse isso, então era melhor deixar a história de lado. A última coisa que Haddon queria era retomar o assunto Doug/Lenka com Nikki. Os mortos deveriam poder descansar em paz.

Nikki seguiu o olhar de Haddon e também pareceu espantada. Williams não havia mencionado nada sobre comparecer ao evento. Por outro lado, talvez ele não soubesse que *ela* iria. Afinal, a própria Nikki só confirmou a presença na última hora, para ter a chance de encontrar Luis Rodriguez. Será que Derek estava fazendo a mesma coisa? Ela torcia para que ele não tivesse esquecido que sua prioridade era descobrir mais informações sobre Lenka.

— Vejo você na mesa mais tarde — despediu-se Haddon, saindo de fininho para receber calorosamente algum dos outros VIPs. Nikki estava prestes a ir até Williams quando de repente viu Anne no meio do salão, entretida numa conversa com um dos fundadores da Parceria pela Vida contra as Drogas.

Nikki se aproximou e esperou pacientemente que a conversa terminasse antes de abordá-la.

— Surpresa!

— Nikki?

Por um instante Anne pareceu quase irritada. Ela estava usando um vestido preto curto estilo melindrosa com franjas de seda na barra. Aparentava ser mais nova do que realmente era, embora sua pele clara parecesse um pouco maltratada.

— O que está fazendo aqui?

— Recebi um convite de última hora. — Nikki ficou ruborizada. Um pouco surpresa com a reação de Anne, resolveu dar uma leve distorcida na verdade. — O sócio de Doug, Haddon Defoe, me convidou para a mesa dele.

— Ah — disse Anne, um pouco mais tranquila. — Que legal.

— Está tudo bem? Você parece meio tensa.

Anne suspirou.

— Luis não vem — explicou, a decepção estampada no rosto. — Parece que houve um problema de última hora e ele não pôde vir.

Nikki se esforçou para esconder a própria decepção. Não sabia exatamente o que esperava conseguir ao ver o marido de Anne cara a cara, mas a ausência dele a fez se sentir traída.

— Sinto muito — disse Nikki. — Sei que essa noite significava muito para você.

Anne passou a mão no cabelo, frustrada.

— Ah, não sei. Quando descobri que ele não viria, não soube dizer se fiquei aliviada ou desapontada. Quer dizer, eu queria vê-lo, mas ao mesmo tempo não queria. Odeio sentir que ele tem todo esse poder sobre mim. Você entende?

— Claro que sim — respondeu Nikki, com sinceridade. Mesmo morto, Doug ainda exerce um enorme poder sobre suas emoções e ações. Ela mal podia imaginar como devia ser difícil se desvencilhar de um homem complicado e controlador como Luis Rodriguez uma vez que ele decidia que não queria que isso acontecesse.

Um sino tocou, indicando que era hora de os convidados se sentarem para o jantar. Nikki olhou de um lado para outro novamente para ver se achava Derek Williams, mas não o encontrou em lugar algum. Enquanto isso, Haddon acenava para ela, chamando-a para a mesa.

— O que foi? — perguntou Anne, notando a apreensão de Nikki.

Atrás de Haddon, parados à porta como um par de sentinelas, estavam os detetives Goodman e Johnson. Goodman olhou para Nikki, do outro lado do salão, e acenou. Estava absurdamente bonito em um paletó com gravata-borboleta, uma versão mais alta do Frank Sinatra quando jovem. Nikki corou e apenas meneou a cabeça de leve em resposta.

— Ah, nada. — Tentou soar tranquila ao voltar a se dirigir a Anne. — Acabei de ver um velho amigo. Tente aproveitar sua noite, mesmo sem Luis. A gente se encontra mais tarde de novo, depois do jantar, pode ser?

Havia algo de errado naquela noite. *Primeiro Williams, e agora os policiais?*

De repente ocorreu a Nikki que talvez *ela* fosse a coisa errada. Será que Goodman, Johnson e Williams estavam ali por causa dela? De olho nela? Para protegê-la? Nesse caso, proteger de quê? Ou de quem?

Ou talvez houvesse outro motivo, outro elo que ela ainda não tinha enxergado entre um dos convidados da noite e os assassinatos de Lisa e Trey. Outro fio da teia.

E será que era apenas coincidência a polícia estar ali, mas, no último segundo, Luis Rodriguez, o homem do momento, não estar?

O jantar estava delicioso.

Após a entrada — atum ao molho tártaro com chips de batata-doce —, veio o prato principal, que deixou Nikki com água na boca: bife Kobe cortado em fatias finas e espaguete de massa fresca com raspas de trufas brancas, tudo acompanhado por um Chablis vintage revigorante. A combinação da comida com o vinho e a companhia estimulante fez com que Nikki começasse a relaxar. O homem ao lado dela era um sujeito fascinante, um neurocientista de Berkeley especializado na regeneração das conexões neurais após danos cerebrais provocados pelo uso de drogas. Quando Haddon se levantou para falar, Nikki se deu conta de que estava se divertindo. Isso a surpreendeu. Ela havia se esquecido completamente de Luis, e até de Anne, embora ainda estivesse de olho no detetive Goodman, sobretudo porque sabia que ele estava de olho nela também.

— Eu não estaria aqui hoje se não fosse por um homem extraordinário que muitos de vocês conheceram: o incrível Dr. Douglas Roberts.

A voz de Haddon banhou Nikki como água morna. Enquanto ele contava histórias de Doug e dos velhos tempos, algo que semanas antes a teria feito chorar, ela percebeu que se sentia estranhamente bem, tomada por uma espécie de torpor. *Será que estou bêbada?* Quando Haddon finalizou seu discurso e o leilão começou, ela foi ficando menos atenta e sua visão começou a embaçar. Rostos se fundiram uns nos outros, todos banhados pela luz suave das velas. Ela deveria estar à procura de alguém. Quem era essa pessoa mesmo? *Alguém...*

Lou Goodman viu quando Nikki Roberts se recostou na cadeira e fechou os olhos. Ela estava deslumbrante aquela noite, mais sexy do que nunca no vestido vermelho colado ao corpo. Era difícil tirar os olhos dela por um segundo que fosse. Mas ele sabia que precisava fazer isso.

A duas mesas de distância de Nikki, bem perto do palco no qual o leiloeiro conduzia a multidão a um frenesi de ostentação, Nathan Grolsch estava sentado, atraindo a atenção das pessoas ao lado do desastre oco que era sua mulher. Só de olhar para a cara enrugada, rancorosa e hipócrita do velho Grolsch todo animado com os "amigos" à sua volta, Goodman já sentiu o estômago revirar. Rodeado por alguns dos super-ricos mais famosos de Los Angeles — a mesa dos Grolsch contava também com um magnata do ramo imobiliário de Bel Air e com um lendário dono de cassino de Las Vegas acompanhado da esposa, além do russo que era o novo dono do time de futebol LA Galaxy, entre outros —, o velho Grolsch estava nitidamente gostando de representar o papel de filantropo generoso.

Goodman relembrou sua breve conversa com os pais de Brandon na casa deles. Nunca se esqueceria da falta de compaixão de Nathan Grolsch pelos dependentes químicos e de como ele tratava o próprio filho.

Meu filho era um viciado. Um merdinha inútil e mentiroso que jogou a vida no lixo por causa das drogas.

Fran, a mãe de Brandon, havia se mostrado uma pessoa mais empática, talvez porque nitidamente tivesse um problema com calmantes. Mas, ao longo dos anos, a agressividade do marido havia acabado com Fran, e, quando o pobre Brandon estava vivo, ela não se mostrou mais útil ao filho do que seu pai frio e arrogante. Agora que ele estava morto, ali se encontravam os dois, em um evento da Parceria pela Vida contra as

Drogas. E, por mais incrível que pudesse parecer, Nathan ainda estava abrindo a carteira para dar lances como se a causa tivesse alguma importância para ele.

— Ei, Goodman — sussurrou Johnson no ouvido do parceiro ao retornar do bar. — Quer ouvir uma piada engraçada?

— Eu vou dizer o que é uma piada. *Aquilo ali* é uma piada. — Goodman apontou com nojo para a guerra pública de lances entre Nathan Grolsch e um dos homens na mesa de Nikki Roberts, que disputavam um fim de semana em um superiate na Sardenha. O valor já havia ultrapassado os duzentos mil dólares, e nenhum deles parecia inclinado a interromper os lances. — Grolsch é um exibido do caramba. Virou as costas para o próprio filho. Se ele se importasse mesmo com a causa, faria uma doação anônima e ponto final.

— Hmm — resmungou Johnson. Ele não estava disposto a derramar lágrimas de crocodilo por um drogado rico e mimado como Brandon Grolsch. O pai do garoto era um babaca. E daí? Que pai não era?

— Olha só quem voltou — falou Johnson, tentando atrair a atenção de Goodman, que estava relutante em tirar os olhos dos lances do leilão. Johnson apontou para as mesas menos caras, à direita, mais distantes do palco, e Goodman seguiu com o olhar. Parecendo um ovo de terno, Derek Williams estava espremido em uma roupa pelo menos dois tamanhos menor que o dele, com os botões da blusa branca abertos nas casas do meio. Ele se misturava aos presentes, tomando notas e entregando cartões de visita como se fosse um daqueles vendedores irritantes de carros usados.

— Vou me livrar dele — declarou Johnson, pondo a cerveja na mesa com um tinido.

— Não. — Goodman pôs a mão no braço do parceiro. — Deixe que eu faço isso. Fique de olho nas mesas.

Johnson abriu a boca para reclamar, mas Goodman já havia partido.

*

Derek Williams estava cansado.

Ele havia comparecido ao evento porque ficou sabendo que Luis Rodriguez estaria presente. A última vez que quase encontrou o homem, Williams foi sequestrado, espancado e deportado sumariamente. Quase uma década tinha se passado, mas ele não conseguia esquecer a história de Charlotte Clancy e o misterioso americano que, na cabeça dele, certamente contava com a proteção de Rodriguez. Ele se lembrava das perguntas que queria fazer como se tudo tivesse acontecido ontem e esperava ter a chance de finalmente perguntá-las naquela noite, como uma forma de fazer justiça a Charlie.

Mas não era para ser. Mais uma vez o desgraçado tinha escapado por entre seus dedos, dando para trás em cima da hora. Por sorte, havia vários outros convidados para manter Williams ocupado. Mesmo exausto, não demorou muito para que as conexões começassem a se formar em sua mente, as sinapses estalando como fogos de artifício, uma atrás da outra.

Nikki estava ali, e como convidada de Haddon Defoe ainda por cima. Williams não esperava por essa. Ainda não sabia o que pensar da conversa com o Dr. Defoe ou se devia acreditar nas alegações de inocência do médico sobre a amante de Doug Roberts e do misterioso passado dela. Ou melhor, a falta de passado. Cada vez mais Williams estava chegando à conclusão de que "Lenka Gordievski" era uma espécie de codinome ou alter ego. De que a mulher que havia morrido no acidente ao lado do amante, o marido de Nikki, tinha outro nome de batismo. A hipótese de estar no programa de proteção à testemunha certamente era uma possibilidade. Mas, até conseguir obter mais informações, Williams decidiu ficar em silêncio. Nikki precisava de respostas, e não de mais perguntas, e isso era tudo o que ele tinha a oferecer no momento.

Williams desviou o olhar de Haddon e Nikki para a mulher de Rodriguez, Anne, a violinista por quem sua cliente parecia obviamente encantada. E a uns cinco metros de Anne estavam os pais de Brandon Grolsch.

Williams já sabia que Brandon era o tal "zumbi" tão amado pelos teóricos da conspiração da internet — a polícia havia encontrado o DNA dele nos corpos, ou melhor, células em decomposição do corpo dele no de Lisa Flannagan, o que era horripilante e bizarro, se aquela teoria viesse a ser comprovada. Talvez o serial killer fosse do tipo que gostava de manter troféus de suas vitórias e tivesse mania de guardar unhas, mechas de cabelo e joias de suas vítimas. Vai ver o corpo de Brandon estava boiando num tonel de formol em algum lugar qualquer.

Claro que era estranho o fato de os pais dele estarem ali, sentados a duas mesas de distância do ex-amante de Lisa Flannagan, Willie Baden, que estava acompanhado de Valentina, cujo rosto parecia um fóssil petrificado, ostentando mais diamantes do que mulher de traficante. Mais cedo Williams vira o momento em que Valentina Baden e Fran Grolsch se cumprimentaram rapidamente, trocando aquele aceno breve e frio, típico de pessoas que já foram amigas. Era como se um anfitrião misterioso tivesse chamado todo o elenco do caso do Assassino Zumbi — e sem deixar de fora a abestalhada dupla Johnson e Goodman, que com certeza eram o Gordo e o Magro da Divisão de Homicídios da polícia de Los Angeles.

E foi bem nessa hora que o detetive Goodman apareceu de repente atrás de Williams, como o fantasma de Scrooge.

— Olá, Derek.

Williams pulou da cadeira, sobressaltado.

Goodman continuou:

— Eu perguntaria o que você está fazendo aqui, mas você não me contaria a verdade, contaria?

Charmoso, cortês e impecavelmente educado — isso sem contar seu físico em perfeita forma —, Goodman tinha uma expressão de presunção inata, de um homem que reconhecia, inevitavelmente, sua superioridade sobre outra pessoa. Mas, como Williams era essa outra pessoa, ele ficou irritado.

— Isso mesmo, não diria. Da mesma forma que você e o balofo ali não me contariam *o que* vieram fazer numa festa elegante como essa. Tenho certeza de que os garçons não estão servindo donuts hoje.

— Certo. — O sorriso de Goodman não vacilou por um segundo sequer. — A única diferença é que nós somos detetives investigando um caso de duplo homicídio e estamos aqui fazendo nosso trabalho. Trabalho esse que você bem queria estar fazendo, mas fracassou... quantas vezes mesmo? Já esqueci. A questão é que nós estamos trabalhando enquanto você está... qual é a palavra mesmo? — Goodman estalou os dedos, num gesto condescendente. — Isso mesmo. *Transgredindo.* Você não tem um convite para me mostrar, não é?

Williams mordeu o lábio. Cara, como ele adoraria enfiar a mão na cara perfeita do detetive Goodman, ver aqueles dentes impecavelmente brancos e alinhados saírem voando daquela boca presunçosa reluzindo numa rajada de sangue.

— Ah, eu tenho uma coisa para mostrar, sim, bonitão — falou ele, em tom ameaçador. — Quer ir lá fora resolver isso comigo?

Goodman ergueu a sobrancelha, em um gesto de escárnio.

— Você não está falando sério, né?

— Não estou, é? Você que pensa — retrucou Williams. — Aliás, como andam as coisas com Nikki? Um passarinho me contou que ela ainda não dormiu com você. Deve doer ser rejeitado assim, hein?

— E quando foi a última vez que qualquer mulher dormiu com você? Quer dizer, sem que você precisasse pagar.

— Ao contrário de você, eu não vivo pensando em sexo — disse Williams, tranquilamente. — Ainda mais com Nikki. Na verdade, estou tentando ajudar a mulher. Talvez por isso ela confie em mim e me conte coisas que não pode nem *sonhar* em contar para você e para o outro ali, o que tem merda na cabeça. — Ele meneou a cabeça na direção de Johnson, que, para piorar, havia escolhido aquele exato momento para enfiar o dedo no nariz.

Por um breve instante Williams foi recompensado com a visão de Lou Goodman perdendo sua lendária calma. Sua pele bronzeada ficou corada em um tom horrível de vermelho, e suas narinas se dilataram.

— Cai fora daqui, Williams — ordenou Goodman, rispidamente. — Antes que eu mande prender você.

A resposta debochada de Derek Williams — "Me prender pelo quê?" — estava na ponta da língua, mas ele pensou duas vezes. Era importante saber escolher as batalhas pelas quais valia a pena lutar, e algo lhe dizia que Goodman e Johnson seriam seus adversários em várias outras que viriam pela frente.

— Vejo você por aí, detetive.

— Não se eu vir você antes.

Williams pegou o paletó e foi andando, atrapalhado, na direção da saída. Enquanto ia embora, as primeiras notas melancólicas do violino de Anne Bateman começaram a ecoar pelo salão.

Sentada à sua mesa, Nikki percebeu seus atordoados sentidos voltarem à vida quando as primeiras notas de *A ascensão da cotovia*, de Vaughan Williams, chegaram aos seus ouvidos. A música deixou todos boquiabertos e fascinados. Anne estava no palco, de olhos fechados, o corpo minúsculo vestido de preto e imóvel, o arco movendo-se para a frente e para trás como se tivesse vida própria. Pelo menos daquela vez, porém, não foi Anne quem deixou Nikki boquiaberta, mas a música em si e a nostalgia que provocou nela. Doug adorava essa composição. Ele e Nikki a ouviram inúmeras vezes, fazendo panquecas domingo de manhã, no carro durante uma das longas viagens rumo à Costa Norte. Na cama. Na lua de mel...

De repente, ela foi tomada pela emoção. Com um gemido horrível e constrangedor, uma espécie de grito sufocado e desesperado, ela se inclinou para a frente e pôs a cabeça entre as mãos.

— Está tudo bem, minha querida? — Preocupado, o charmoso neurocientista pôs a mão no ombro trêmulo de Nikki. — Quer ir lá fora tomar um ar?

Nikki balançou a cabeça, as lágrimas obscurecendo sua visão. Nos últimos meses, de alguma forma, ela havia conseguido manter a tristeza pela morte de Doug sob controle e, mais recentemente, conseguira deixar o luto de lado enquanto tentava entender os acontecimentos tão horríveis e aterrorizantes que ocorreram em sua vida. Mas, agora, graças à magistral interpretação de Anne, a caixa de Pandora tinha sido aberta. Agora não havia como voltar atrás, não havia como segurar as lágrimas, a tremedeira e a dor horrível e visceral que a rasgava ao meio, girando em suas entranhas como uma adaga.

— Está tudo bem, professor Jameson. — A voz grave, reverberante e forte de Haddon Defoe soou nos ouvidos de Nikki. — Eu cuido dela.

Nikki também não queria a ajuda de Haddon, mas ao contrário do professor, o médico não aceitaria um não como resposta. Ele a ajudou a se levantar da cadeira e praticamente a arrastou para fora do salão enquanto ela chorava sem parar. Juntos, os dois atravessaram uma porta corta fogo e saíram em um pequeno jardim externo.

— Sente-se aqui — disse ele, colocando-a com delicadeza num banco de pedra ao lado de uma cascata que gotejava suavemente. Nikki ainda chorava, as lágrimas escorrendo pelas bochechas, transformando a maquiagem em seus olhos em córregos lamacentos. Mas o choro descontrolado havia enfraquecido e dado lugar a soluços. A tempestade parecia perder força.

— O que aconteceu lá dentro? — perguntou Haddon, sentando-se ao seu lado. Em seguida, esticou a mão para tirar o cabelo do rosto de Nikki e lhe ofereceu um lenço.

— Não sei — respondeu Nikki, chorosa, aceitando o lenço. — Acho que foi a música. Ela me fez pensar em Doug e eu... eu me senti tão *triste*, Haddon! Ele se foi e... e é muito, muito triste. De repente não consegui mais aguentar essa dor.

Haddon a puxou para um abraço.

— Tadinha...

Exausta, Nikki retribuiu o abraço, apoiando-se nele. Haddon era como um irmão mais velho que ela nunca tivera. Um homem confiável. Estável. Não uma superestrela, como Doug havia sido, mas ainda assim uma rocha, que ajudava Nikki a superar todas as tempestades da vida.

— Ele não merecia você — sussurrava no ouvido dela. — Agora você sabe disso. Ele nunca mereceu você.

Seu tom de voz era baixo e reconfortante, e Nikki ainda estava tão aturdida que a princípio não entendeu o que ele dizia. O alarme só disparou quando ela sentiu a mão de Haddon por baixo do vestido, os dedos quentes e ávidos agarrando sua coxa.

— Haddon! — Ela tentou empurrá-lo, mas ele a apertava com firmeza. — Que *diabo* você está fazendo?

— O que devia ter feito há muitos anos — murmurou ele, a voz grave e gutural de tanto desejo. — Não resista, Nikki. Eu sei que você quer. Nós dois queremos. Eu amo você há tanto...

— Haddon, não! — Ela estava tão chocada com a situação que se sentia paralisada. Haddon se inclinou na direção dela, os lábios carnudos pressionando os de Nikki enquanto a beijava e a acariciava. — Eu disse NÃO!

— Está tudo bem aqui fora?

A voz do detetive Goodman cortou o ar noturno como uma navalha. Haddon Defoe pulou para trás como um gato sobressaltado.

Nikki levantou a cabeça e encarou Goodman com uma expressão de profundo alívio. Não se lembrava da última vez que havia ficado tão feliz ao ver alguém. Na verdade, pensando bem, lembrava, sim. Foi na noite em que o jovem no carro vermelho afastou o lunático que tentou atropelá-la na porta de casa. Àquela altura, o incidente mais parecia um sonho, ou algo que havia acontecido várias vidas antes.

Será que ela *tinha* sonhado? Aquela noite, mais do que nunca, Nikki teve a sensação de que a realidade estava fugindo dela.

— Está tudo bem — afirmou ela, ajeitando o cabelo e o vestido e se levantando, ainda em choque devido à patética tentativa de assédio de

Haddon. Nikki lançou um olhar rápido para ele, que a encarou completamente envergonhado.

Será que Haddon realmente acreditava que ela o desejava? Foi isso que ele disse, não foi? *Eu sei que você quer. Nós dois queremos.* A ideia era dolorosa. Haddon era amigo de Doug, seu melhor amigo. Como era capaz de fazer isso?

Por outro lado, Doug havia mentido para ela, talvez até para os dois. Talvez Haddon tivesse tanta razão quanto Nikki em sentir raiva, em se sentir traído pelo caso de Doug. Sobretudo se Haddon de fato a amava havia muito tempo.

Mas amava mesmo? Claro que não. Aquilo era uma loucura! Ela teria notado, não é? Afinal, era psicóloga. Teria percebido os sinais. É óbvio que haveria sinais se ele sentisse algo por ela.

— Tem certeza de que está tudo bem, Nikki? — insistiu Goodman.

— Ela já falou que sim — respondeu Haddon, furioso. — Ela está bem.

— Só estou meio tonta — explicou Nikki. — Devo ter bebido demais. Melhor eu ir para casa.

— Vou chamar um carro para você — disseram Goodman e Haddon em uníssono.

Nikki olhou de um para o outro.

— Obrigada aos dois, mas estou em perfeitas condições de pedir um Uber para mim mesma. Agradeço a preocupação, mas gostaria de ficar sozinha agora. Por favor.

Lá fora, na Rodeo Drive, duas filas distintas haviam se formado, uma para pegar o carro com os manobristas e outra para esperar os carros da Uber. Nikki esperou na segunda fila depois de pedir um carro pelo aplicativo, colocando o xale de caxemira ao redor dos ombros para protegê-la do vento frio e repentino da noite. Ela havia ido à festa para ver Luis Rodriguez pessoalmente e tentar apoiar ou proteger Anne. Mas, no fim das contas, foi ela quem precisou de apoio. Quanto a Luis Rodriguez, Nikki mal se lembrava do motivo pelo qual o considerara tão importante. Algo a ver com drogas, Trey e uma garota que desaparecera na Cidade do México havia muitos anos... Tudo estava meio embaçado.

— Roberts! Carro para a Sra. Roberts!

Nikki entrou num sedã impecável, com cheiro de hortelã e couro misturados com o pós-barba de aroma cítrico do motorista. Após colocar o cinto, ela teve de se concentrar por um instante para se lembrar do próprio endereço e confirmar o destino ao motorista.

O que está acontecendo comigo?

— Brentwood — disse ela finalmente. — Tigertail Drive.

Logo que se afastaram do hotel, o motorista deu uma pisada brusca no freio, e Nikki ouviu o guincho agudo do carro, que reduziu a velocidade até parar. O cinto de segurança machucou a pele dela, e o solavanco fez com que Nikki batesse a nuca no encosto de cabeça. Um homem com expressão apavorada e nitidamente aterrorizado havia pulado na frente do carro. De relance, ela viu o homem partir em disparada na direção do Santa Monica Boulevard, ignorando as buzinas e os xingamentos.

Será que estou vendo coisas ou aquele ali era Carter Berkeley?

— Tá maluco? — gritou o motorista pela janela, com um forte sotaque jamaicano, enquanto o homem fugia. — Você podia ter morrido, cara!

Então virou-se para Nikki, pediu desculpas, e logo em seguida já estavam a caminho da casa dela outra vez.

Era o Carter. Com certeza, pensou Nikki, conforme passavam pelas fileiras cerradas de palmeiras oscilando como sentinelas bêbadas ao longo do Wilshire Boulevard. *O que ele estava fazendo aqui? E por que estava com tanto medo?*

O vento soprava ainda mais forte. Não podiam ser os ventos de Santa Ana, que não eram tão frios, gélidos e ameaçadores quanto esses. No banco de trás do Uber, Nikki tentou ordenar seus pensamentos descontrolados, mas nada parecia fazer sentido. Então, de repente, começou a rir.

Não importa! Nada disso importa!

Quem se importa com o que fez Carter Berkeley correr, ou que Haddon Defoe havia se declarado para ela, ou que Luis Rodriguez não tinha aparecido na festa? Só uma coisa importava no mundo inteiro: Doug.

Doug, seu Doug, estava morto.

Nunca mais voltaria.

Nikki pegou o celular e mandou uma mensagem de texto para Williams, os dedos digitando as palavras de qualquer jeito enquanto a tela girava diante de seus olhos. *Algma novdad d Lenka?*

A resposta de Williams foi imediata e sucinta. *Não.*

Segundos depois, ela recebeu uma segunda mensagem dele.

Me avise quando estiver em casa.

Nikki se sentiu comovida. O detetive particular, hostil e grosseirão, se importava de verdade com ela. E ela se importava com ele. Ao contrário de todas as outras pessoas em sua vida — desde os pacientes a Haddon Defoe, e Lou Goodman também — a bondade de Derek Williams não era motivada por segundas intenções. Sim, Nikki estava pagando pelo serviço dele. Mas ela pagaria de qualquer forma, e ele sabia disso. A preocupação de Williams era genuína.

— Ele é um bom homem — disse em voz alta, olhando para o celular e piscando rápido para conter as lágrimas.

Doug também havia sido um bom homem. O único problema era que, no fim das contas, fora um mau marido.

Derrotada pelo luto, Nikki fechou os olhos e mergulhou imediatamente num sono profundo. Seu último pensamento foi que seria um alívio se, desta vez, ela nunca mais acordasse.

CAPÍTULO TRINTA E UM

Kevin Voss estava sentado na cafeteria do Hospital Cedars-Sinai, em West Hollywood, tamborilando os dedos nervosamente no tampo de plástico da mesa e olhando pela enésima vez para o celular.

O detetive particular Williams tinha pedido a ele que o encontrasse ali às seis da manhã. Já eram seis e dez... seis e onze... e Kevin estava começando a se perguntar se havia sido sacaneado. Afinal, não era todo dia que, do nada, alguém ligava oferecendo "centenas de dólares" por "qualquer coisa que você possa me contar sobre o Dr. Doug Roberts e a namorada dele". A verdade era que Kevin não tinha muito o que contar. A maioria das informações não passava de boatos, fofocas que circulavam entre os enfermeiros, tanto homens quanto mulheres, muitos dos quais tinham uma queda pelo Dr. Roberts. O que Kevin Voss tinha, infelizmente, eram dívidas. Cartão de crédito, empréstimo pessoal, impostos... e por aí vai. O último namorado dele, Enzo, o deixara totalmente quebrado, sugando o magro salário que Kevin ganhava como enfermeiro encarregado.

— Kevin?

Um homem gordo e ofegante que mais parecia um ataque cardíaco ambulante entrou fazendo estardalhaço na cafeteria, caminhando decidido na direção da mesa de Kevin. Quando se aproximou, ele ofereceu a mão úmida e pegajosa para se apresentar. Por sorte, o lugar encontrava-se quase vazio, porque o sujeito estava longe de ser discreto.

Olhando de um lado para outro com ansiedade, o enfermeiro anuiu com a cabeça, apertou a mão de Williams rapidamente e fez um gesto para que o detetive se sentasse.

— O que tem de bom para comer aqui? — perguntou Williams a plenos pulmões. — Fiquei acordado até tarde, um café da manhã decente seria bom.

Tão bom quanto um buraco na cabeça, pensou Kevin, enojado com as manchas de suor nas axilas do detetive.

— Você disse que queria falar em particular — murmurou Kevin.

— Disse. E é o que estamos fazendo. — Williams abriu um sorriso, foi até o balcão e, inclinando-se sobre ele, pediu dois muffins de mirtilo e um *latte* grande antes de voltar para seu assento. — Acredite, ninguém está interessado na gente. Além do mais, você não está fazendo nada de ilegal. Estamos apenas conversando sobre um velho amigo. Não existe nenhuma lei que proíba isso, certo?

— É, acho que não. — O enfermeiro forçou um sorriso. Não havia como deixar de se perguntar até que ponto esse tal de Williams era "amigo" do Dr. Roberts. Mas Kevin precisava demais da grana para ficar pensando muito no assunto. — Não posso dizer que éramos próximos — admitiu, levando um pouquinho de seu mingau de aveia à boca enquanto Williams devorava o primeiro muffin. — Mas trabalhei com o Dr. Roberts algumas vezes e gostava dele. A maioria das pessoas gostava. Era um cara do bem, mas imagino que você já saiba disso.

— Quem não gostava dele? — perguntou Williams, tomando uma golada do *latte* de maneira barulhenta.

— Como é?

— Você disse que a maioria das pessoas gostava dele. A maioria significa "nem todos". Quem não gostava de Doug Roberts?

Kevin Voss pareceu magoado.

— Ele mudou — respondeu, olhando para o mingau. — Conheceu uma mulher. Parecia russa. Tudo mudou depois disso.

— Parecia?

— O nome dela era russo. Agora esqueci qual era. E havia morado em Moscou. Mas na verdade parecia americana... no jeito de falar, sabe? O inglês dela era perfeito. Enfim, parecia que o Dr. Roberts estava enfeitiçado, ou coisa assim. Ninguém entendeu nada. E ela nem era tão atraente. Sempre achei que parecia meio *atormentada*, sabe? Aquela pessoa que foi bonita quando mais nova, mas depois que envelhece parece que carrega o peso do mundo nos ombros, entende? E era muito alta também. Mas, fora isso, não tinha nada de especial. Ainda mais em comparação com a mulher do Dr. Roberts.

Williams assentiu. Pelas poucas fotos granuladas que tinha visto de Lenka Gordievski, ela era uma magrela de cabelo castanho e um pouco mais nova que Nikki, mas nem de longe tão atraente, fisicamente falando. Usava roupas sofisticadas, mas nada revelador ou sensual demais, e estava longe de ser aquela figura da "amante russa" loura e de pernas longas do imaginário popular.

Apesar de ter se esforçado, Williams não conseguira descobrir mais nenhuma informação sobre a vida dela desde a conversa com o dono do apartamento que a mulher alugava em Los Angeles. Não conseguiu encontrar nada sobre a família, empregos anteriores ou o currículo acadêmico dela. Haddon Defoe disse que ela trabalhava para uma instituição de caridade em Nova York, mas ninguém com quem Williams conversara parecia ter sequer ouvido falar de Lenka. A mulher era um fantasma.

— Então você chegou a encontrar com ela cara a cara? — perguntou Williams.

— Algumas vezes. Ela vinha muito ao hospital. Eles almoçavam juntos bem aqui. — Kevin abriu o braço, gesticulando ao redor da cafeteria vazia. — Isso que era o mais estranho. Não era um segredo. Eles não escondiam nada. Para mim, era isso que mais incomodava o Dr. Defoe. Ele e o Dr. Roberts vinham brigando bastante antes do acidente, e tenho certeza de que tinha algo a ver com *ela*. Lenka, era esse o nome da mulher — acrescentou, satisfeito consigo mesmo por ter conseguido se lembrar.

— E como Doug Roberts e Lenka se conheceram? — perguntou Williams.

Kevin refletiu por um momento.

— Em Nova York, acho. Não tenho certeza. Algum evento de caridade. O Dr. Roberts tinha uma clínica de reabilitação...

— Eu sei — cortou-o Williams. — Você sabe o que ela fazia da vida?

— Não. — O olhar de Kevin era de preocupação. Ele desconfiava de que suas "centenas de dólares" estavam prestes a lhe escapar. — Mas sei que era rica. Talvez esse fosse um dos atrativos dela, sei lá. E ela estava sempre com um relógio, um desses de platina com diamantes ao redor do mostrador. *Chopard!* — exclamou, feliz por mais uma vez ter se lembrado de um nome, embora a expressão de Williams deixasse claro que ele não sabia do que se tratava. — Um relógio desse custa uns quinze, vinte mil — explicou Kevin. — E ela andava com uma bolsa da Hermès, e uma vez apareceu aqui com um casaco incrível de pele de zibelina. Acho que era da Fendi... talvez. Eu lembro porque o Dr. Roberts brigou com ela por causa do casaco. Na verdade, eu me lembro muito bem disso porque ele disse uma coisa estranha.

— O quê?

— Ele disse: "Ou você quer fugir ou não quer. Nunca mais use isso perto de mim!" Ele estava muito irritado.

— E como ela reagiu? — perguntou Williams, curioso.

— Ela chorou. Mas logo depois o Dr. Roberts baixou a guarda, como sempre fazia. Ele não conseguia ignorar uma donzela em apuros.

— Ele teve outras namoradas?

— Acho que não. Não. Antes de Lenka aparecer, ele era louco pela mulher. Mas ela também é uma doutora, é uma profissional supercompetente. Acho que ela não precisava dele do mesmo jeito que a russa precisava, sabe?

Williams assentiu e fez uma anotação no caderninho.

— Também ouvi dizer que ela era amiga de algumas pessoas ruins — contou Kevin, baixando o tom de voz até um sussurro. — Pessoas poderosas.

— Que pessoas? — Williams pareceu curioso.

— Não sei. E também não sei se Doug Roberts estava metido nisso. Não estou dizendo que estava. Mas dizem que os amigos dela tinham influência na prefeitura. Conseguiam contratos, coisas assim. Ouvi alguns cirurgiões comentando isso.

Williams parecia cético.

— Tudo bem, Kevin — disse, levantando-se. Em seguida, colocou a mão na carteira e pôs duas notas de cem dólares na mesa. — Obrigado pelo seu tempo.

— Duzentos? Só isso? — O enfermeiro não conseguiu esconder a decepção, ou o desespero, ao pegar o dinheiro e enfiá-lo no bolso do jaleco.

Williams deu de ombros.

— Você não me deu muita informação, garoto. Só a marca do relógio que ela usava e uns rumores vagos sobre a prefeitura...

— Não são rumores vagos! — reclamou Kevin, também ficando de pé. — Eu tenho um contato lá, uma pessoa que pode contar mais, muito mais.

— Quem? — perguntou Williams, hesitante.

Kevin se sentou de novo.

— Dou um nome a você por mais trezentos dólares.

Williams deu meia-volta para ir embora.

— Duzentos! — exclamou Kevin. — Ela pode ajudar você, Sr. Williams. Eu sei que pode.

Tirando mais duas notas da carteira, Williams voltou a se sentar e as colocou em cima da mesa. Kevin se esticou para pegá-las, mas o detetive as cobriu com a mão.

— Quero o nome, o endereço e o celular — disse ele, lentamente. — E é melhor que isso valha a pena, rapaz.

*

No fim das contas, Kevin Voss não havia sido completamente honesto.

Adrienne Washington não trabalhava na prefeitura de Los Angeles. Ela havia sido demitida seis meses antes de seu cargo de secretária júnior no gabinete do prefeito e agora trabalhava meio expediente como secretária para um empreendedor do ramo de tecnologia no centro da cidade.

— Ser demitida de lá foi a melhor coisa que aconteceu na minha vida — disse ela a Williams enquanto almoçavam em um restaurante japonês caro perto de Figueroa. — Quer dizer, na época foi horrível. *Horrível*. Foi muito humilhante. Mas, se eu não tivesse saído da prefeitura, não teria conhecido o Michael, e ele é, tipo, *o melhor* chefe de todos os tempos. *Da história*. Fora que o salário é, tipo, quase o dobro.

Algumas coisas chamaram a atenção de Williams enquanto ele escutava Adrienne tagarelar toda empolgada. A primeira foi que ela havia sido abençoada com a beleza — pernas longas, cintura fina e um cabelo longo, grosso e ruivo que a fazia parecer a Pequena Sereia —, mas não era tão inteligente. Para o detetive, estava bem claro o motivo pelo qual tanto o prefeito quanto o tal empreendedor a contrataram. A segunda coisa que chamou a atenção de Williams foi que, para sua sorte, ela também era totalmente indiscreta.

— Primeiro eu pensei que o prefeito Fuentes tinha me demitido porque eu não queria transar com ele — explicou ela, toda alegre, fazendo um barulho alto enquanto sugava sua batida com um canudo. — Quer dizer, ele tinha *mão boba*, sabe? Além do mais, ele tem tipo uns 50 anos, isso sem contar que, tipo, ele é *casado*.

Uma a cada três palavras que Adrienne falava era pronunciada com uma ênfase irritante, e os "tipo" salpicavam a conversa como uma saraivada de balas. Isso já bastaria para Williams demiti-la. Era como ficar escutando uma boneca que fala idiotices quando você puxa uma cordinha, só que um dia a corda arrebenta e ela começa a repetir todo o arsenal de baboseiras sem parar.

— Mas *depois* eu percebi que, tipo, *talvez* fosse por causa do que eu *sabia*.

— E o que você sabia, Adrienne?

— Que o prefeito vinha recebendo dinheiro dos russos — respondeu ela, no mesmo tom de voz que usaria para fazer um comentário sobre o tempo. — Subornos e outras coisas. Tipo, ouvi a minha *chefe*, a Sra. Drayton, falando no telefone sobre isso, sabe? Acho que foi, tipo, com um *repórter*.

— Tem certeza disso, meu bem? — perguntou Williams com tranquilidade. — Essa é uma acusação grave. E nunca li nada sobre o prefeito estar envolvido em corrupção.

— Ah, mas não estou *acusando* ninguém! — exclamou Adrienne, parecendo surpresa de verdade. — Só estou dizendo a *você* o que eu *ouvi*. Assim como eu disse ao próprio prefeito Fuentes. E aí, de repente, *bum*, fui demitida. Por isso imaginei que, tipo, *deve ter sido* pelo que eu falei, né? E não por causa do *sexo*. Além disso, eles demitiram a Sra. Drayton também. E, não quero ser maldosa, mas aposto que o prefeito Fuentes não estava tentando levá-la para a cama. Agora, quando contei isso ao meu *novo* chefe, Michael, ele ficou tipo...

Depois que percebeu que Adrienne Washington não tinha mais nenhuma informação sobre os tais russos misteriosos que estavam em um suposto conluio com o prefeito e que ela não sabia absolutamente nada sobre Lenka Gordievski, Williams ainda levou mais uns vinte minutos para sair dali.

Depois, demorou mais quatro horas para encontrar Tina Drayton, ex-chefe de Adrienne, em um apartamento caindo aos pedaços em West Hollywood.

— Sim?

Ela abriu uma fresta de três centímetros na porta. Três correntes de aço grossas estavam fechadas no trinco, e Williams só conseguia ver parte do rosto da pessoa do outro lado. Foi o suficiente para revelar uma mulher de meia-idade exausta, assustada e presa num lugar onde ela claramente não se sentia mais segura.

— Meu nome é Derek Williams, Sra. Drayton. Sou detetive particular. Posso entrar?

Após hesitar rapidamente, Tina balançou a cabeça.

— Desculpe, mas não é um bom momento.

Ela estava prestes a fechar a porta quando Williams a interrompeu.

— Quem me deu seu nome foi Adrienne Washington. Ela estava preocupada com você.

— Adrienne? — Tina arregalou os olhos. — Aquela idiota! Será que ela nunca vai aprender a não abrir o bico? Na verdade, eu gosto muito dela, mas metade do que ela fala é baboseira, senhor... desculpe, esqueci seu nome.

— Williams. — Ele pegou um cartão de visita e o passou por entre as correntes. — Mas, por favor, pode me chamar de Derek. Entendo sua desconfiança, senhora. E concordo com o que disse sobre Adrienne. Acho que, sem querer, ela pode estar se colocando em perigo. Gostaria muito de conversar com a senhora. Só por uns minutos.

Tina hesitou novamente. Mas dessa vez cedeu.

— Espere um instante.

A porta se fechou, e Williams escutou o barulho das correntes sendo retiradas uma a uma, antes de reabri-la.

— É melhor você entrar. — A ex-secretária do prefeito suspirou pesadamente. — E pode me chamar de Tina. Mas não tenho muito tempo. Vou me mudar outra vez hoje. Você disse que é detetive particular, Derek?

— Isso mesmo.

Williams a acompanhou até a sala de estar escura e soturna. Assim que ele se sentou numa poltrona ainda coberta pelo plástico, ficou claro que o lugar era uma acomodação temporária, e não o lar de Tina. Não havia fotos nem objetos pessoais em lugar algum, nem mesmo uma almofada ou um tapete para deixar o ambiente menos impessoal.

— Pode me dizer para quem está trabalhando? — perguntou Tina, sentando-se de frente para ele.

— Nunca revelo o nome dos meus clientes. A confidencialidade é um pré-requisito no meu ramo de trabalho. Mas posso contar que estou trabalhando para uma mulher, uma pessoa íntegra, e que ela pode estar sendo vítima de algumas das pessoas que prejudicaram você na prefeitura. Minha cliente quer respostas, Tina, só isso. Igual a você.

Tina revirou os olhos.

— Não quero respostas, Derek. Só quero minha vida de volta.

Embora Adrienne estivesse certa em dizer que a ex-chefe não era nenhum objeto sexual, aos olhos de Williams, Tina Drayton era uma mulher atraente para a idade. Talvez não fosse "bonita" — ainda mais agora que estava abatida, nervosa e usava uma saia e um suéter que não a favoreciam. Mas ela possuía uma inteligência e uma energia que provocavam a admiração de Williams, uma espécie de confiança que, em outras circunstâncias, a tornaria uma boa companhia.

— Você se muda com muita frequência? — perguntou Williams, já sabendo a resposta.

— Atualmente, sim — respondeu Tina, resignada. — Não é seguro ficar no mesmo lugar por muito tempo.

— Deve ser exaustivo. E caro — comentou ele, cauteloso. — Minha cliente não teria problema algum em pagar por qualquer informação que possa nos ajudar.

Tina fez um gesto de desdém.

— Obrigada, Derek, mas eu não me sentiria à vontade aceitando pagamento só por dizer a verdade. Você parece ser um bom homem, e acredito que sua cliente seja uma pessoa de confiança.

— Ela é.

— Mas duvido que vocês dois saibam onde estão se metendo. Se estamos *de fato* lidando com as mesmas pessoas...

— Os russos — interrompeu Williams.

A simples menção foi suficiente para fazer o sangue desaparecer do rosto de Tina.

— Isso — sussurrou. — Então é melhor você mandar sua cliente desistir dessa busca.

Williams pensou em Nikki e sorriu.

— Acho que ela não aceitaria esse conselho. Pelo menos, não vindo de mim. Ela é obstinada.

— Isso não é um jogo. — Tina estava começando a ficar agitada. — Pessoas morreram. O repórter com quem falei, Robin Sanford, do *LA Times*, está morto agora.

Williams começou a tomar notas.

— Disseram que foi ataque cardíaco, mas não havia nada de errado com o coração dele. O homem tinha 33 anos e estava em plena forma.

— Pessoas ainda estão morrendo, Tina. Por isso eu vim aqui.

Williams contou sobre os assassinatos de Lisa Flannagan e Trey Raymond e a ligação dos crimes com Nikki Roberts e o marido dela, Doug; sobre o envolvimento dos Roberts com instituições de caridade voltadas para o tratamento de dependentes químicos e sobre a guerra que estava sendo travada entre traficantes mexicanos e russos pelo domínio das ruas de Los Angeles.

— Doug Roberts morreu no ano passado num "acidente", junto com uma russa que talvez estivesse envolvida com as pessoas que você alega estarem pagando propina ao prefeito Fuentes.

Tina ergueu a mão.

— Propina? Foi isso o que Adrienne contou a você?

Williams assentiu.

— Meu Deus. — Tina balançou a cabeça. — Essa menina vai acabar se metendo em encrenca qualquer dia desses. E o mais irônico é que ela não sabe de nada. É idiota demais para entender qualquer coisa do que está acontecendo.

— Pois é. Eu tive essa impressão também.

— Tudo bem. Primeiro de tudo, não sei se Fuentes estava sendo subornado mesmo. Eu nunca disse isso. Só sei que ele estava recebendo dinheiro... ou pelo menos *alguém* estava recebendo dinheiro através das contas dele na prefeitura. Estou falando de quantias enormes, e o dinheiro vinha dos russos.

Williams ainda estava escrevendo.

— Estamos falando de quanto dinheiro? E de que russos?

— A quantia variava. Quinhentos mil dólares, cento e cinquenta mil... Uma vez foi mais de um milhão. A cada quatro ou seis semanas chegava um cheque. No total, devem ter somado uns três milhões. Ou mais. Não sei.

— E os pagamentos vinham dos russos. Você tem algum nome?

— Não.

Tina abaixou a cabeça.

Williams podia sentir o cheiro do medo exalando dela.

— Uma descrição, então. Chegou a ver algum deles cara a cara?

Ela balançou a cabeça e mordeu o lábio inferior.

— Desculpe, não posso.

— Você não atendeu nenhum telefonema? — pressionou Williams. — São homens ou mulheres? Dois ou vinte?

— Você não entende...

— O nome Lenka Gordievski significa alguma coisa para você? É essa mulher aqui.

Williams se levantou e colocou o iPhone na frente do rosto assustado de Tina. Mesmo contra a própria vontade, ela olhou para a imagem, a mesma que Williams havia mostrado a Haddon Defoe, a foto de Lenka, Doug Roberts e o próprio Haddon num evento de arrecadação de fundos em Nova York — na noite em que a russa e o marido de Nikki se conheceram. Pela cara de Tina, ficou nítido que ela reconheceu Lenka de imediato.

— Não posso falar disso, Derek. Sinto muito. Já falei demais.

— Me dê pelo menos um nome. Alguma coisa que eu ainda não saiba. Uma peça do quebra-cabeça. Por favor, Tina. Me diga o que você contou a Robin Sanford.

Tina levantou a cabeça de repente e o encarou.

— Eles vão me matar!

Em silêncio, Williams sustentou o olhar dela por alguns segundos. Então, disse baixinho:

— Talvez matem mesmo. Talvez matem nós dois. Mas e se eles estiverem lá fora matando outros inocentes *nesse exato momento* só para esconder esse segredo? Será que o único jeito de se livrar deles não poderia ser trazendo esse segredo à tona? Tenho certeza de que você pensava assim quando ligou para Sanford.

— Pensava, sim — reconheceu Tina, as mãos tremendo no colo.

— Sei que está assustada, Tina. Eu também estou. Mas, se a gente não falar, quem vai fazer isso?

Derek Williams observava a pobre mulher enquanto uma batalha interna era travada dentro dela. Tina Drayton era corajosa. Já havia demonstrado isso. Mas todo mundo tinha um limite.

— Tudo bem — concordou ela por fim. — Vamos lá. Vou contar. Mas depois disso você nunca mais voltará a entrar em contato comigo. Nunca. Por motivo nenhum.

Williams se sentou e pegou a caneta novamente.

— Você tem a minha palavra.

CAPÍTULO TRINTA E DOIS

Gretchen Adler deixou o corpo afundar na água morna e sentiu as tensões do dia e do longo tempo que passara dirigindo até o centro se dissiparem.

Gretchen e Nikki haviam descoberto o Lucky Hot Springs no último ano do ensino médio e desde então continuavam frequentando juntas o spa nudista coreano só para mulheres. Quando eram adolescentes e tinham o corpo perfeito, achavam estranho e constrangedor ficarem nuas ali. Agora que Gretchen já estava mais velha e com tudo mais flácido do que gostaria, não ligava mais para tirar a roupa ou ver outras mulheres e garotas, gente dos 2 aos 92 anos, caminhando tranquilamente na frente dela totalmente peladas.

Na verdade, entrar naquela água naturalmente aquecida do jeito que veio ao mundo era incrivelmente libertador, e um dos motivos pelos quais Gretchen Adler adorava aquele lugar. Não importava que Nikki parecesse ter resistido muito melhor que ela aos anos. Nikki, com suas coxas sem celulite e seus seios pequenos e rígidos que balançavam como duas maçãs boiando na superfície da água sobre uma barriga tão lisa e dura que dava para usar como trampolim. Os seios de Gretchen pareciam dois sacos de areia, afundando imediatamente como um lastro de navio, e sua barriga era mais estrias do que pele a essa altura, depois de dar à luz três filhos. Mas quem se importava com isso? Ela estava com 38 anos e tinha um casamento sólido com um produtor muito bem-sucedido. Ao contrário da viúva solitária que era Nikki. Nos últimos tempos, a pobrezinha vinha assistindo à sua vida ser marcada por tragédias, uma atrás da outra.

Nikki entrou com calma na piscina aquecida ao lado de Gretchen e começou a sessão de fofoca com uma bomba.

— Haddon Defoe tentou transar comigo outro dia.

O queixo de Gretchen caiu como se ela fosse um desenho animado.

— *O quêêê?!* Não é possível!

— Pois é. Foi no baile da Parceria pela Vida contra as Drogas. A gente saiu do salão por um instante, e Haddon estava me consolando por causa de Doug, e aí, sei lá... — Ela deu de ombros. — De repente, ele começou a me beijar e a se declarar, dizendo que Doug nunca me mereceu. Ele forçou um pouco a barra.

— Mas você queria? — perguntou Gretchen, chocada. Ela conhecia Haddon Defoe havia praticamente uma década, por meio de Nikki e Doug, e não estava conseguindo imaginar aquela situação.

— Claro que não! — Nikki ficou vermelha. — Quer dizer... é o *Haddon*, sabe... Eu não fazia ideia.

— Nem tinha como, não é?

— E é claro que eu nunca poderia fazer uma coisa dessa. Para começar, não me sinto nem um pouco atraída por ele, mas, mesmo que fosse o caso, Haddon era como um irmão para o Doug. Seria esquisito demais.

— Esquisito de um jeito bíblico — concordou Gretchen. — Como no Velho Testamento, quando o homem morre e a viúva se casa com o irmão do marido sabe? Era assim! — acrescentou ela, na defensiva, vendo que Nikki olhava para ele estupefata.

— A verdade é que nem de longe estou pronta para sair com outra pessoa — continuou Nikki, afundando a cabeça na água e emergindo novamente, o cabelo agora tão escorrido quanto o pelo de uma lontra. — E não sei se um dia vou estar.

— Ah, bobagem — disse Gretchen, incisiva. — Olhe para você! Você ainda é nova, é linda. Vai conhecer alguém. Alguém por quem se sinta pelo menos *um pouco* atraída. Embora eu deva dizer que Haddon não é de todo ruim. Quer dizer, comparado ao Adam...

— Ah, dá um tempo. Você venera o Adam.

Adam Adler, marido de Gretchen, era um produtor de TV muito bem-sucedido, um pai e um marido maravilhoso. Um bom sujeito, no geral. Verdade seja dita, ele não era nenhum Johnny Depp. Mas era divertido e generoso, e ele e Gretchen se adoravam. Era mais fácil ela entrar num foguete para a lua do que trocar Adam por um modelo mais novo. Antes do acidente, antes de saber da existência de Lenka, Nikki pensava o mesmo sobre seu casamento com Doug. Os quatro costumavam viajar juntos nas férias. Mas agora tudo isso parecia ter acontecido há tanto tempo...

— Eu me sinto atraída por outras pessoas — confidenciou Nikki. — O problema não é esse. A questão é que...

— Epa, epa, epa. Volte aí — interrompeu-a Gretchen. — Atraída por outras pessoas? Quem?

Nikki fez um gesto de desdém.

— Ninguém importante. Não aconteceu nada.

— Quem?! — repetiu Gretchen.

Um sorriso envergonhado se abriu no rosto de Nikki.

— Tem um cara. O nome dele é Lou Goodman. Ele é um dos detetives que estão investigando os assassinatos, na verdade.

Gretchen colocou a mão na boca para abafar a gargalhada.

— Você está com tesão no detetive? Ai, meu Deus! Nikki!

Nikki riu. Era um alívio conversar com Gretchen sobre esses assuntos. De alguma forma, a presença de sua velha amiga fazia tudo parecer mais normal, mais natural.

— Espere aí... não foi ele quem sugeriu que você era uma possível suspeita no assassinato de Lisa Flannagan? — recordou-se de repente.

— Esse foi o outro. O parceiro dele, Johnson — explicou Nikki. — Acredite, ninguém em sã consciência sentiria atração por esse daí.

— E sobre esse tal de Lou? Você está a fim dele mesmo?

— Mais ou menos. Quer dizer, às vezes me sinto atraída por ele, sim. Ele é inteligente, bonito. Mas não vai rolar nada. Uma noite nós ficamos bêbados conversando sobre o caso, e eu quase... eu pensei na possibilidade.

— Ele é casado?

— Claro que não — respondeu Nikki, ficando séria de repente. — Eu não faria uma coisa dessas. Principalmente depois do que Doug fez comigo.

De uma hora para outra o clima mudou. Nikki fechou a cara, uma expressão sombria obscurecendo seu rosto. Isso sempre acontecia quando pensava na traição de Doug. Gretchen havia aprendido que o melhor a fazer era não falar nada nesses momentos, deixar a poeira baixar e a tempestade passar. No fim, sempre passava. Ela e Adam eram duas das poucas pessoas a quem Nikki confidenciara a existência da amante de Doug e sobre o trauma horrível que tinha sido a forma como ela descobriu tudo, no dia da morte dele. Desde então Gretchen e o marido viram uma transformação profunda em Nikki — não só o luto que tomava conta dela, mas a raiva suprimida que antes não existia. Pelo menos, não que Gretchen se lembrasse.

Como se estivesse sentindo a preocupação da amiga, Nikki subitamente disse:

— Acho que tem alguma coisa de errado comigo.

— Por quê? Só porque achou alguém atraente?

— Não. Não por isso.

— Não tem nada de errado com você, Nik — assegurou-lhe Gretchen, tranquila.

— Está tudo uma bagunça aqui dentro de mim.

— O nome disso é luto.

— Eu sei, mas já faz um ano.

— Um ano? Isso não é nada — insistiu Gretchen. — E agora, ainda por cima, tem esses assassinatos horríveis! Meu Deus. A essa altura qualquer outra pessoa estaria num hospício.

— É, sei lá... Talvez eu devesse estar num hospício — comentou Nikki, melancólica. — Tenho me sentido atraída por uma paciente também. Uma mulher.

Ela encarou Gretchen. Parecia estar determinada a fazer com que a velha amiga criticasse alguma de suas ações. Em vez disso, porém, Gretchen se mostrou apenas intrigada.

— Sério? Me conte mais.

— Ela é nova. Bem nova. Separada. Como se isso já não fosse complicado o bastante, Derek Williams, o detetive particular que eu contratei, acha que o marido dela pode ter alguma ligação com esses assassinatos, ou pelo menos com o de Trey...

— Você já... você sabe... antes? Com uma mulher? — perguntou Gretchen, interrompendo a amiga. Era evidente que ela estava muito mais interessada na vida amorosa de Nikki do que em qualquer novidade sobre os assassinatos.

— Não.

— Nem na faculdade?

— Você saberia.

— É, é verdade. — Gretchen deu de ombros. — E essa tal "atração" que você tem sentido por essa mulher? Você não tomou nenhuma atitude, não é?

— Não. E nunca vou tomar. Não sou idiota a esse ponto. — Nikki passou a mão molhada no cabelo úmido. — Sinceramente, acho que estou numa espécie de crise de meia-idade, Gretch. Ou estou com depressão ou... alguma coisa. Esquece tudo o que eu falei.

A expressão sombria voltou ao rosto de Nikki, então Gretchen deixou o assunto para lá e começou a falar das últimas peripécias dos filhos antes de arrastar a amiga para outro ambiente, onde fizeram esfoliação. As velhas coreanas que as atacavam com banhos de mangueira e buchas eram tão brutas, virando-as de um lado para outro como dois pedaços de carne numa mesa de abatedouro, que Nikki e Gretchen sempre acabavam caindo na gargalhada.

No fim, sentindo-se em carne viva mas cheias de energia e já de roupa trocada, as duas foram ao restaurante japonês do outro lado da rua aonde sempre iam, para almoçar. Foi só então que, cheia de dedos, Gretchen direcionou a conversa à vida pessoal de Nikki novamente.

— Então... agora há pouco você disse que contratou um detetive particular. É isso mesmo?

— Derek Williams — respondeu Nikki, assentindo enquanto capturava, com habilidade, sua salada de algas com o hashi. — Ele é bom.

— Como o encontrou?

— Li críticas sobre o trabalho dele — respondeu Nikki, casualmente. — Não tenho nenhuma experiência nesses assuntos. Mas adivinhe em que caso ele trabalhou há dez anos. — Ela apontou o hashi para Gretchen.

A amiga deu uma risada.

— Como vou adivinhar uma coisa dessa?

— No desaparecimento de Charlotte Clancy — contou Nikki, com um sorriso. — Da última vez que nos encontramos você falou desse caso, lembra? Falou que a esposa de Willie Baden, Valentina, tomou a frente do caso quando Charlotte desapareceu e chamou a atenção da mídia.

— Para o pai da garota, que era bombeiro. Lembro, sim. — Gretchen se inclinou para a frente, fascinada.

— Tucker Clancy. Foi ele quem contratou Williams para procurar a filha desaparecida. Quer dizer, que coincidência, não é?

— Que louco — concordou Gretchen. — E então? O que aconteceu?

— Como assim?

— No que deu esse caso?

— Ah, em nada. Williams foi demitido.

— Porque não conseguiu encontrar a garota?

— Diz ele que foi porque descobriu que ela saía com um cara casado e o pai não gostou de saber disso. Mas acho que não tinha certeza. Derek também veio com uma teoria envolvendo um banqueiro americano, o ex-marido de Anne e a guerra das drogas aqui em Los Angeles...

Sua voz foi perdendo a força aos poucos. Cada vez mais preocupada, Gretchen ficou observando a amiga comer seu California roll. Tudo aquilo soava como baboseira aos ouvidos dela. Pessoas vendo ligações onde era impossível haver, tentando encontrar significado numa série de acontecimentos horríveis e aleatórios. Em suma, as teorias infundadas de Derek Williams pareciam ser a última coisa de que Nikki precisava naquele momento.

— Enfim... eu não derramaria muitas lágrimas por Charlotte Clancy — resmungou Nikki, alheia à preocupação e ao silêncio de Gretchen. — Segundo Williams, ela não era esse anjo de candura que todos pensavam. Ela estava lá na Cidade do México destruindo vidas e acabando com famílias. Eu diria que ela mereceu o destino que teve.

Gretchen se endireitou na cadeira, chocada.

— Você não está falando sério, Nik. Você não acha de coração que as pessoas merecem *morrer* por terem um caso.

— Ah, você acha que não? — Nikki também se endireitou, os olhos brilhando de raiva. — Imagine se um dia você ligasse seu iPad e de repente visse fotos de uma vadia pelada com quem Adam estava saindo.

— Seria horrível — admitiu Gretchen. — Mas eu não...

— E se a vadia estivesse grávida? — perguntou Nikki, falando cada vez mais rápido e mais alto, a ponto de começar a chamar a atenção dos outros clientes. — E se você estivesse fazendo tratamento de fertilidade? Um tratamento doloroso, exaustivo e inútil por cinco ANOS? — Os olhos de Nikki ficaram marejados. — E aí você descobre que o seu marido está pulando a cerca e que engravidou outra mulher. E aí ela manda a foto para o e-mail dele, e você chega em casa uma noite e BUM, ali está. BUM! Sua vida inteira. NO RALO! — Ela gritava e tremia como se estivesse possuída, o rosto contorcido de tanto ódio.

Gretchen sentiu o estômago se revirar e a bile subir até a garganta. Quando voltou a falar, havia um medo genuíno em sua voz.

— Lenka estava grávida?

Nikki a encarou com um olhar vidrado, mas não disse nada. Era quase como se estivesse tendo um ataque.

— Você me disse que... não, você disse a todo mundo que só soube do caso no dia que o Doug morreu!

Nikki piscou forte e balançou a cabeça como se estivesse saindo de um transe.

— Mas na verdade você *sabia*. Você viu *fotos*? Meu Deus, Nikki.

Foi a vez de Gretchen tremer.

Será que Nikki teve alguma coisa a ver com o acidente?

Gretchen hesitou, a mão na bolsa, sem saber se ficava ou ia embora.

— Eu amava Doug — explicou Nikki, sentindo a aflição da amiga e respondendo à pergunta não pronunciada em voz alta. — Ainda o amo. Nunca faria nada para machucá-lo, Gretch. Foi *ele* que me machucou, acredite — acrescentou, dessa vez em um tom mais triste que amargo.

Gretchen largou a bolsa.

— Tudo bem. Mas você sabia da mulher?

Nikki assentiu, olhando para o próprio colo com uma expressão de culpa.

— Antes?

— Sim. — O tom de Nikki mudou de um rugido para um sussurro. — Descobri cerca de um mês antes. Ela mandou fotos para Doug.

— E ela estava grávida?

Nikki assentiu novamente. Então começou a chorar. Como que por instinto, Gretchen se inclinou por cima da mesa e abraçou a amiga.

— Por que você não me contou?

— Eu estava com vergonha. Não sabia o que fazer!

— Você chegou a falar sobre isso com o Doug?

Nikki mordeu o lábio inferior com força.

— Não. Eu sei, eu sei. Patético, não é? Eu devia ter expulsado o Doug de casa na hora. Mas não fiz isso. Fingi que não tinha visto as fotos. Pensei que... ou melhor, esperava que ele caísse em si. — Nikki olhou para Gretchen torcendo para que a amiga acreditasse nela. — Ele era tudo na minha vida, Gretch!

— E o bebê?

— Não sei — admitiu Nikki, arrasada. — Nem pensei direito nisso. Não sei o que eu esperava que acontecesse. Era tudo tão novo, tão avassalador, e aí... — Ela engoliu em seco. — E aí ele morreu. Ele morreu, e era tarde demais.

As duas permaneceram sentadas, conversando por mais uma hora depois disso. Apesar do choque da revelação, Gretchen estava feliz por Nikki ter compartilhado seu segredo. Era evidente que aquilo estivera destruindo-a por dentro ao longo do último ano, envenenando-a, corroendo qualquer chance que havia para que ela seguisse em frente com a vida.

— Você precisa fazer terapia, Nik — aconselhou Gretchen. — É sério. Você vai ter que me prometer isso.

— Prometo — concordou Nikki, a voz fraca.

— Toda essa raiva e esse papo de achar que as pessoas merecem morrer... Você não é assim, e não tenho o menor problema em dizer que é assustador ouvir você falando desse jeito. Você precisa de ajuda.

Nikki assentiu.

Depois, antes de Gretchen ir embora, elas falaram sobre o futuro.

— Já pensou em se mudar? — perguntou Gretchen.

— Me mudar? Para onde? — Nikki passou a mão no cabelo, exausta. Agora Gretchen sabia a verdade. Era a única pessoa do mundo que sabia seu segredo. Nikki ainda estava tentando entender se isso era bom ou ruim.

— Qualquer lugar. Nova York? Você podia começar do zero lá, longe de tudo isso aqui. É só vender a casa. Quer dizer, você não tem problemas financeiros, não tem dependentes, nada que prenda você a Los Angeles. Pode deixar todas essas lembranças dolorosas para trás e recomeçar.

Nikki tinha de admitir que era uma ideia tentadora, pelo menos da forma como Gretchen colocou. Mas a vida nunca era tão simples. Pela sua experiência, Nikki sabia que as lembranças não respeitavam geografia. Além de tudo, tinha o consultório.

— Em Nova York eu também teria que começar meu trabalho do zero — explicou Nikki, fazendo um gesto para pedir a conta ao garçom. — Construir toda uma carteira nova de pacientes.

— Verdade. Mas seus pacientes não são parte do problema? Essa "mulher mais nova" por quem você disse que está apaixonada, por exemplo. E, além disso, tem o que aconteceu com Lisa Flannagan e Trey, sem contar as ameaças que você vem sofrendo. Não sei como você consegue ir para o consultório todo dia, Nikki. Eu não conseguiria de jeito nenhum.

Mais tarde, enquanto dirigia até a sua casa, Nikki pensou na sugestão de Gretchen. Ela nunca cogitara realmente ir embora de Los Angeles, mas talvez esse fato em si devesse preocupá-la. A psicóloga dentro dela começou a analisar os motivos. *Por que eu ainda estou aqui? A que estou me apegando a esse lugar?*

A resposta veio mais rápido do que Nikki esperava, de repente óbvia após o desabafo com Gretchen.

É a minha raiva.
A raiva que sinto de Doug.
Tenho medo de abandonar minha raiva.

Neste exato momento, o número de Derek Williams apareceu na tela do carro de Nikki. Ela estacionou debaixo de um jacarandá com lindas flores violetas para atender à ligação e sentiu uma breve mas intensa felicidade — quem sabe não iria para Nova York? Abandonaria a raiva e seria livre! — que transpareceu em sua voz ao falar com Williams.

— Oi, Derek! Obrigada pela mensagem que você mandou depois do baile na outra noite. Eu pretendia ligar antes para dizer que...

— Nikki, preciso falar com você urgentemente. Hoje à noite.

Desde que conhecera Derek Williams, foi a primeira vez que Nikki sentiu o medo na voz do detetive. Ela se perguntou se o medo era por ela ou por ele próprio.

— Aconteceu alguma coisa? Está tudo bem?

— Está tudo bem. Mas essa disputa do tráfico de drogas de Luis Rodriguez com os russos é ainda maior do que a gente imaginava — tagarelou Williams, parecendo uma matraca. — Existe uma quadrilha na prefeitura, Nikki. Os cartéis estão competindo por influência em Los Angeles inteira. A cidade toda está envolvida, e quando eu digo isso é porque é a cidade toda *mesmo*. A polícia também e até os bancos e instituições de caridade.

— Hã? — Nikki não conseguia acompanhar.

— Instituições de caridade. ONGs — explicou Williams. — Várias delas estão sendo usadas para lavagem de dinheiro vindo do tráfico de drogas. Todo mundo está levando uma parte. Isso é enorme. *Enorme!*

— Ok, ok. Vamos com calma — pediu Nikki, cautelosa. Ela estava mais preocupada com o tom de Williams do que com qualquer outra coisa, o pânico nítido e sufocante na voz do detetive. Ele parecia fora do normal.

— Você encontrou uma ligação direta disso com os assassinatos? Ou comigo?

— Talvez.

Não foi uma resposta muito reconfortante.

— Talvez? Bom, descobriu algum nome?

— Não por telefone — sussurrou Williams. — Hoje à noite. Um local neutro.

Eles combinaram de se encontrar em um hotel.

— E quanto a Lenka? — perguntou Nikki, sem conseguir se conter. — Conseguiu descobrir mais alguma coisa sobre ela?

— Infelizmente, sim, consegui. Conto tudo quando nos encontrarmos. Tudo está interligado.

— Não pode me falar agora? — implorou Nikki. Havia esperado tanto tempo para virar a página em relação à amante de Doug que qualquer minuto a mais era uma tortura.

— Agora não — respondeu Williams, firme. — Às sete da noite, no hotel.

— Mas por que...?

— Porque estou indo para casa fazer uma mala nesse instante, e você deveria fazer o mesmo. Você não está segura aqui, Nikki. Depois que nos encontrarmos, é melhor você fugir. Para longe. Se esconder por um tempo. É sério.

Nikki queria fazer um monte de perguntas, mas Williams desligou antes que a psicóloga pudesse fazer qualquer coisa. Ele claramente estava desesperado para desligar o telefone. A paranoia do detetive era assustadora, ainda mais porque ele não era disso. Mas o nervosismo de Nikki foi ofuscado por sua empolgação.

Em algumas horas ela descobriria a verdade sobre a amante de Doug.

Aí vou poder abandonar minha raiva. Vou poder e vou fazer isso.

Quando eu souber a verdade, tudo isso vai acabar.

Ela ficou surpresa quando o celular tocou novamente; desta vez era uma ligação de um número restrito. Williams devia ter trocado de aparelho.

— Derek? — disse ela ao atender.

Mas não era Derek Williams.

De início Nikki não reconheceu a voz do outro lado da linha. Era difícil entender qualquer coisa em meio aos ensurdecedores gritos e ao choro, um som de revirar o estômago, repleto de uma agonia que ecoou pelos alto-falantes do carro como a trilha sonora de um filme de terror Mas, segundos depois, ela entendeu quem era.

Não. Impossível. Não pode ser!

Mas era.

— Dra. Roberts? — perguntou Brandon Grolsch, sem ar. — É você, não é?

— Sim, Brandon, sou eu. — O coração de Nikki batia forte. — Onde você está?

— Preciso de ajuda. — Ele começou a chorar de novo. — Acho que eles vão me matar!

— Eu posso ajudar, Brandon, mas você precisa me dizer onde está.

— Tá bem. — Ele respirou fundo. — Eu... eu estou... eu estou na esquina de...

De repente, Nikki ouviu um baque alto.

E a linha ficou muda.

CAPÍTULO TRINTA E TRÊS

Nikki se sentou no bar do SLS Hotel em Beverly Hills enquanto tomava um Moscow Mule sem álcool e tentava não parecer nervosa.

A bolsa que usava para fazer pequenas viagens estava a seus pés. Ela só havia colocado roupa suficiente para um fim de semana. Não tinha intenção de sair de casa por medo de Luis Rodriguez ou de qualquer outra pessoa. Mas, depois da ligação tensa de Brandon Grolsch, ela decidiu levar os alertas de Derek Williams a sério.

O que será que Derek vai dizer quando eu contar que Brandon está vivo?, perguntou-se Nikki. Ela sabia que em algum momento teria de informar à polícia sobre Brandon, mas Williams merecia ser o primeiro a saber. Além do mais, ela queria a opinião dele antes de dar o próximo passo.

Já havia passado da hora combinada, mas o atraso de Williams era normal. O único problema era que os nervos de Nikki estavam em frangalhos. Pelo menos dessa vez, preferia não ter de esperar. Antes de tudo, ela queria ouvir o que quer que ele tivesse descoberto sobre Lenka e só depois falaria sobre a ligação de Brandon. O terror e a dor na voz de Brandon ainda a assombravam, assim como o fim abrupto da ligação, e ela não sabia como interpretar tudo aquilo.

Será que ele estava *mesmo* envolvido nos assassinatos de Lisa e Trey? Nikki não queria acreditar nessa possibilidade. Aquilo não batia de forma alguma com sua lembrança de Brandon Grolsch, o garoto solitário e problemático que tinha sido quando o conhecera, mas que, no fundo, também era gentil. Ele recorrera a ela quando ninguém mais queria ajudá-lo, e, ao que parecia, ainda recorria — embora a essa altura só Deus soubesse o que Nikki ou qualquer outra pessoa poderia fazer por ele. Por outro lado, o DNA dele havia sido encontrado nos corpos. Bom, pelo menos foi o que polícia disse. Mas era muito difícil saber em quem confiar.

Nikki olhou para o relógio na parede: 19:22. Agora Williams estava oficialmente atrasado. Onde será que ele tinha se metido?

Ela havia caprichado na roupa naquela noite e estava sexy, mas de forma discreta. Usava uma calça cigarrete cinza chumbo e uma blusa de seda verde jade, cavada o bastante para revelar um pequeno decote sob o sutiã de renda La Perla. Claro que não tinha se vestido assim para Derek Williams. Por mais ridículo que parecesse, por mais ridículo que *fosse*, Nikki queria estar o mais bonita possível quando descobrisse toda a história sobre Lenka. Era como se a amante de Doug ainda estivesse viva, no recinto, e as duas se achassem numa espécie de duelo ou competição. O fantasma daquela mulher havia roubado de Nikki não só a felicidade do presente, mas todas as suas preciosas lembranças de um passado feliz. A oportunidade de finalmente sepultar Lenka era uma ocasião importante, um momento para o qual valia a pena estar bem-vestida.

Desde que tinha confessado a Gretchen, ainda que de maneira inesperada, sobre a gravidez de Lenka e que descobrira a traição de Doug por um e-mail, Nikki havia tido pouquíssimo tempo para se questionar *por que* decidira esconder essa informação de Derek Williams. Teria sido por vergonha? Mesmo agora, depois de tanto tempo e de tantas tragédias? Vergonha por outra mulher ter conseguido dar a Doug, sem o menor esforço, a única coisa que ela não pudera lhe dar? Teria ela ficado tão apavorada a ponto de não fazer nada a respeito antes de o destino intervir?

Será que Williams havia descoberto a verdade sozinho? Aquela era a grande "notícia"? Ou será que ele tinha outras informações, novas informações, algo que finalmente poderia ajudá-la a compreender a infidelidade de Doug e todas as coisas horríveis que aconteceram desde então?

Impaciente, ela mandou uma mensagem para ele.

Cadê vc? Estou ficando preocupada.

O celular de Williams vibrou na mesa enquanto ele colocava a calça, o tecido grudando em suas pernas ainda úmidas do banho.

Já estou indo, respondeu ele, apressado. *Desculpe.*

Explicaria o resto depois, no hotel. Pelo menos dessa vez tinha uma desculpa para o atraso. O que Tina Drayton, ex-secretária do prefeito Fuentes, havia contado a ele era tão perigoso que Williams sabia que precisava proteger as informações imediatamente, antes que algo acontecesse com Tina ou com ele mesmo. Mas o simples ato de digitar um memorando seco sobre os fatos básicos tinha lhe tomado mais tempo do que imaginara. Em seguida teve de escolher uma pessoa a quem pudesse mandar o material para ter um backup, alguém em quem confiasse e que também estivesse disposto a se arriscar. Porque não restava dúvida de que essas informações eram potencialmente mortais. Conhecimento é poder, sim, mas também pode ser letal.

Colocando a camisa e as meias, Williams correu até a mesa e, com um último e profundo suspiro, apertou "enviar".

— Não me odeie, Alan — sussurrou ele enquanto imaginava o e-mail bomba viajando pelo desconhecido até seu receptor desavisado. Em seguida, colocou o laptop numa pasta, guardou-o em sua mala e já estava quase pegando os sapatos quando a campainha tocou.

Sério? Justo agora?

Fazia tempo que ninguém aparecia à porta dele. Devia ser só mais uma intimação dos advogados de Lorraine. Aqueles sanguessugas nunca desistiam.

Ele terminou de amarrar o cadarço dos sapatos e fechou o zíper da mala de rodinhas antes de arrastá-la pelo corredor. Quando abriu a porta, ficou surpreso ao ver um rosto familiar sorrindo para ele.

— Ah! É você. O que está fazendo aqui? Olhe, me desculpa mesmo, mas estou com muita pressa agora. Estou atrasado para um encontro...

A primeira bala atravessou seu coração.

A segunda e a terceira, na cabeça e no pescoço, nem eram necessárias.

Williams caiu duro, os olhos arregalados, uma expressão de completa surpresa estampada em seu rosto sem vida.

Derek Williams não ia aparecer.

Com isso, Nikki tinha três opções.

Pegar sua bolsa, se esconder num hotel qualquer fora da cidade, como Williams havia sugerido, e ficar na moita até que ele entrasse em contato.

Ir para casa e esquecer que esse dia maluco tinha acontecido.

Ou ficar ali e pedir uma bebida de verdade. Ou duas. Ou três.

No fim, a escolha foi fácil. Depois de tanta esperança, tanta expectativa, a decepção era como chumbo pesando em seu estômago. Ela não queria nem saber de Luis Rodriguez, dos cartéis ou da corrupção que assolava a prefeitura. Não ligava que Brandon Grolsch estivesse vivo e que precisaria contar isso a Williams. Tudo o que interessava era que ela *não* descobriria a verdade sobre Lenka naquela noite. Ela *não* conseguiria virar a página, não naquele momento — talvez nunca. Depois de tudo pelo qual Nikki havia passado, e ainda passava, aquele pequeno consolo tinha sido negado a ela. Então, por que *não* beber?

Já eram dez da noite quando o barman tocou seu braço para despertá-la. Nikki estava tão fora de si que provavelmente havia cochilado no bar.

— Posso fechar a sua conta, senhorita? — perguntou ele com delicadeza.

— Pode deixar que eu cuido disso. — O detetive Goodman sentou-se na banqueta ao lado de Nikki e entregou o cartão de crédito ao barman. — Pode colocar dois espressos duplos aí também? Ah, e um copo de água grande, sem gelo.

— Claro.

O barman os deixou sozinhos. Lentamente, Nikki virou a cabeça na direção de Goodman e tentou processar o que significava a presença dele ali.

— Você não é o Derek — balbuciou enquanto forçava a vista para que os dois rostos trêmulos de Goodman se transformassem em um só.

— Não — concordou o policial. — Não sou.

Ele tentou não se distrair com a blusa de seda verde meio aberta dela, com o cabelo desgrenhado, as bochechas coradas e a maquiagem borrada, depois do que provavelmente havia sido uma longa noite de bebedeira. Em geral ela era tão controlada, tão dona de si. Havia algo de muito envolvente nessa versão desconstruída da profissional Dra. Roberts. Mas esse não era o momento.

Ele pigarreou.

— Nikki.

— Cadê o Williams? — interrompeu ela. — Ele não apareceu. — Bêbada, ela cutucou o peito de Goodman e se inclinou para perto dele como uma árvore prestes a cair. — Você não devia ssstar aqui, Lou. Já ssstá tarde. Você ssstá me seguindo de novo, né?

Foi um bom *timing* para a chegada dos cafés. Goodman esperou Nikki beber o dela. Ela fez uma careta de repugnância enquanto o líquido forte e quente descia queimando sua garganta, cortando o efeito do álcool em seu cérebro enevoado.

— Nikki, preciso que você se concentre — pediu Goodman, a voz muito séria, antes de empurrar o copo de água na direção dela. Nikki negou com a cabeça.

— Estou bem. — Parecia mais sóbria do que antes. — O que foi? O que aconteceu?

— Infelizmente tenho más notícias. Derek Williams está morto.

Nikki fez uma careta e balançou a cabeça.

— Não. Isso não pode ser verdade. Ele acabou de me mandar uma mensagem.

— Quando?

Nikki olhou no relógio em seu punho.

— Agora à noite. Faz umas três horas.

Goodman esticou a mão, e Nikki entregou o celular a ele. O detetive registrou o horário da breve troca de mensagens antes de devolvê-lo.

— Ele foi baleado no apartamento dele, à queima-roupa. Deve ter sido logo depois de enviar essa mensagem. Faz poucas horas, mas foi trabalho de profissional, ao que parece. A arma usada tinha silenciador.

Um zumbido baixo começou a ganhar força nos ouvidos de Nikki. Em pouco tempo já era ensurdecedor. Ela conseguia ver os lábios de Goodman se mexendo, mas não entendia as palavras — era como se ele estivesse gritando do outro lado de um vidro à prova de som. Sua visão, que estivera embaçada por causa do álcool havia pouco, também sofreu um abalo. Agora via algumas coisas com uma clareza cristalina. A fatia de limão boiando no copo d'água intocado, brilhando em um tom verde-amarelado quase fluorescente. De repente as manchinhas nas costas de sua mão pareciam estranhamente vívidas. Hiper-reais. Por outro lado, os arredores — o bar, o lobby do hotel, tudo o que estava fora do pequeno círculo que envolvia Nikki, Goodman e essa horrível nova realidade sobre Williams — haviam sumido. Não borrado ou desbotado. Sumido *mesmo*. Desaparecido.

— NIKKI!

Goodman estava gritando e sacudindo seus ombros com força. Ela teve um sobressalto, e de repente o botão do mudo foi desligado.

— Nikki, você precisa me contar o que Derek Williams sabia. O que ele contou a você? Por que vocês dois marcaram de se encontrar hoje à noite?

Ela balançou a cabeça, ainda em estado de choque.

— É fundamental que você me conte tudo o que sabe. Só posso protegê-la se me ajudar.

Pobre Derek! Ele era um bom homem. Um homem gentil. Estava dando o melhor de si para fazer seu trabalho, para me ajudar, para ajeitar a própria vida. Ele morreu porque me conheceu.

— Fui eu — murmurou ela, confusa, para Goodman. — Foi por minha causa.

— Qual era o motivo do encontro de hoje à noite, Nikki? — perguntou Goodman, forçando-a a se concentrar.

— Lenka — respondeu ela, vagamente.

— A amante do seu marido.

Nikki arregalou os olhos.

— Você sabia?

— Johnson descobriu — explicou ele. — Também descobriu que ela estava grávida quando morreu. Por que você mentiu para nós, Nikki?

— Não menti — retrucou ela, desviando o olhar. — Só preferi não contar.

— Por quê?

— Porque não tinha nada a ver com o caso e porque não tenho que contar tudo a você, ok? Não tenho! — Nikki estava ficando cada vez mais histérica.

— E se isso tivesse alguma coisa a ver com o caso? — perguntou Goodman. — E se o acidente do seu marido estiver ligado aos assassinatos?

Nikki deu de ombros, indiferente. Não conseguia pensar nisso no momento. Derek Williams estava morto. *Morto.* Aquela horrível realidade tomava conta de cada centímetro de seu cérebro.

Goodman lutou para esconder a própria impaciência.

— Nikki, por favor, concentre-se. Preciso da sua ajuda. Williams estava com uma mala quando o encontramos. Você também está. — Ele lançou um olhar acusador para os pés de Nikki. — Para onde vocês dois estavam indo?

— Para longe — murmurou ela. E então acrescentou rapidamente: — Não juntos. A gente ia se encontrar aqui e depois ir embora. Cada um para o seu lado. Williams disse que não estávamos seguros em Los Angeles. Pelo jeito, tinha razão.

— E ele disse por que não estavam seguros?

— Alguma coisa a ver com uma quadrilha... cartéis de drogas que estão pagando propina para os políticos da cidade e para um monte de gente. Sei lá — murmurou Nikki.

— Sei que está em choque — Goodman segurou as mãos de Nikki e fez com que ela o encarasse —, mas isso não é o suficiente. Preciso de nomes. Preciso de detalhes. Preciso de algo útil. — A voz dele ficava cada vez mais alta. Os outros clientes do bar começaram a parecer incomodados. — Derek Williams foi *executado* hoje à noite — disse, abaixando o tom, mas mantendo a urgência em sua voz. — Se não me ajudar, você pode ser a próxima.

— É, pode ser — respondeu ela, sem demonstrar qualquer emoção.

Goodman estava perdendo Nikki. Precisava fazê-la voltar a si, dar um jeito de criar alguma conexão com ela. Fazê-la falar, se abrir. Desesperado, ele se atirou para a frente e lhe deu um beijo apaixonado.

Nikki não resistiu. Mas também não correspondeu, não de verdade. Era como se alguém tivesse apertado o botão para "desligá-la". Como se todo o seu mundo interior, como se o seu emocional tivesse sofrido um apagão, um curto-circuito. Como se a morte de Derek Williams tivesse sido um trauma forte demais.

Depois de um tempo, Goodman se afastou dela.

— Um nome — pediu de novo, baixinho.

— Luis Rodriguez. — Nikki suspirou. — Ex-marido de Anne Bateman. Derek Williams acreditava que ele podia ter participação nos assassinatos e nessa "quadrilha". Achava que os Baden também podiam estar envolvidos, mas a obsessão dele mesmo era com Rodriguez. Esses são os únicos nomes que eu sei.

Goodman franziu o cenho.

— Luis Rodriguez é um incorporador e um filantropo. Provavelmente doa mais dinheiro para as instituições de caridade de combate às drogas do que qualquer outra pessoa no México.

— Eu sei.

— Também doa dinheiro para a polícia. Por que diabo Williams pensaria que *ele* está envolvido?

Nikki suspirou outra vez.

— Derek tinha certeza de que ele comandava uma enorme operação de tráfico de drogas. Disse que a polícia de Los Angeles e o FBI faziam vista grossa.

— Lorota — retrucou Goodman com raiva. Então, lembrou que Derek Williams estava morto; não fazia mais sentido ficar implicando com ele. — E quanto aos Baden?

— Não sei. — Nikki esfregou os olhos. — Sei que ele achava que a instituição de Valentina era uma espécie de fachada para atividades ilegais. E que talvez Willie estivesse ajudando Rodriguez de outras formas aqui em Los Angeles. Mas, como eu disse, o foco de Williams era Rodriguez. Ele falou que tinha informações novas e que iria me contar hoje à noite. Alguma coisa a ver com Rodriguez, os russos, essa droga nova chamada *krokodil* e corrupção. Segundo Williams, a prefeitura estava envolvida, e alguns bancos de investimento também. Até instituições de caridade, como a Desaparecidos, dos Baden. Ah, e a polícia — acrescentou. — Policiais corruptos. Da Divisão de Entorpecentes.

— Mas ele não mencionou nenhum nome?

— Ele não teve a chance, né? — comentou Nikki, amargurada. — Mas, se está mesmo interessado, eu consigo pensar em alguns caras corruptos da Entorpecentes. Ou que já fizeram parte de lá. Uma pessoa em particular me vem à mente.

Mesmo sem ser mencionado, o nome de Mick Johnson pairou no ar.

— Tudo bem. — Goodman se reclinou na banqueta. Aparentemente satisfeito por ora, ele fez um sinal para o barman e pediu a conta. — Consegue se lembrar de mais alguma coisa? Qualquer informação que possa nos ajudar a desvendar a autoria e o motivo do assassinato de Derek Williams?

Nikki pensou em falar do telefonema de Brandon Grolsch. Ela iria contar a Williams, mas agora o detetive estava morto. Alguém deveria saber, certo? Alguém deveria investigar isso, tentar encontrar Brandon, ajudá-lo. Por que não Goodman? Goodman, que flertava com ela, que a resgatava, que gritava com ela e que a beijava. Goodman, que ela poderia ter amado, em outra vida, talvez.

Mas algo a deteve.

Derek Williams nunca confiara em Goodman. E Nikki confiava em Derek Williams. Das pessoas em quem confiava de olhos fechados, ele tinha sido o único que restara. E agora também estava morto.

— Não. Não sei de mais nada — respondeu ela.

Goodman se abaixou e pegou a bolsa de Nikki.

— Vou levar você para casa.

— Não posso voltar para casa — reclamou ela. — Não é seguro.

— Não a sua casa. A minha.

Seus olhares se cruzaram, e por um breve instante Nikki se permitiu imaginar como seria a vida se ela deixasse isso acontecer. Se ela deixasse Lou Goodman dar um passo à frente e tomar conta dela, assumir o controle. Se ela o deixasse tomar as decisões, mantê-la segura, matar os dragões e banir seus demônios.

Era uma ideia encantadora. Como a maioria dos contos de fada.

Mas não era para ser.

Era tarde demais para isso.

— Você é um amor — disse ela, beijando os lábios de Goodman, dessa vez com sentimento. — Mas não posso. — Delicadamente, mas de maneira firme, ela tirou a bolsa da mão dele.

— Por que não? — Seus dedos ainda tocavam os dela.

— Porque há muito tempo eu dei meu coração ao meu marido. E ele o destruiu. Desculpe, Lou. Não tenho mais nada para dar.

*

Anne Bateman dirigia com cuidado, a visão prejudicada pelas próprias lágrimas e pela chuva que açoitava o para-brisa.

Nunca chovia em Los Angeles no mês de maio, mas esta noite os céus abriram uma exceção. Era como se os deuses estivessem assistindo à tragédia que se desdobrava lá embaixo. Não a tragédia pessoal de Anne. Ela não era arrogante ou delirante o suficiente para pensar que sua vidinha simples fazia qualquer diferença no Grande Esquema das coisas; suas esperanças arruinadas, seus sonhos despedaçados, sua solidão. Não — ela estava pensando na tragédia maior, a que parecia emanar dela em ondas, como uma pedra caindo em um lago calmo e límpido. Isso certamente seria digno da atenção celestial. Ela só queria fazer música. Sempre fora a única coisa que quisera. Mas de alguma forma a dor e o sofrimento pareciam acompanhá-la aonde quer que fosse, como um odor indesejado que, por mais limpa que estivesse, nunca conseguia eliminar.

E agora ali estava ela, outra vez, recorrendo a Nikki Roberts em busca de ajuda, de conselhos que, no fundo, ela já sabia que não teria forças para seguir. Mas ainda assim Anne Bateman precisava de Nikki. Precisava da bajulação, da adoração. Precisava da forma como ela, Anne, era vista através do olhar admirador, compreensivo, indulgente de Nikki. Em certo nível, o que Nikki oferecia a ela tinha substituído o que Luis costumava lhe dar. Porque ele também a adorava. Será que, se de alguma forma ela conseguisse se ater a esse fato — escolher o bem ao invés do mal, o futuro ao invés do passado, Nikki em vez de Luis —, então, talvez, só talvez, as ondas iriam parar de reverberar dentro dela?

Era tarde, quase onze da noite, e, com a chuva forte, o caminho por onde seguia estava praticamente vazio. A lua cheia aparecia e sumia entre as nuvens, iluminando as ruas úmidas de Brentwood com um brilho prateado, dando aos casarões e aos jardins exuberantes uma aura mágica. Seguindo pela Tigertail na direção da casa de Nikki, Anne se sentia dirigindo por um reino encantado, uma terra onde tudo era limpo, brilhante e lindo, onde crianças felizes dormiam um sono profundo em suas camas e onde coisas ruins não aconteciam.

Mas e se eu sou essa coisa ruim? E se eu sou o monstro, andando de fininho à noite, pronta para atacar, destruir, devorar?

Em seus momentos mais calmos e racionais, Anne sabia que não era uma pessoa ruim por natureza. Foi Luis quem trouxe o caos para sua vida, foi Luis quem tornou tudo tão difícil. Mas, em outros momentos, como nesta noite, ela era tomada por uma terrível aversão a si mesma.

Por que ela não conseguia se libertar, cortar os laços de vez? Quando Luis não apareceu no baile da Parceria pela Vida contra as Drogas, por que ela se sentiu tão desolada, tão abandonada, tão magoada? Por inúmeras vezes reclamara com Nikki sobre a insistência de Luis. Mas esta noite Anne se deu conta de que talvez fosse *ela* quem ainda estivesse apegada. De que, quando fugiu, uma parte sua sempre esperou — pior, torceu — para que Luis corresse atrás dela.

E agora Luis tinha feito isso, mas trouxera consigo os cães do inferno.

Anne precisava de Nikki. Dessa vez não para lhe dar conselhos, mas sim porque precisava de algo muito mais profundo. Absolvição.

Ela estacionou ao lado da casa da psicóloga e saiu do carro. Em poucos minutos, a chuva tinha enfraquecido um pouco, mas ainda era forte o bastante para produzir um barulho alto e ritmado no teto do carro e na rua recém-asfaltada. Os portões duplos estavam trancados, mas ela não teve a menor dificuldade para abrir uma porta de madeira logo ao lado, mesmo com a maçaneta escorregadia. Totalmente encharcada, Anne parou no átrio da propriedade e olhou para a casa. Era maravilhosa, romântica e charmosa com suas cortinas, sacadas e rosas trepadeiras dando a ela um ar europeu, de Velho Mundo. Todas as luzes estavam apagadas — o que não era surpresa, tendo em vista que já estava tarde —, mas podia ver o carro de Nikki estacionado na frente, ao luar, as gotas de chuva ricocheteando na superfície metálica como pequenas balas prateadas. Ela estava em casa.

Anne estava prestes a tocar a campainha — sentia-se uma tola por acordar Nikki, mas havia dirigido até ali e sua necessidade de ver a "amiga" fazia muito já havia se transformado em compulsão —, mas um barulho inesperado a fez parar. Era um choro. Não de medo, mas de tristeza, aflição até. Um som breve no começo, mas logo seguido por um mais longo, lamuriento e horrível, como o uivo de um animal. Vinha do quintal.

Uma passagem estreita pela lateral da casa dava nos fundos da propriedade. Anne seguiu por ela, caminhando com cuidado para que não caísse no piso de pedra escorregadio. Quando chegou ao fim do corredor, ela contornou a casa e viu Nikki ajoelhada sob uma magnólia linda e larga. A árvore estava florescendo, mas a chuva pesada da noite havia derrubado muitas de suas grandes flores brancas no chão, criando um tapete de pétalas sedosas na grama úmida. Era nesse tapete que Nikki estava ajoelhada, mais encharcada do que a própria Anne, a blusa grudada ao corpo trêmulo como uma alga marinha úmida numa rocha. Com o rosto voltado para cima, na direção da lua, Nikki chorava, desolada, os olhos fechados, como uma loba prestes a morrer. Seus sapatos estavam caídos no chão, e ela segurava algo na mão direita. Só quando Anne se aproximou foi que viu o que era: uma pistola prateada, minúscula e elegante, brilhando em meio às sombras.

— Nikki! — gritou Anne, tentando fazer com que sua voz se sobressaísse em meio ao choro e à chuva. Em seguida correu e se jogou no gramado ao lado da amiga. — Nikki, sou eu. Anne! Está tudo bem? O que aconteceu?

Nikki abriu os olhos, sobressaltada, e fitou Anne. As duas se encararam em um silêncio atônito pelo que pareceu durar um longo tempo. Estavam lado a lado, encharcadas e morrendo de frio, sob a magnólia que Nikki tinha plantado com Doug no aniversário de um ano de casamento. Havia muita coisa a ser dita. Coisas demais. Por isso, em vez disso, preferiram não dizer nada. Depois de um tempo, Nikki se levantou como se estivesse em transe. Ainda segurando a Glock na mão direita, ofereceu a mão esquerda a Anne.

- É melhor você entrar e se secar.
— Obrigada.

Como dois fantasmas esfarrapados, as duas mulheres entraram na casa.

Meia hora depois, Anne estava deitada num sofá diante da lareira, usando um pijama de Nikki e enrolada num cobertor de pele sintética. Ela se permitiu cair num sono profundo e gratificante. Distraída, Nikki acariciou seus cabelos num ritmo repetitivo, sua voz hipnótica e pesada enquanto mandava Anne descansar, fechar os olhos, deixar o calor envolvê-la e tomar conta dela.

Nikki ficou observando enquanto a paciente caía no sono naturalmente. *Como um bebê*, pensou. Essa era a única parte do sonho que ela e Doug não tinham conseguido concretizar: um filho. Muito antes de descobrir a existência de Lenka, Nikki se lembrava de seu desalento diante da própria infertilidade. De como a incapacidade de gerar um filho parecera a maior tragédia do mundo. Isso antes de ela descobrir o verdadeiro significado da palavra tragédia.

Será que teria ido até o fim se Anne não tivesse aparecido? Será que Nikki teria puxado o gatilho e estourado os próprios miolos? Seus instintos lhe diziam que sim. Mas ela nunca teria certeza. Tudo o que sabia era que o momento havia passado. Anne aparecera como um anjo misericordioso, então Nikki levara a arma para dentro de casa e a trancara em uma gaveta. E, agora, não sentia mais vontade de morrer. Pelo menos não no momento. Havia muita coisa a fazer. Muita coisa que precisava entender.

Será que Deus tinha enviado Anne para salvá-la?

Ou será que foi Doug quem interveio do além, de uma forma misteriosa, espiritual? Era reconfortante pensar assim.

Nikki foi até a janela e parou diante dela. Então observou a noite lá fora. A chuva tinha cessado, e tudo estava em paz, calmo, quieto. Ela pensou em Derek Williams, em como ele deu a vida pela verdade. A verdade *dela*. Nikki precisava ir até o fim, por Williams. Devia isso a ele.

*

Sentado em um carro aquecido e seco, um vulto observava da escuridão com os óculos de visão noturna apontados para a janela da sala de estar de Nikki Roberts.

A figura misteriosa deslizou no assento e se acomodou para passar a noite ali.

Estava chegando a hora.

CAPÍTULO TRINTA E QUATRO

Goodman estava sentado sozinho a uma mesa do restaurante Joe's Diner, olhando melancolicamente para o celular. Johnson se trancara no banheiro uns vinte minutos antes, após ter tido a péssima ideia de tomar a terceira xícara de café. Eles tinham de voltar para o apartamento de Derek Williams para se encontrar com a polícia forense, mas o e-mail de Nikki, enviado às cinco da manhã, havia deixado Goodman atordoado.

Fiquei a noite toda pensando, escrevera ela. *Não sei exatamente o que dizer, mas acho que, agora que Williams morreu, tenho que contar a alguém. Brandon Grolsch está vivo. Ele me ligou ontem, muito nervoso. Não sei onde ele está ou o que tem a ver com tudo isso, mas eu menti para você ao dizer que não o conhecia. Desculpe.*

Como se essa bomba já não fosse o bastante, ela continuou.

Se Williams tinha razão sobre haver policiais corruptos ajudando os cartéis, Johnson deve estar envolvido. Sei que não quer acreditar, mas tudo se encaixa. Ele pediu para fazer parte deste caso, tem tempo de casa, já foi da Entorpecentes e, de propósito, conduziu mal a investigação dos assassinatos, tentando me fazer de bode expiatório. Ele está tentando desviar o foco e vem conseguindo.

A mensagem de Nikki estava carregada de paranoia e permeada com pequenas partes da verdade, mas talvez isso fosse previsível, dada a fragilidade de seu estado mental, sobretudo depois do assassinato de Williams. Mas foi a última parte do e-mail que mais preocupou Goodman.

Cuidado com Johnson, Lou. Acho que você não está seguro perto dele, e não quero que se machuque. Também acho que não estou segura, por isso vou sumir por um tempo, ficar fora do radar.

Não precisa ficar preocupado.

Se cuide. NR.

Goodman sentiu o coração acelerar.

Quanto tempo é "um tempo"? E que diabo significava "fora do radar"?

Ele já havia ligado duas vezes para Nikki desde que recebera a mensagem, além de ter enviado uma curta resposta ao e-mail, mas todos os aparelhos dela estavam desligados. "Fora do radar."

Aquilo não era nada bom.

Quanto às suspeitas de Nikki a respeito de Johnson, sem evidências havia pouca coisa que Goodman pudesse fazer. E, nesse meio-tempo, os dois teriam de continuar trabalhando em equipe, como sempre haviam feito.

— Nossa senhora — resmungou Johnson, arrastando os pés de volta para a mesa com a mão na barriga dilatada. — Que merda eles metem no café dessa espelunca? Parece que eu acabei de parir lá dentro.

Goodman largou o celular e torceu o nariz com uma expressão de nojo.

— Não precisa entrar em detalhes, cara. A gente pode ir?

— Estou pronto, quando quiser. Espero que o pessoal da forense tenha algo concreto. Porque aquele filho da puta tinha tantos inimigos que metade de Los Angeles pode ter feito o serviço. Porra, eu mesmo já pensei em matá-lo com minhas próprias mãos!

Goodman seguiu o colega até o carro, tentando espantar o arrepio que lhe subiu pela espinha.

*

Nikki teve uma sensação surreal de *déjà-vu* enquanto colocava a bolsa sobre a cama no Hacienda, em Palm Springs.

A última vez que estivera ali havia sido com Doug, cinco anos antes, para comemorar o aniversário de casamento deles. A hospedaria era pequena e intimista e tinha sido originalmente construída para ser um lar de família em estilo mouro, com piso quente, fontes de pedra adornadas e quartos que davam para pátios secretos e ensolarados, repletos de buganvílias. Não havia ar-condicionado, o que era surpreendente para um hotel no deserto, mas de alguma forma as paredes caiadas, os ventiladores de teto e a sombra das palmeiras do deserto que rodeavam a propriedade garantiam que os hóspedes estivessem sempre confortáveis e frescos ali dentro. Do lado de fora, havia uma antiquada e reluzente piscina azul-safira em formato de feijão, pronta para refrescar os hóspedes do sol forte da tarde.

O Hacienda era um lugar romântico. Mesmo com toda aquela confusão Nikki conseguia se lembrar do prazer que havia sentido ao entrar ali pela primeira vez, e do orgulho e da felicidade de Doug ao perceber que a surpresa que planejara tinha dado tão certo. Ao perceber que agradara a mulher.

— Um dos pacientes ricos do Haddon apareceu um dia falando maravilhas daqui — explicou Doug, colocando as mãos ao redor da cintura de Nikki e puxando-a para perto de si, cheio de desejo. — E eu também sei que você odeia essas espeluncas desses grandes hotéis. E aí? Gostou?

— Adorei — respondeu Nikki.

Ela jogou a bolsa na cama coberta com um lençol branco e foi descalça até o banheiro simples, sentindo-se feliz e despreocupada, de um jeito que agora, anos depois, lhe parecia estranho demais. Era difícil de acreditar que se tratava da mesma pessoa.

Talvez eu não seja a mesma pessoa, pensou, ligando o celular e sentando-se com seriedade na beirada da cama, ao lado da bolsa, a mesma que tinha levado ao SLS para o encontro com Derek Williams, o encontro que jamais aconteceu.

Williams sugerira que ela desaparecesse e fosse para "onde ninguém a conhecia". O Hacienda estava longe disso, mas algo a atraíra para lá. Talvez fosse pela vaga lembrança de o lugar tê-la feito se sentir segura, ou feliz. Como se, em seu subconsciente, sua alma estivesse à procura dos últimos vestígios da vida que ela havia perdido.

Ou talvez fosse o espírito de Doug outra vez, mexendo seus pauzinhos. Ela tivera a mesma sensação quando Anne apareceu. Quando estivera prestes a terminar com tudo, encorajada a acabar para sempre com a dor e a confusão que tomava conta de sua mente.

Será que isso havia acontecido ontem mesmo? Menos de vinte e quatro horas atrás?

O celular de Nikki começou a apitar com as notificações das mensagens que tinha recebido quando o aparelho estava desligado. *Goodman. Goodman. Gretchen. Goodman.* Ignorando todas, ela afastou o celular. A *señora* Marchesa, proprietária do lugar, deu uma leve batida à porta antes de entreabri-la, enfiar o rosto sorridente e todo enrugado na fresta e entrar no quarto.

— Quanto tempo vai ficar com a gente dessa vez, Dra. Roberts? O quarto está livre até o fim de junho, se tiver interesse. E o verão é bem tranquilo aqui.

— Ainda não tenho certeza, *señora* — respondeu Nikki, sorrindo para ela. — Posso ficar uns dias e depois lhe dizer o que decidi?

— Claro. — A idosa tocou gentilmente o ombro de Nikki. — Você está parecendo bem cansada. Tente descansar.

Assim que a mulher saiu do quarto, Nikki desfez abruptamente o sorriso, como se fosse um fardo pesado demais para carregar. Fingir que estava feliz era muito difícil agora, mesmo que por alguns segundos. Dentro de seu peito, no lugar de seu coração, havia apenas uma casca oca e destruída, uma terra arrasada ainda fumegante de raiva, ainda quente demais para ser tocada.

Doug, eu odeio você por essas lembranças felizes! Odeio você por mentir e me trair! Odeio você por estar morto! Espero que passe a eternidade queimando no inferno junto com aquela bruxa russa e o filho dela!

Na noite anterior, Nikki revelara a Anne que a amava, e também dissera que não podia mais ser sua terapeuta.

— Não é nada pessoal — explicou. — Só não estou em condições de exercer a profissão, e você precisa de uma terapeuta que seja capaz e que possa ajudá-la a evoluir.

Nikki ainda não falara sobre Luis Rodriguez e sobre as acusações absurdas de Derek Williams, de que ele tinha uma vida secreta como narcotraficante. E agora tinha certeza de que jamais falaria. Sem provas, as teorias de Williams haviam morrido junto com ele. Nikki concluiu que, se Luis realmente quisesse fazer algum mal à ex-mulher, a essa altura já teria feito. Fosse como fosse, não havia nada o que pudesse fazer para salvar Anne. E, se Williams estivesse certo sobre Luis Rodriguez, o que Nikki precisava fazer era salvar a si mesma.

Entorpecida pela própria dor, Anne concordou em se afastar de Nikki, e as duas tiveram uma despedida calorosa na manhã seguinte. Elas sabiam que jamais se veriam outra vez.

Anne tinha visto a arma na mão de Nikki na noite anterior. Não fez nenhum comentário, mas o fato de terem compartilhado aquele momento de angústia que deveria ter sido particular mudou tudo. Nikki não podia mais ser a pessoa em quem Anne se apoiava. Não podia ser o apoio de ninguém, não enquanto não conseguisse enfrentar seus próprios demônios.

Depois que Anne foi embora, Nikki enviou um e-mail para Goodman. Em seguida, mandou outros quatro. Dois para os pacientes que ainda atendia, Carter Berkeley e Lana Grey, comunicando o fim das consultas e pedindo desculpas. Outro para sua nova secretária e assistente no consultório, a azarada Kim Choy, a quem fez uma transferência no valor de três meses de salário como aviso prévio. E um quarto e último e-mail para Gretchen. Esse foi o mais difícil de escrever, porque Nikki queria muito acreditar que não era um adeus. Que um dia, quando tudo aquilo terminasse, ela *realmente* pudesse se mudar para Nova York e recomeçar. E Gretchen poderia visitá-la, e elas jantariam juntas no Dia de Ação de Graças, iriam a shows, exposições e restaurantes, e Nikki abriria um novo consultório, e, assim, a vida voltaria a ter sentido.

Ela sabia que aquilo era um sonho. Mas, ao enviar o e-mail para sua mais antiga amiga, percebeu que era um sonho que não tinha forças para abandonar, não completamente.

Assim que a mensagem foi enviada, ela tomou um café da manhã rápido e pegou a estrada, afastando-se de Los Angeles antes da hora do rush. No passado, Nikki costumava pensar que dirigir rumo ao deserto era um ato libertador. Apesar de a própria cidade de Palm Springs ainda remeter, de uma maneira bizarra, aos seus antigos dias de glamour, era a paisagem dos vastos espaços abertos que a rodeavam — quilômetros e quilômetros de nada exceto rochas e céu — que guardavam uma certa magia para quem estivesse disposto a apreciá-la.

Naquela manhã, porém, Nikki não se sentiu livre, não sentiu nenhuma alegria ao percorrer as estradas longas e vazias em direção a Palm Springs. A seu lado, no banco do passageiro, estavam apenas seu celular, que tivera de desligar após a terceira ligação de Goodman, e uma carta cujo endereço fora escrito à mão por Derek Williams. Ela ainda não a tinha aberto. Faria isso ao chegar no Hacienda, onde se sentia segura e estaria sozinha. Mas aquela mera folha de papel era suficiente para sugar a alegria que sentia e substituí-la por medo, por uma espécie de pânico que se sente quando uma cascavel está dormindo enroscada bem ao seu lado.

A carta tinha chegado ao consultório de Nikki umas quatro horas antes do assassinato do detetive. Kim tivera a prudência de pegar o carro e ir até a casa da psicóloga para lhe entregar o envelope em mãos, em vez de deixar a polícia encontrá-lo quando revirasse as correspondências profissionais que Nikki recebia.

Agora, já no Hacienda, a carta estava apoiada contra o travesseiro da cama de Nikki. Estivera prestes a abri-la quando a *señora* Marchesa entrou. Mas, quando a mulher foi embora, Nikki havia perdido toda a coragem.

Tequila, pensou Nikki. *Tequila vai me ajudar.*

Ela colocou o biquíni, pegou duas minigarrafas de Jose Cuervo do frigobar em seu quarto e a carta de Williams, depois marchou confiante na direção da piscina e se deitou numa espreguiçadeira, esticando as pernas.

Vou abrir quando estiver pronta, decidiu, deixando o ar cálido e seco aquecer sua pele enquanto a tequila fria aquecia sua garganta e acalmava seus nervos em frangalhos. O que quer que Williams tivesse escolhido colocar em sua carta final fora decisão dele. Mas era Nikki quem decidia quando abrir a caixa de Pandora, e ela se atinha a esse pouquinho de controle que lhe restava como um bote salva-vidas no meio de um oceano agitado.

Sem perceber, Nikki caiu no sono. Quando acordou, sua pele ardia, a boca estava seca, e a cabeça latejava com um barulho horrível e insistente que não parava.

— Você não vai atender isso? — Uma mulher irritada usando um horrível maiô estampado e um chapéu de palha grande estava ao lado da espreguiçadeira, curvada sobre Nikki. — Porque, se não for, é melhor desligar. Tem gente querendo relaxar aqui, sabe?

Ainda grogue e com a confusão do momento começando a se dissipar, Nikki atendeu ao celular.

— Alô? — Sua voz estava rouca, como se estivesse com areia na boca.

— Nikki? Ai, meu Deus, graças a Deus. Graças a *Deus*! Onde você estava? Estou tentando falar com você há um tempão... — Anne estava histérica, falando tão rápido e alto que Nikki teve de afastar o celular do ouvido.

— Anne, eu falei para você hoje de manhã que não posso mais ajudá-la — insistiu Nikki com paciência. — Seja lá o que tenha acontecido, você precisa...

— NÃO! — interrompeu Anne, com um grito desesperado. — Por favor! Você não está entendendo. Eu descobri uma coisa horrível... sobre o Luis.

Um calafrio percorreu a espinha de Nikki. *Ela sabe.*
Então Williams estivera mesmo certo aquele tempo todo?

— Não posso falar por telefone — balbuciou Anne. — Não é seguro. Você *precisa* me encontrar!

— Não preciso fazer nada.

Anne começou a chorar.

— Estou implorando, Nikki. Por favor! — Ela soluçava. — Se um dia eu já signifiquei alguma coisa para você... Não é só pelo meu bem, é pelo seu também.

— Como assim pelo meu bem?

— É e pronto, ok? Eu tenho uma prova, uma coisa que preciso mostrar pessoalmente a você. Juro por Deus, depois disso nunca mais vou entrar em contato com você de novo.

— Você não pode ir à polícia? — perguntou Nikki, cansada.

— Não! — respondeu Anne, quase gritando. — Preciso de você.

Nikki pôs a mão no rosto. Sua bochecha estava ardente. Sentia-se dividida. Nunca tinha visto Anne tão desesperada, e isso era algo que não dava para ignorar. Se ela realmente havia encontrado uma prova de que Luis *era* quem Williams dizia ser, então a reação era justificável. Mas o que Anne esperava que Nikki fizesse? Por outro lado, era de Anne que estava falando. Sua Anne. Anne que, tendo ou não a intenção, havia salvado sua vida na noite anterior.

Eu posso me encontrar com ela, não é?, pensou Nikki. *Uma última vez.*

Mas onde? E como? A simples ideia de dar meia-volta e retornar a Los Angeles no dia seguinte a deixava apavorada. Ela mal conseguira escapar da cidade. Além do mais, se Goodman descobrisse que Nikki havia retornado — ou pior, Johnson —, ela estaria ferrada.

Ela poderia pedir a Anne que fosse até lá. Que atravessasse o deserto. Mas essa alternativa também tinha seus contras. Nikki não queria que ninguém soubesse onde ela estava. E se os capangas de Luis ainda estivessem seguindo Anne... Não. Era perigoso demais.

— Esteja no meu consultório amanhã às seis da tarde — disse Nikki, por fim. — Vou pedir a Kim que deixe você entrar pela porta dos fundos.

— No seu consultório, não. Tem gente do Luis de olho lá. Na sua casa também. E na minha, e na sala de concertos.

O medo na voz dela deixou os pelos do braço de Nikki arrepiados. Por fim, Anne deu um endereço no centro.

— É um galpão na área do antigo polo da moda, mas está vazio há meses. Eu passo por lá quando vou para os ensaios. — Em seguida, deu as instruções de como entrar no lugar. — Seis da tarde, ok?

— Ok — concordou Nikki, relutante. — Amanhã às seis.

Com um clique, a linha ficou muda.

CAPÍTULO TRINTA E CINCO

Era estranho, mas Nikki acordou se sentindo muito melhor na manhã seguinte. Talvez fosse aquele alívio temporário causado por uma noite de sono ininterrupto, algo que não tinha havia muitos dias. A cama do Hacienda era tão macia quanto uma nuvem e a recebera como uma amante, apesar de estar queimada do sol. E ainda que Nikki tenha acordado parecendo uma lagosta cozida, com a pele do nariz descascando dolorosamente, e a das bochechas e do alto dos ombros em carne viva, sua ansiedade havia ido embora, e com ela toda a raiva e a tristeza que pareceram tão opressoras na noite anterior.

Como as emoções humanas são estranhas, refletiu Nikki, enquanto devorava um banquete de café da manhã composto de fritada de bacon, frutas frescas, torradas e queijo cottage, tudo regado a litros de um forte café italiano. Pelo jeito, seu apetite também estava de volta. *E como são resilientes também.*

Ela não estava mais com medo de se encontrar com Anne naquela noite. E, embora ter de voltar de carro para a cidade fosse um inconveniente, valeria a pena, pois ela poderia dar um fim cordial àquela conturbada amizade. Além do mais, apesar de não estar mais obcecada com o caso, Nikki precisava admitir que estava curiosa para saber que "prova" era essa que Anne queria lhe mostrar. Se fosse algo importante, ela daria um jeito de passar a pista para Lou Goodman. Então, com a consciência limpa, voltaria a Palm Springs e, depois disso, quem sabe? Talvez fosse para Arizona. Ou Utah. Se ela iria se esconder e esperar a poeira baixar até o caso ser resolvido, então poderia muito bem fazer isso num lugar lindo e cercada pela natureza, explorando locais onde nunca havia estado antes, como Zion ou Moab, ou talvez o Monument Valley.

Nikki passou o restante da manhã dentro do quarto, lendo, seu rosto dolorido coberto por um gel calmante de aloe vera. Mais tarde, tomou um banho, trocou de roupa e se dirigiu à recepção.

— Eu volto ainda hoje, mas bem tarde — avisou à *señora* Marchesa. — Preciso levar a chave do portão da frente?

— Não, Dra. Roberts. — A anfitriã sorriu. — Sua chave funciona para as duas fechaduras. Quer que eu deixe uma bandeja com o jantar no seu quarto?

— Prefiro apenas algumas frutas — respondeu Nikki antes de seguir em direção ao carro. — Obrigada.

— De nada — murmurou a senhora, observando Nikki se afastar. Assim que o carro saiu pelo portão da frente, a *señora* Marchesa pegou o telefone. — Ela acabou de sair — sussurrou para a pessoa do outro lado da linha.

Outro hóspede se aproximou, e a *señora* Marchesa desligou o telefone. Então colocou o sorriso no rosto novamente.

— *Buenos días, señor*. Seja bem-vindo ao Hacienda. Como posso ajudá-lo?

Nikki parou para abastecer num posto da Exxon pouco antes de subir a rampa de acesso à autoestrada. Ela enfiou a mão na bolsa para pegar a carteira, mas acabou tirando a carta de Williams. De repente todo o medo e a excessiva racionalização pareceram ridículos. Ali mesmo, ao lado da bomba de combustível, ela rasgou o envelope e tirou a única folha de papel de dentro.

Minutos depois, preocupado, um funcionário se aproximou. Nikki estava encolhida, segurando a folha com toda a força, as lágrimas escorrendo pelo rosto.

— Moça! A senhora está bem? Precisa de ajuda? — Nervoso, ele tocou o ombro trêmulo dela.

Nikki se endireitou e olhou para o funcionário, enxugando as lágrimas.

Constrangido e aliviado, o homem viu que na verdade ela estava chorando de rir.

— Estou bem, me desculpe! — disse ela, enroscando a tampa do tanque de combustível e voltando para o carro, a folha ainda em sua mão. — É uma... é uma fatura.

— Hã?

— Uma conta! Por serviços prestados! — Nikki abanou a folha de papel toda alegre na cara do sujeito. — A última coisa que ele me mandou, a mensagem *tão importante* que ele me enviou do além... é uma conta! — Ela voltou a rir, balançando a cabeça.

— Certo, moça. Se a senhora está bem é o que importa... — O atendente estava perplexo. Para ele, contas não tinham nada de engraçado. Por outro lado, estavam em Palm Springs. Se ele ganhasse um dólar para cada maluco que aparecia por ali, a essa altura teria dinheiro para pagar todas as contas e ainda teria uma folga.

Goodman se sentou à sua mesa na delegacia, relendo, como quem não queria nada, o parco relatório forense sobre o assassinato de Derek Williams. Sem impressões digitais. Sem fios de cabelo. Sem traços de DNA ou fibras de tecido de roupa, exceto, é claro, das do morto.

A equipe de balística fora um pouco mais bem-sucedida. Havia conseguido recuperar duas balas 9mm Elite V-Crown de ponta oca e já tinha uma ideia da arma usada pelo assassino — uma Sig Sauer P938. Infelizmente, um monte delas circulava pelas ruas de Los Angeles. A única pista real era o silenciador utilizado pelo assassino, um Dead Air Ghost-M, esse sim um equipamento muito mais raro, de ponta, usado por especialistas, vendido como parte de um conjunto disponível em poucas lojas de armas, que só pode ser adquirido legalmente.

Mick Johnson tinha acabado de sair para interrogar os fornecedores do Dead Air, e Goodman deveria estar revirando os registros de aquisição de armas de fogo. Mas, no fundo, ele sabia que o assassino de Derek Williams jamais seria capturado. O que realmente o preocupava eram as ameaças que ainda estavam vivas lá fora, mais especificamente a Dra. Nikki Roberts. No momento ela era uma fugitiva, estava escondida sabia-se lá onde e parecia não ter a menor intenção de retornar suas ligações. Até então, Johnson nem sequer sabia que Nikki havia saído da cidade, infringindo as instruções da polícia, que determinavam que ela deveria estar "à disposição" enquanto a investigação dos assassinatos de Flannagan e Raymond estivesse em andamento. Goodman precisava admitir que o fato de Nikki ter fugido um dia após a execução do detetive particular não era nada bom. Inocente ou não, era o tipo de coisa a que os políticos de Washington se referiam como algo que "pegava mal".

— Isso aqui chegou para o senhor.

Latisha Hall jogou um envelope na direção de Goodman. Ela era a secretária recém-contratada da delegacia, uma jovem mãe com ar entediado. Havia entrado para a polícia para fugir da rotina enfadonha da vida do lar. Acabou se decepcionando — tudo que fazia ali era desperdiçar seus dias arquivando e entregando correspondências para um monte de detetives ingratos.

— Você abriu? — indagou Goodman em tom de acusação, vendo que o topo do envelope estava rasgado.

— Claro que não, detetive — defendeu-se Latisha. — Chegou assim.

Ao virar o envelope de um lado para o outro, Goodman empalideceu. Estava endereçado para a "Dra. Nicola Roberts". Dentro dele havia duas folhas. A primeira era uma fatura digitada, toda organizada, cobrando os "serviços prestados nos meses de abril e maio", em nome do "escritório de Derek B. Williams, detetive particular". Estava datada de 12 de maio, o dia da morte de Williams. No verso da fatura, alguém havia escrito a palavra "Grayling" e o número 777.

A segunda folha havia sido arrancada de qualquer jeito de um bloco de notas e continha uma mensagem escrita às pressas por Nikki, a letra parecendo um garrancho.

Achei que você devia ficar com isso, dizia o bilhete. *Espero que signifique mais para você do que significa para mim. Não me procure. E, por favor, tome cuidado, Lou. Johnson está metido nisso até o pescoço. NR.*

O coração de Goodman começou a palpitar, acelerando como um trem de carga superlotado descendo uma ladeira.

— Onde você conseguiu isso? — indagou ele, autoritário, encarando Latisha com um olhar raivoso, como se ela tivesse lhe entregado uma afronta pessoal. — Quem te deu isso?

— Ninguém "me deu" isso. Eu...

— Esse envelope chegou pelo correio? — interrompeu-a Goodman, impaciente. — Por que não me entregou antes?

— Porque acabei de encontrar isso em cima da minha mesa, quando voltei do banheiro, *senhor* — retrucou a moça, cheia de insolência. Goodman podia até ser um policial com mais tempo de casa, mas Latisha Hall não aturava desaforo de ninguém. — Alguém deve ter vindo em pessoa trazer. Já entreguei a correspondência que vem pelo correio da tarde, duas horas atrás.

Goodman se afastou de Latisha, correu até a janela e olhou para o estacionamento lá embaixo e para a rua adiante. Nikki provavelmente esteve na delegacia! Talvez poucos minutos antes. Ele observou o terreno, prestando atenção no punhado de gente que caminhava por ali, torcendo para vê-la por perto. Mas é claro que não viu. Ele havia perdido Nikki. Ela estava tão perto, mas ele a perdera!

Virando a folha, ele a encarou e então voltou a olhar o envelope, concentrado. Não havia nada de anormal na fatura de Derek Williams, nada de estranho ou notável até onde Goodman podia ver, além da data. Ainda assim, Nikki achou que ele deveria ver aquilo e se arriscou a ir pessoalmente à delegacia. *Por quê?*

A única coisa fora do comum era o "Grayling 777" escrito à mão no verso da fatura, embora até isso parecesse inofensivo. Podia significar qualquer coisa — ou nada. Ela não teria voltado a Los Angeles e corrido um risco tão grande só para levar o envelope até a delegacia, não é?

— Ligue para o detetive Johnson — vociferou ele para Latisha.

— Certo — disse ela, mal-humorada. — Ligo e digo o quê?

— Diga para ele arrastar aquela bunda gorda de volta para cá — ordenou Goodman, nervoso. — Agora.

CAPÍTULO TRINTA E SEIS

O endereço que Anne dera a Nikki era de um armazém pequeno e abandonado que ficava no polo da moda no centro da cidade, perto da San Julian Street. Espremido entre dois edifícios muito maiores — uma gráfica e uma fábrica apinhada de costureiras —, o armazém ficava quase todo escondido pelas sombras, oculto das ruas próximas pelos prédios vizinhos e por um muro de tijolos bem alto que bloqueava os fundos.

Nikki costumava conhecer bem essa região. A primeira clínica de Doug e Haddon ficava a poucos quarteirões dali, embora muita coisa tivesse mudado desde então. Os dependentes químicos continuavam pelas ruas, claro. Mas a valorização imobiliária e o volume insano de dinheiro que havia sido investido no centro da cidade acabou deslocando os viciados cada vez mais para o leste, para depois da Olympic Boulevard. As novas restrições do prefeito com relação aos sem-teto também haviam gerado impacto. Cinco anos antes, espaços inutilizados como o que Anne escolhera para ser o ponto de encontro delas teriam sido invadidos por moradores de rua. Agora, no entanto, continuavam vazios e intocados enquanto os proprietários esperavam que um inquilino com muita grana se dispusesse a pagar o aluguel abusivo ou que uma construtora fizesse uma oferta irrecusável pelo imóvel.

Enquanto estacionava o carro a alguns quarteirões dali, Nikki pensou em Anne e ficou preocupada. Marcar um encontro num lugar discreto, ainda mais quando a intenção era compartilhar informações sigilosas, era uma coisa, mas escolher um local tão arrepiante e isolado parecia, na melhor das hipóteses, uma escolha excêntrica, e na pior, um sinal de que Anne devia estar morrendo de medo de ser vista com Nikki. Aquilo estava mais para um esconderijo do que para um ponto de encontro. A pergunta agora era: de quem ela queria se esconder?

Logo de cara, Nikki pensou em Luis — afinal, foi o que Anne dera a entender na conversa por telefone. Mas por que ele iria querer fazer mal a ela de uma hora para outra, depois de tanto tempo? Nikki sempre enxergara o marido de Anne como um homem ciumento e controlador, mas que, à sua maneira, amava a esposa. Ele podia até usar de ameaças, bajulação e intimidação para tentar reconquistá-la, mas, apesar disso, nunca havia levantado a mão para ela.

Ainda assim, eram nítidos o medo e o pânico na voz de Anne quando conversaram por telefone no dia anterior. Ela parecia apavorada. Era uma sensação que Nikki passara a identificar muito bem ao longo das últimas semanas. Esperava poder ajudar Anne esta última vez antes de ela mesma voltar ao próprio esconderijo, fugindo dos próprios demônios.

Nikki olhou para o relógio de pulso. Faltavam cinco para as seis quando se aproximou do armazém e digitou no aparelho ao lado dos portões o código de cinco dígitos que Anne lhe dera. Com um barulho, a porta de aço pesada foi destrancada, permitindo que Nikki atravessasse um corredor estreito e subisse uma escada de concreto que dava no armazém. As portas corrediças já estavam entreabertas, como Anne disse que estariam. *Você pode entrar direto. Se eu me atrasar, por favor, me espere. Prometo que chegarei logo.*

Ao entrar no ambiente frio e escuro, Nikki apertou ainda mais o cardigã de caxemira contra o próprio corpo. Um feixe de luz vespertina entrava por duas janelas imundas que ficavam no alto, mas, ainda assim, o ambiente tinha um ar melancólico. O piso de concreto estava cheio de arranhões e buracos, e fora algumas mesas e cadeiras de plástico jogadas num canto de qualquer jeito, não havia mobiliário no lugar. Alguns pedaços de tecido encontravam-se espalhados pelo chão, e era provável que tivessem sido deixados ali pela última empresa que funcionara no lugar. Mais à frente, na outra extremidade do armazém, havia um elevador de carga largo. À direita e à esquerda dele duas escadas de incêndio maltratadas davam num mezanino, depois continuavam para os andares superiores.

— Anne?

A voz de Nikki ricochetou nas paredes — o eco parecendo subir até se dissipar. Não houve resposta. Em algum lugar acima de Nikki, uma ave soltou um guincho, e ela escutou o som de um bater de asas frenético até o silêncio voltar a tomar conta do lugar.

Coitada. Deve estar presa aqui dentro.

Nikki caminhou rápido em direção às escadas, determinada a não se deixar abalar pela inquietação que tomava conta dela, subiu até o mezanino e seguiu para o andar de cima. Ali o espaço era dividido numa série de ambientes menores — baias que um dia provavelmente foram usadas como escritório — ao longo de um corredor estreito, longo e muito mais escuro que o andar de baixo. A única luz natural vinha apenas de um lado do prédio. Além de tudo, o cheiro era horrível, um inconfundível fedor de fezes humanas. Nikki ergueu a mão e tocou um interruptor na parede. Primeiro a luz piscou de leve, depois iluminou o ambiente com um clarão. Nikki ouviu o zumbido alto da corrente elétrica sendo reativada enquanto todas as luzes que percorriam as paredes sem janela ganhavam vida.

E então ela gritou, um som estridente e sufocado que ficou parcialmente preso na garganta.

Ali, pregado a uma tábua de madeira com os braços esticados, como uma paródia grotesca de Jesus, havia um corpo nu e inchado de um homem. Estava tão surrado e ensanguentado que mal dava para reconhecer. Nikki demorou um instante para descobrir quem era:

Willie Baden!

Alguém tinha enfiado um maço de notas em sua boca, um insulto final no que parecia ter sido parte de uma morte ritualística macabra. Nikki sentiu a bile subir pela garganta; estava enojada e aterrorizada. Ela podia não ser nenhuma especialista, mas, pelo sangue que ainda pingava das feridas ao redor da genitália, Baden parecia ter morrido havia pouco tempo. Se a pessoa que fez aquilo ainda estivesse ali...

— Nikki! Aqui! — A voz de Anne parecia aguda e esganiçada.

— Anne! — Dando as costas para o cadáver de Baden, Nikki piscou com força, os olhos ainda incomodados com a luz intensa. — Onde você está? Não estou te vendo.

Como um fauno saindo da cobertura protetora de uma floresta, Anne surgiu de uma das baias quadradas e parou no longo corredor onde Nikki se encontrava. Mal olhou para o corpo crucificado a poucos metros de distância enquanto cambaleava na direção da psicóloga. Só quando se aproximou foi que Nikki viu os machucados, que iam do olho roxo de Anne e desciam pelo lado direito do rosto e do pescoço, onde a pele estava azul-acinzentada e inchada.

Nikki correu até ela.

— Ele bateu em você? — Anne olhou para baixo, envergonhada, e mordeu o lábio inferior. — Ele matou Willie Baden, Anne? — Nikki envolveu os ombros de Anne, como que para protegê-la, enquanto virava-se de frente para a cena grotesca do homem pregado à madeira. — Você viu o que aconteceu? Estava aqui? Dá para ver que o coitado foi torturado.

— Me desculpe — murmurou Anne, ainda nitidamente em estado de choque.

— Pelo quê? A culpa não é sua. Nada disso é culpa sua.

— Não é verdade. — Anne soluçava, trêmula.

— Escute, precisamos sair daqui. — A Nikki prática entrou em ação. — Seja lá o que tenha acontecido, nenhuma de nós está segura...

— A culpa é minha — interrompeu-a Anne. — Eu queria... eu queria que isso não tivesse acontecido. Mas ele me obrigou. Ele me obrigou a assistir. — Pela primeira vez, Anne olhou para o cadáver de Baden. — Ele me fez filmar tudo. — Ela estendeu a mão trêmula que segurava o celular em direção a Nikki. — Ele me fez trazer você até aqui. Ele queria que você visse. Sinto muito.

De repente, das baias atrás de Anne surgiram dois homens corpulentos de ternos escuros.

— Por aqui, por favor, Sra. Rodriguez — disse um deles, educadamente, enquanto o outro segurava o braço de Anne com firmeza. Nikki sentiu o estômago embrulhar ao perceber que a mão dele estava coberta de sangue ressecado. Provavelmente do pobre Willie Baden, embora ela não fizesse ideia do que o velho poderia ter a ver com o caso. — Vamos levá-la ao seu carro.

Nikki assistiu, impotente, enquanto Anne era levada aos prantos até um elevador menor e sumia de vista.

— Esperem! — gritou Nikki. — Não façam mal a ela! Não toquem nela! — Mas as portas já haviam se fechado.

Agitada, Nikki tentou colocar a cabeça no lugar. Anne pareceu transtornada ao ver os dois homens, mas não surpresa. Ela sabia que eles iriam aparecer, sabia que seria levada. O que foi que ela havia dito antes? *Ele me fez trazer você até aqui. Ele queria que você visse.*

Nikki já tinha visto o suficiente. Precisava dar o fora dali. Salvar a própria pele, mesmo que não conseguisse salvar Anne. Ela se virou e começou a correr pelo corredor, evitando olhar para aquele pedaço de carne que um dia havia sido amante de Lisa Flannagan. Mas mal tinha percorrido alguns poucos metros, quando um homem alto e distinto, de terno escuro parou casualmente na frente dela, bloqueando o caminho.

Ele parecia tranquilo e estava sorrindo, e Nikki o reconheceu imediatamente da foto que Derek Williams lhe mostrara.

— Sr. Rodriguez.

Luis assentiu, ainda com seu sorriso enorme que ia até os olhos castanhos.

— Dra. Roberts. Finalmente nos conhecemos. Que bom que conseguiu vir.

Ele sacou uma pistola do bolso interno do paletó e apontou para o rosto de Nikki, bem entre seus olhos.

Mick Johnson olhou para a secretária Latisha Hall como se ela fosse uma coisa desagradável que ele havia acabado de encontrar presa à sola do sapato.

— Você disse que Goodman precisava de mim aqui. Você *disse* que era urgente.

— Foi o que o detetive Goodman me pediu para lhe dizer, senhor. — Latisha sabia que era melhor não usar com Johnson o mesmo nível de insolência que usara com o colega dele. Deixar Mick Johnson irritado estava fora de cogitação. Todos na delegacia sabiam disso. E se você não era de ascendência irlandesa, católico, homem e branco, já estava com a corda no pescoço.

— Então cadê ele? — perguntou Johnson entre os dentes.

— Não sei, senhor.

— Você não sabe — repetiu em um sussurro que só podia ser descrito como ameaçador. Afundando em sua cadeira na sala que dividia com Goodman, ele fechou os olhos e se forçou a não perder as estribeiras. Não porque aquela secretária preguiçosa e idiota não merecesse, mas porque ele não tinha tempo nem energia para desperdiçar com ela. Agora as coisas estavam ficando sérias. Sérias num nível mortal. Ele precisava descobrir onde Goodman havia se metido.

Não ajudava em nada o fato de que os dois vinham mentindo um para o outro fazia um bom tempo. Johnson não tinha passado a tarde conversando com comerciantes de silenciadores de arma, assim como Goodman não havia passado a tarde checando requisições de licença para ter o dispositivo. Johnson fora ao banco de investimentos de Carter Berkeley, o Berkeley Hammond Rudd, e obrigado o pessoal do departamento de contabilidade a entregar os arquivos de que ele precisava.

Arquivos que se mostraram uma leitura *muito* interessante e que ele estivera copiando justo quando recebeu o chamado de Goodman.

Johnson sabia *por que* estava mentindo para o parceiro. No que dizia respeito a esse caso, ele já não confiava mais em Goodman havia muito tempo. Mas não tinha certeza dos motivos que faziam o colega de equipe esconder tanta coisa dele. Até hoje.

Hoje, enquanto estava no banco de Carter Berkeley, de repente Johnson se deu conta. *Havia* um motivo para Goodman mentir e ter passado a agir nesse mundo obscuro de meias verdades que cegara a ambos.

— O detetive Goodman recebeu uma ligação, senhor — explicou Latisha, nervosa. — Pouco depois de eu falar com o senhor. Não sei dizer de quem era, mas ele saiu logo em seguida. E saiu correndo, como se o diabo estivesse atrás dele, me desculpe a expressão.

A cabeça de Johnson estava a mil por hora, e ele sentiu um gosto amargo de medo.

Com um gesto, dispensou Latisha do escritório, depois fechou a porta e sentou-se não à própria mesa, mas à de Goodman.

O cerco estava se fechando, mas ele não podia entrar em pânico. *Pense.*

Ao contrário da mesa de Johnson, a de Goodman era limpa e organizada. O envelope endereçado à Dra. Roberts ainda estava ali, assim como o celular de Goodman, um sinal nítido de que ele havia saído não apenas apressado, mas em total estado de pânico. Johnson checou o envelope primeiro, lendo cuidadosamente a fatura de Williams e as palavras escritas no verso, assim como a mensagem de Nikki para Goodman. Sentiu o peito contrair quando leu o próprio nome. *Johnson está metido nisso até o pescoço.* Que mulher idiota! Ela estava prestes a descobrir de verdade o que era estar metido em algo até o pescoço.

Johnson colocou o envelope no bolso e pegou o celular de Goodman. Em seguida, digitou a senha que sabia de cor havia muito tempo e começou a rolar a lista de mensagens e ligações antes de fazer o mesmo com o histórico de buscas no navegador.

Não demorou muito a encontrar o que precisava.

Depois de encaminhar a informação para o próprio celular, ele rapidamente deletou o registro de itens enviados do telefone de Goodman. A sensação de medo em seu peito se intensificou no momento em que olhou para o relógio. Já eram seis e vinte! Como o tempo pode ter voado assim? E se fosse tarde demais?

Johnson recarregou a arma e saiu correndo porta afora.

Tinha chegado a hora de acabar com aquilo tudo de uma vez por todas.

Nikki fechou os olhos e se preparou para receber a bala que acabaria com sua vida. Pelo menos, no caso dela, parecia que o fim seria rápido, e não a agonia prolongada infligida ao pobre Willie Baden. Por mais estranho que fosse, agora que o momento tinha chegado, Nikki quase não sentia medo. Era mais uma resignação misturada à dor causada pela decepção de saber que morreria sem entender nada do que havia acontecido.

Mas não houve tiro.

Nikki abriu os olhos e ficou surpresa ao ver que Luis Rodriguez a fitava com uma expressão de crueldade e divertimento.

— Por que a pressa, Dra. Roberts? Não quer conversar antes de conhecer o seu criador?

— Você matou Willie Baden. — Nikki o encarou, tranquila. Sabia que, em algum momento, iria morrer, mas, enquanto estivesse viva, queria respostas.

— De fato. — Rodriguez fez uma rápida mesura, como se estivesse recebendo um elogio.

— Por quê?

— Por que não? — Ele soltou uma gargalhada. Então, vendo o terror no rosto de Nikki, acrescentou: — Ah, vamos lá, Dra. Roberts. Não me diga que você não concorda com o que fiz. Ele era um porco traidor. Tenho certeza de que você desprezava o homem.

— Por quê? — perguntou Nikki outra vez.

— Ele se tornou uma pessoa muito gananciosa. Estava metendo a mão no pequeno negócio que tínhamos juntos, embolsando muito mais do que combinamos. E descobri que isso vinha acontecendo há muito tempo. No México ele foi cuidadoso, mas aqui em Los Angeles Willie achava que era intocável. — Ele se virou e olhou satisfeito para o corpo nu e mutilado de Baden. — Eu acabei com essa ilusão dele. Ninguém é intocável. Se alguém tenta me passar para trás, pode ter certeza de que não vou deixar barato.

Os olhos dele arderam com uma fúria assassina ao encarar Nikki, e ela achou que Luis iria atirar nela ali mesmo. Mas, em vez disso, ele esperou a onda de raiva passar e, em voz baixa, acrescentou:

— Próxima pergunta.

— O que você fez com a Anne?

Rodriguez pareceu surpreso com a pergunta.

— Com Anne? Nada que ela não quisesse — respondeu ele com um sorriso presunçoso. — Sabe, Dra. Roberts, minha mulher gosta de ser dominada. Fico surpreso que você não tenha percebido isso ainda. Por outro lado, você nunca conheceu Anne de verdade. Não como eu.

— Eu sabia que ela tinha medo de você. Sabia que ela fugiu porque não aguentava mais aquela prisão em que você havia transformado a vida dela, como se ela fosse uma condenada.

O sorriso nos lábios de Rodriguez se desfez.

— Sabe, é divertido ouvir você defender a Anne. Mesmo agora, sabendo que ela trouxe você aqui para morrer.

— Porque você a forçou. Do mesmo jeito que a forçou a assistir à morte de Willie Baden. Você a aterrorizou. Você bateu nela! — insistiu Nikki.

Luis balançou a cabeça.

— Não, Dra. Roberts. Você ainda não entendeu, não é? Ela faz essas coisas porque me *ama*. No fim das contas, não importa o que Anne sinta por você, porque ela vai fazer qualquer coisa para me agradar e me proteger. Por mais que você tenha se esforçado para nos destruir, o coração dela ainda é meu.

— Isso não é verdade — retrucou Nikki, mas sentia sua convicção perdendo a força. Afinal, Anne a levara até ali, a levara até a armadilha de Rodriguez. E quem sabia que papel ela de fato havia tido no assassinato de Baden?

— Eu devia ter intervindo há muito tempo — continuou Luis, a arma ainda firmemente apontada para a cabeça de Nikki. — A ironia disso tudo é que eu pretendia me livrar de você antes mesmo de a minha mulher te conhecer. Assim que descobri que aquele palhaço do Berkeley foi imprudente o bastante para começar a fazer *terapia*. Foi a coisa mais idiota que ele poderia ter feito.

— Está falando de Carter? — Nikki arregalou os olhos. — O que Carter Berkeley tem a ver com isso?

O sorriso de Luis aumentou.

— Você realmente não faz ideia, não é?

— Não — respondeu Nikki, com sinceridade. — Não sei de nada.

— Tudo bem, Dra. Roberts. Nesse caso, vou contar uma historinha para você. Só por diversão mesmo. Vamos ver se você consegue juntar as peças do quebra-cabeça — disse ele. — Era uma vez um homem. Não um homem jovem, mas um homem no auge.

A voz de Luis soava grave e tranquila ao mesmo tempo, como a de um ator, e seu jeito de falar tinha um quê de hipnótico que atraía a atenção de qualquer pessoa. Dava para ver por que Anne, uma mulher mais jovem e vulnerável, acabou se encantando por ele.

— Tente imaginar esse homem numa floresta, a poucos quilômetros da Cidade do México. Num lugar lindo e isolado. Numa noite quente e escura. De lua cheia. O homem espera por uma jovem. Uma jovem especial. Uma jovem cujo corpo firme e delicado vem satisfazendo seus desejos há meses, mas não como essa noite. Essa noite vai ser diferente. Ainda *mais* especial.

Nikki sentiu um arrepio tomar conta do seu corpo e estremeceu. Contar aquela história estava deixando Rodriguez excitado. De repente ela relembrou as palavras de Carter Berkeley durante a última consulta, quando quase entrou em transe. *Vejo uma clareira entre as árvores. É noite. Está escuro, mas a lua ilumina o lugar. Faz calor.*

— O homem vê a garota chegar — prosseguiu Rodriguez. — Ela caminha hesitante pelo campo, a todo momento olhando o mapa que ele tinha feito para ela. Seu cabelo louro avermelhado e recém-lavado balança de um lado para o outro conforme ela anda. A garota é alta, bem alta, e suas pernas compridas e esguias desviam dos galhos e das pedras como se ela fosse uma jovem cerva. *Perfeição*. Ela é tão linda que dói só de olhar. Tão jovem. Tão inocente! Está me acompanhando, Dra. Roberts?

Nikki assentiu, apavorada, mas ao mesmo tempo hipnotizada. As peças estavam começando a se encaixar. Algumas delas, pelo menos.

— Charlotte Clancy. Você está falando de Charlotte Clancy, não é?

— Muito bem. — Rodriguez abriu um sorriso. — Mais que tudo, foi a inocência dela que atraiu esse homem. Era inebriante, e ele a queria justamente por nunca ter tido isso na vida. Claro que ele mesmo já havia sido jovem, num passado mais remoto. Mas nunca foi de fato uma pessoa inocente. Não como Charlotte. Os dois vinham de mundos diferentes, de planetas diferentes. Eles nunca deveriam ter se conhecido. Mas aconteceu. E ali estava ele, observando-a, se embebendo nos encantos daquela garota, conforme ela corria em sua direção.

— E o que aconteceu depois? — Era como se Nikki estivesse numa sessão de terapia tentando fazer seu paciente se abrir. O que, de certa forma, ela estava fazendo.

— Bom, o homem saiu do carro em silêncio e, de fininho, foi até a clareira para recebê-la quando chegasse — explicou Rodriguez, entrando no jogo. — Ele estava excitado. Empolgado. Tinha ficado em dúvida antes, mas, ali, naquele momento, a sensação havia passado. Ele queria aquilo. Então, no meio da escuridão, gritou: *"Mi cara!"*. E ela respondeu: "Estou aqui! Estou aqui, meu amor."

Rodriguez imitou a voz de Charlotte Clancy com um falsete esganiçado que deixou Nikki de estômago embrulhado.

— Então ela chegou à clareira e ficou ali, parada, toda tímida, a uns três metros dele. Fez menção de se aproximar, mas o homem ergueu a mão e a impediu. Disse que queria se lembrar dela como estava ali, do jeitinho que era. Você consegue imaginar a garota?

— Sim — respondeu Nikki, cheia de repulsa. — Ela tinha 18 anos. Uma criança. O que você fez com ela, Luis?

Ele fez outra leve mesura, cheia de falsa deferência, e deu uma risada.

— Acertou de novo, Dra. Roberts. Bom, a jovem é Charlotte Clancy, e o homem sou eu. Estamos quase lá. Isso foi alguns anos antes de eu conhecer Anne. Na época era casado com minha segunda mulher e tive um maravilhoso caso de verão com Charlotte. Mas então, infelizmente, ela decidiu ultrapassar os limites, e me deixou de mãos atadas. Precisava dar um jeito na situação. Enfim, quer saber o que eu fiz com ela, certo? Primeiro pedi que tirasse o vestido. Sabe, assim como Anne, Charlotte gostava de ser dominada. Ela ficou feliz em atender ao meu pedido. *Ansiosa* até, eu diria. — Ele parecia extasiado só de relembrar a cena. — Consigo vê-la em minha mente mesmo agora, levantando os braços, tirando o tecido fino de algodão pela cabeça. Ela tinha seios lindos, empinados e redondos, feito maçãs, e aquela barriga lisa e firme. E estava usando aquela calcinha de renda *minúscula*. Ah, ela era perfeita, Dra. Roberts! De verdade. Pedi que dançasse para mim, mas ela estava com vergonha e não queria de jeito nenhum. Então tive que dar uma mãozinha. Você já viu como o corpo humano fica quando está sendo metralhado? — Ele deu uma risadinha aguda e sádica e continuou: — Acho que não, não é? A pessoa morre muito antes de o corpo bater no chão, mas até isso acontecer ele faz uma dança divertida, pulando e se sacudindo todo ao ritmo das balas, as pernas e os braços sacolejando para todos os lados. No fim é meio nojento, mas é uma cena a que vale a pena assistir, especialmente se nunca viu antes.

"Carter Berkeley era um dos meus banqueiros. Eu gostava dele, mas, puta merda, como era estressado! Enfim, achei que ele gostaria de assistir ao showzinho que encenei com Charlotte para ele. Foi Carter quem nos apresentou, então merecia um pequeno agradecimento, e, veja bem, prometi a ele uma surpresa. Então Carter foi até lá e assistiu do carro. Mas ele ficou tão assustado, tremendo e chorando como uma garotinha, que acabou sendo chato. Eu *acho* que Carter pensou que eu o deixaria transar com ela."

Ele deu outra risada e voltou a encarar Nikki.

— Quer dizer... dá para imaginar uma coisa dessas? Por que eu permitiria isso? O que é meu é meu, Dra. Roberts. E sempre será.

Nikki demorou alguns segundos para processar tudo o que Rodriguez estava dizendo e encaixar com o que Williams lhe contara antes de morrer. Quando falou, foi tanto para Rodriguez quanto para si mesma.

— Então Carter era o banqueiro americano. O homem no Jaguar verde. Mas ele não era o namorado de Charlotte. Era *você*.

— Não sei se eu diria que era o *namorado* dela — retrucou Luis em tom amigável, como se não estivessem conversando sobre um assassinato a sangue-frio.

— Carter ainda trabalha para você?

A expressão de Luis ficou sombria.

— Minha organização não é como um banco. As pessoas não vêm e vão. Quando você entra, é pra valer. Somos como uma família. — A palavra soava apavorante quando dita por Luis. — Infelizmente, com o passar dos anos, Carter Berkeley se tornou um dos nossos membros mais disfuncionais. Por isso começou a fazer terapia com você.

— Quando você diz "organização" está se referindo ao seu império no mundo das drogas?

— Eu não chamaria assim. Narcóticos são só uma parte dos nossos negócios. Assim como o mercado imobiliário. Nossa base de interesses é ampla.

— Mentira! — retrucou Nikki, corajosamente. Já que iria morrer de qualquer maneira, pelo menos ela o enfrentaria. — Seu império imobiliário não passa de um esquema de *lavagem de dinheiro* do tráfico de drogas. O mesmo vale para essa história de filantropia. O que você faz para viver de verdade é empurrar *krok* para os dependentes químicos, Sr. Rodriguez. Você não é nada mais, nada menos do que um traficantezinho de merda.

Luis inclinou a cabeça para o lado com um ar de curiosidade, mas não parecia irritado. Na verdade, parecia estar gostando de ser desafiado.

— Primeiro, eu não preciso "empurrar" *krokodil* para ninguém, Dra. Roberts, assim como também nunca precisei "empurrar" cocaína. A demanda é alta. Eu não a crio. Eu só a atendo.

Nikki semicerrou os olhos, enojada.

— Você sabe o que aquela coisa faz com as pessoas.

— Sim, eu sei. E elas também. Não sou responsável pelas escolhas dos meus clientes — rebateu Luis, sem um pingo de remorso. — Aliás, nem Carter Berkeley. Ele tem sido o meu homem das finanças aqui na Costa Oeste há anos. Aliás, ele era ótimo nisso, até que começou a amarelar. Não tem nada mais irritante do que uma pessoa que começa a desenvolver uma consciência quando já é tarde demais, não acha? Como Lisa Flannagan, por exemplo.

A menção a Lisa chamou a atenção de Nikki. O que Rodriguez sabia sobre ela, ou sobre sua consciência?

— Enfim, de uma hora para outra, Berkeley começou a se importar com todos aqueles pobres viciados patéticos — continuou Rodriguez, conduzindo a conversa de volta a Carter. — Não preciso nem dizer que isso aconteceu *depois* que ele recebeu sua parte dos lucros. Ele se sentiu mal o suficiente para desabafar com uma terapeuta, mas nunca para me devolver os milhões de dólares que ganhou comigo. Ele se tornou ganancioso e fraco. Exatamente como o Sr. Baden ali. E essa nunca é uma boa combinação.

Carter fazia parte da "quadrilha" sobre a qual Williams estava tentando me alertar, pensou Nikki. Devia ser o "banqueiro desonesto". E Baden obviamente também fazia parte do bando, embora Nikki ainda não soubesse onde ele se encaixava. Não que isso importasse agora. A mente dela estava acelerada. Quem mais Derek havia citado mesmo? Um político... podia ser o próprio prefeito. Um policial. E alguém envolvido com filantropia. Todos enchendo os bolsos com o lucro da *krokodil* de Rodriguez.

— Cometi muitos erros aqui em Los Angeles, Dra. Roberts. — Rodriguez abaixou a cabeça, olhando para a arma que segurava. — Admito. Meu primeiro erro foi confiar em Berkeley. Carter é um cara inteligente, mas com o tempo descobri que não tem colhões, e, no nosso ramo, isso é fundamental. Meu segundo erro foi deixar Valentina Baden me convencer a trabalhar com o marido dela. Valentina é uma profissional. Ela vem do mesmo mundo que eu e entende como as coisas funcionam. Mas aquele velho era um problema. E por fim meu maior erro: ter contratado aquele lixo do Brandon Grolsch para se livrar de você. Ele fez uma grande bagunça!

Nikki se encolheu. Ainda era difícil de acreditar que Brandon seria capaz de machucar alguém, que dirá matar e torturar. Mas concordar em matar a pessoa que o *ajudara* — ou pelo menos tentara ajudar — mais do que todas as outras? Ela se sentia atordoada. O que as drogas de Rodriguez tinham feito com Grolsch?

— Eu devia saber que o garoto não tinha mais jeito, que tinha se afundado demais no vício para conseguir fazer um trabalho decente. Mas Valentina estava obcecada com ele e insistiu *tanto* para que eu o escolhesse... Ela e Brandon foram amantes, sabia? Isso quando ele ainda era bonito, antes de as drogas acabarem com ele.

— Isso é ridículo! Brandon tem 19 anos. Valentina Baden tem idade para ser avó dele.

Rodriguez deu de ombros.

— No vício, assim como no amor, não existem barreiras nem limites, Dra. Roberts. Seu marido entendia isso. Fico surpreso que você não entenda. De qualquer maneira, acho que aquela puta velha ficou excitada com a ideia de o queridinho matar alguém por ela. "Brandon conhece a Dra. Roberts", ela me disse. "Conhece os hábitos dela, os trajetos que ela faz. Ele vai conseguir, Luis. Dê uma chance a ele." Eu, idiota que sou, fiz a vontade dela. Na época minha parceria com Willie ainda estava no começo, e achei que manter os dois Baden felizes era uma boa jogada. — Luis balançou a cabeça com uma expressão amarga no rosto. — Meu Deus, que fiasco que foi aquilo. Tudo o que Grolsch tinha que fazer era esperar você sair do prédio onde fica o seu consultório e enfiar uma faca no seu coração. É tão difícil assim? Mas a coisa toda virou uma série de trapalhadas. Lisa Flannagan saiu usando o seu casaco e *ops!* O imbecil vai e mata a garota, em vez de você. Caramba, ele literalmente fez picadinho da coitada.

Nikki refletiu sobre o que Rodriguez acabara de dizer. Era a teoria de Goodman, da "identidade trocada", de que o assassino tinha confundido Lisa com Nikki porque estava escuro e a garota estava usando o casaco da terapeuta. Por um lado, ela supôs que era possível que Brandon estivesse tão drogado e empolgado para matar que pudesse ter cometido esse tipo de "equívoco". Por outro, era mais provável que Valentina Baden tivesse instruído Brandon a matar Lisa, amante de seu marido, em vez de Nikki... não é?

Essa possibilidade também deve ter passado pela cabeça de Rodriguez. Mas ele parecia ter uma confiança bizarra na palavra e na capacidade de julgamento de Valentina Baden, algo que ia de encontro a tudo o que Nikki sabia sobre ele. *Luis Rodriguez daria um fascinante estudo de caso psicológico*, pensou, de repente. Isso se ele não estivesse prestes a estourar os miolos dela.

— Enfim, Brandon matou a garota — continuou ele. — Mandei alguns dos meus homens limparem o corpo, mas isso também deu uma baita merda. Eles fizeram tudo correndo, entraram em pânico e acabaram deixando resquícios da pele podre e infestada de *krok* daquele idiota, e a polícia acabou identificando o DNA. Com isso eu passei a ter que lidar com uma investigação de assassinato e uma confusão dos diabos com a imprensa enquanto os Baden e Brandon entravam em pânico... e durante todo esse tempo *você* continuava viva, Dra. Roberts. Uma situação muito infeliz, ainda mais considerando que você era a terapeuta da Anne. A minha Anne.

Ao dizer o nome da esposa, o rosto de Luis se transformou. De repente seu tom tagarela e animado sumiu. Ele encarou Nikki com puro ódio.

— De todos os milhares de psicólogos de Los Angeles, *a minha mulher* escolhe *você*. A mesma mulher que vinha escutando os desabafos do meu banqueiro desde o ano passado, a mesma mulher de quem eu vinha tentando me livrar sem sucesso, como uma maldita barata. E foi justo a *você* que Anne recorreu. Quais eram as chances, não é?

Mínimas, pensou Nikki. As chances eram mínimas. Alguém provavelmente a recomendou a Anne. Alguém que sabia da conexão com Carter Berkeley e quis colocar sua vida na mira. Ela tentou pensar em quem faria isso e por quê — talvez alguém ligado à "quadrilha" que Williams a alertara —, mas nenhum nome surgiu em sua mente.

Nikki ainda lutava para processar a ideia de que Brandon Grolsch havia aceitado dinheiro para matá-la, mas acabou tirando a vida da pobre Lisa. Durante todo esse tempo Nikki protegera o garoto de Goodman e chegou a defendê-lo quando conversara com Williams. Até que, dias antes, Brandon ligou para ela, implorando por ajuda e perdão. *Perdão!*

— Não me entenda mal. — Rodriguez interrompeu os pensamentos confusos de Nikki. — Eu teria matado você de qualquer jeito. Carter Berkeley assinou sua sentença de morte no dia em que pisou no seu consultório. Mas na época não era nada pessoal. Só que, quando descobri que você vinha conversando com a Anne, as coisas mudaram. — Ele estreitou os olhos. — Foi quando comecei a desprezar você, Dra. Roberts.

Nikki o escutou falar sobre Anne e sobre como a psicóloga tentara "colocá-la contra ele". Rodriguez foi ficando cada vez mais agitado enquanto revelava de peito estufado que havia plantado escutas na bolsa e no carro de Anne para ouvir as conversas das sessões e soltava ofensas cada vez mais amarguradas, dizendo que Nikki era uma predadora, uma pervertida que queria Anne e o difamara por ciúme.

Conforme ele resmungava, Nikki pensou que precisava procurar uma forma de fugir dali. Luis Rodriguez estava completamente fora de si. Talvez Nikki pudesse tirar vantagem do estado mental alterado dele. Afinal, ela era psicóloga. No mínimo, podia fazer com que continuasse falando, manipulando seu ego para ganhar tempo. No fim, porém, a única maneira de sobreviver seria distraí-lo para que pudesse tentar tirar a arma da mão dele.

Mas, mesmo que ela conseguisse, depois faria o quê? Correria, claro, mas para onde? Havia um elevador atrás dela, logo depois de onde estava o corpo de Willie Baden, o mesmo elevador em que Anne tinha entrado com os dois capangas. O problema era que, a não ser que conseguisse simplesmente apagar Luis, seria muito improvável que Nikki tivesse oportunidade de apertar o botão do elevador e ainda esperá-lo chegar. Agora, se ela conseguisse tomar a arma da mão de Luis, aí, sim, a balança pesaria para o lado dela. Mas não havia nada ao redor que pudesse usar para enfrentá-lo, nem no corredor nem nas baias que se alinhavam ao longo dele. Nikki nem sequer segurava uma bolsa. Tudo o que tinha eram as chaves do carro, que agarrava com toda a força.

Quanto mais Nikki pensava de forma racional e prática, mais aquele sentimento inicial de calma a abandonava e o medo ia se instalando. Não estava pronta para morrer, afinal — não naquele dia, nem nas mãos daquele sádico louco.

Tem que haver uma saída. Não é possível que não haja.

Quando Goodman fez a curva para entrar na San Julian Street, sua camisa já estava ensopada de suor, e as mãos, tão úmidas que mal conseguiam segurar o volante. O medo embrulhava seu estômago e drenava o sangue de seu rosto. Deixava sua boca seca e acelerava os batimentos cardíacos transformando-os em um galope incessante que dificultava a respiração.

O único lado bom do medo era a adrenalina que corria por suas veias, sobrepujando tudo e obrigando-o a agir. Dirigir. Estacionar. Correr. Sacar a arma. Sim, ele estava com medo. Mas não estava paralisado. Um instinto de sobrevivência profundamente enraizado fazia com que ele se lembrasse de que não podia se dar a esse luxo.

O momento havia chegado. Era agir ou morrer.

Vida ou morte.

A rua estava deserta, a não ser por uma ou outra costureira saindo tarde do trabalho, caminhando cansada para o ponto do bonde na 8th Avenue. Ninguém pareceu notar quando Goodman estacionou o carro e saiu apressado dele, correndo em direção ao armazém vazio. A cerca de trinta metros da fachada, ele reduziu o ritmo. Dois homens corpulentos usando ternos escuros, os bíceps apertados sob a roupa social, saíram do armazém acompanhando uma mulher jovem e esguia. Não demorou para que Goodman a reconhecesse: era Anne Bateman, a mulher de Luis.

Os dois capangas conduziram-na até um carro luxuoso com vidro fumê. Um deles estava com as mãos manchadas de sangue ao abrir a porta e convidá-la a entrar. Os homens trocaram algumas palavras com o motorista, e em seguida o carro arrancou pela San Julian Street, na direção oposta à de Goodman. Os homens de terno ficaram observando o veículo se afastar, e só depois sacaram suas armas e voltaram para as sombras, cada um para um lado, e se agacharam na frente do prédio.

Goodman tentou não pensar muito sobre de quem seria o sangue nas mãos do capanga. O importante era que agora ele tinha confirmado sua suspeita: Luis Rodriguez estava no armazém. O "pedido" de Anne para que Nikki fosse encontrá-la não passava de um plano para atraí-la até ali. Luis não podia permitir que a Dra. Roberts "desaparecesse" e se reinventasse. Não neste mundo, pelo menos. E Goodman sabia por quê.

Tocando sua arma, ele rapidamente estudou suas opções. Ele estava sozinho, e Rodriguez contava com o apoio de pelo menos dois homens armados, talvez mais. Ele podia pedir reforço — seria o procedimento apropriado. Mas demoraria demais. Como alternativa, Goodman poderia tentar eliminar os capangas ali. Mas seria arriscado. E se ele falhasse, ou entrasse e encontrasse o lugar cheio de homens de Rodriguez? Ele estaria morto em questão de segundos.

Goodman olhou ao redor e de repente encontrou uma passagem estreita à sua direita. Não chegava a ser um beco exatamente, porque só uma motocicleta passaria ali. Na verdade, parecia ter sido projetada mais para funcionar como uma espécie de entrada de serviço. Furtivamente, ele correu em direção à passagem, onde descobriu duas caixas de fusíveis aparafusadas a uma parede, ao lado de uma escada de incêndio que parecia prestes a desmoronar. A única outra coisa interessante ali era uma grade no chão, que parecia uma espécie de mata-burro, só que com espaços mais estreitos entre as barras. Goodman se abaixou, segurou-a firme e a puxou com força. Com mais força do que precisava, no fim das contas, pois a grade se soltou com facilidade, e ele acabou cambaleando para trás e soltando a grade, que caiu fazendo um barulho metálico. Olhando para o buraco, viu a entrada de uma espécie de túnel. Talvez fosse a entrada de um poço de ventilação ou um duto de ar condicionado. O que quer que fosse, porém, parecia levar até o interior do armazém.

Goodman odiava espaços apertados. Ele se sentia como um rato preso numa ratoeira. Mas certamente os homens na entrada do armazém tinham ouvido o barulho da grade, e, a qualquer instante, um deles apareceria para investigar a causa do estrondo repentino. Lou sabia que, se o capanga o encontrasse ali, não haveria espaço para diálogo.

Não havia alternativa. Ele desceu o túnel lentamente e pegou a grade para arrastá-la de volta ao lugar, acima de sua cabeça. Avançando na escuridão, os pensamentos de Goodman se voltaram para Nikki Roberts, com raiva.

Que mulher idiota e imprudente! Por que diabo ela havia ido até ali sozinha, acatando o comando de Anne como se fosse um cachorrinho? Será que a morte de Derek Williams não havia sido suficiente para que ficasse alerta?

Nikki era uma mulher linda e inteligente, mas havia se metido numa grande encrenca. E só Lou Goodman sabia o tamanho dessa encrenca.

— E quanto a Trey? Foi você quem o atacou?

Nikki encarou Luis Rodriguez com um olhar desafiador quando ele ergueu a arma e a apontou para ela novamente, o braço travado, pronto para atirar. Sua ladainha sobre Anne e sobre a intromissão de Nikki em seu casamento o havia deixado furioso. A única esperança dela era manter a conversa com Rodriguez, fazer com que ele continuasse falando, e torcer para que o desejo de se vangloriar fosse mais forte que o desejo de matá-la, pelo menos por mais alguns minutos.

Funcionou. Luis abaixou a arma e revirou os olhos com uma expressão dramática.

— Moleque estúpido. Poderia estar vivo se quisesse. Demos todas as chances a ele.

— Como assim "todas as chances"? Todas as chances para quê? Ele devia dinheiro a você? — perguntou Nikki, lembrando-se da teoria de Derek Williams de que Trey ainda trabalhava para uma das gangues de Westmont. Apavorada, ela pensou no maço de notas enfiado na boca escancarada de Willie Baden.

— Ele me devia uns trocados, mas a questão não foi essa — respondeu Luis, com desdém.

— Foi o que, então? Você ficou ressentido porque ele queria recomeçar a vida? Parar de usar drogas, se afastar das gangues?

Luis deu um sorriso tranquilo.

— Eu não tinha o mínimo de interesse pela vida de Trey Raymond, Dra. Roberts. Como eu já disse, sou empresário. Trey não fazia parte da família. Era um usuário. Um cliente. E clientes vêm e vão.

Nikki fechou a cara.

— Trey foi torturado, *brutalmente* torturado, antes de ser assassinado. O que ele pode ter feito para merecer uma coisa dessas?

Rodriguez bocejou, e Nikki sentiu uma onda de raiva e ódio percorrer seu corpo como se tivesse sido eletrocutada. Como Anne podia ter se casado com esse monstro? Esse sujeito sádico e vil? Mesmo não sabendo a verdade sobre os negócios ilegais dele, sobre a fortuna que havia construído disseminando o desespero, não era possível que Anne tivesse convivido com aquele homem e não conseguisse enxergar a crueldade que o impulsionava. Ninguém podia ser tão cego, podia?

— Trey Raymond tinha uma coisa que eu queria — explicou Luis. — Eu ofereci um preço justo, mas ele se negou a aceitar a oferta. Foi um erro grave.

— E o que você queria de Trey? — perguntou Nikki, os olhos marejados. Depois de tantas coisas horríveis que haviam acontecido, ela se permitira varrer o horror da morte de Trey e o luto por ele para baixo do tapete. Mas agora, encarando a própria morte, tudo que havia deixado de lado estava voltando a ela, inundando-a como um vazamento em uma barragem com rachadura. — Você tem centenas de milhões de dólares. Trey não tinha nada! A coisa mais valiosa que possuía era a porcaria de um skate que Doug comprou para ele.

— Ele tinha informações. Sobre suas sessões com a minha mulher, as sessões que eu não consegui espionar. Com a maior educação, pedi a ele que me desse as informações que eu precisava. Ele se recusou. Então, morreu.

— Mas... ele não sabia de nada! — Nikki ofegou. — Todas as nossas sessões eram confidenciais.

— Mentirosa! — gritou Luis, irritado. — Você fazia anotações. A polícia tem cópias.

— Não das minhas sessões com Anne — retrucou Nikki, com sinceridade. — Nunca mantive registro delas.

Luis pareceu cético.

— Nunca? Por quê?

Nikki deu de ombros com ar de impotência.

— Anne não permitia. Eu devia ter insistido... — Então desviou o olhar... a culpa e o remorso tomando conta dela. — Você pediu informações que Trey não tinha. Ninguém tinha, porque elas não existem... a não ser aqui. — Ela bateu o dedo na cabeça. — Você o matou por nada!

Luis parou por um instante para absorver a informação. Então, começou a rir — primeiro baixinho, mas depois as risadas foram ficando mais altas, poderosas e ameaçadoras.

— E assim seguem as desventuras em série! — disse, passando a mão nos olhos para enxugar as lágrimas de riso. — Fico feliz que tenha me contado isso, Dra. Roberts. Feliz de verdade. Que ironia. Mas pelo menos pode ter certeza de que a *sua* morte não terá sido em vão.

Erguendo a arma pela terceira vez, o olhar de Luis deixou claro para Nikki que o tempo dela tinha acabado.

— Como em todas as boas peças, infelizmente é preciso haver um ato final, minha querida. E esse aqui é o seu. Adeus, Dra. Roberts.

— Vá para o inferno! — retrucou Nikki.

E, com um único disparo ensurdecedor, tudo ficou escuro.

CAPÍTULO TRINTA E SETE

Primeiro veio a escuridão.
Depois o silêncio.
Não havia ar. Nem movimento. Só quietude.
Paz.
Então assim era a morte.
Foi bom enquanto durou. Para a tristeza de Nikki, porém, não durou muito. A escuridão permaneceu, mas depois de um tempo ela percebeu que conseguia ouvir o som do próprio coração, do pulso batendo dentro de seu crânio dolorido. O tempo começou a avançar novamente, mas aos poucos, como um animal saindo hesitante de uma longa hibernação. E, quando isso aconteceu, a dor chegou em ondas, aguda e ardente.
Minha perna. Com a ponta dos dedos, Nikki tocou na ferida, que estava quente e pegajosa. Havia levado um tiro logo abaixo do joelho. Foi então que se deu conta: não estava escuro porque tinha perdido a consciência. A escuridão era real. *Deve ter faltado luz!* Um ato divino. Só que Nikki não acreditava em Deus. Na confusão, Rodriguez deve ter errado o tiro e acertado sua perna. Nossa, como doía! Ela se perguntou quanto sangue havia perdido. Quando tocou na ferida outra vez, deixou escapar um gemido agudo e lamuriento, como se fosse um animal preso numa armadilha.
Foi um erro ter feito isso.

No mesmo instante, Nikki o ouviu, virando-se às cegas e começando a caminhar no breu, em direção ao som. Em seguida, escutou um som metálico quando Luis perdeu o equilíbrio. Ele xingou em espanhol, ofegante. Será que também estava ferido? Mas logo Nikki percebeu que não. Quando Luis falou, sua voz saiu forte. O gemido que tinha escutado não era de dor, mas de raiva.

— Eu estou te ouvindo, sua puta!

Nikki ficou paralisada. Ele estava perto, a poucos metros.

— Estou chegando!

A escuridão foi total e instantânea.

Ele havia decidido desligar o fusível principal por instinto, por um impulso, para confundir Luis Rodriguez e outros possíveis capangas que estivessem lá em cima. Queria ganhar tempo. Mas Goodman se arrependeu imediatamente. Estava se sentindo preso e desorientado naquele porão apertado e teve de lutar para conter o pânico. Era como se estivesse trancado num caixão. Sem luz! Sem escapatória! Seu coração acelerou, palpitando violentamente no ritmo do próprio pavor. Foi preciso muito autocontrole para conseguir acalmar a própria respiração. *Inspire. Expire. Inspire. Expire.*

Agora pense.

Ele enfiou a mão no bolso para pegar o celular, mas não o encontrou. Com os dedos trêmulos, checou todos os bolsos, até que finalmente se deu conta de que devia tê-lo deixado na delegacia. Por sorte tinha uma minilanterna no chaveiro. Assim que a acendeu, a luz surgiu, e Goodman viu que estava certo: a tampa do "caixão" era apenas o teto baixo do porão, com seus canos largos de alumínio cobertos de teias de aranha. Atrás dele havia uma abertura para o tubo de ventilação, a que usara para chegar ali e que levava de volta ao beco, no nível da rua. À frente dele, a uns cinco metros da caixa de fusíveis, havia uma escada de metal caindo aos pedaços.

Goodman engatinhou lentamente em direção à escada, tomando cuidado para não encostar em fios desencapados, pregos ou qualquer outro perigo no chão imundo. O silêncio era sepulcral. Quando as luzes se apagaram, houve um estrondo alto, mas, depois disso, nada. *Será que Rodriguez ainda estava no edifício?* Talvez ele tivesse matado Nikki e ido embora enquanto Goodman permanecia ali, se arrastando para entrar no armazém. *Devo ser o único aqui dentro, rastejando no breu.*

Assim que Goodman pensou isso, ouviu um grito vindo de cima. Um único grito, mas penetrante. *Nikki?* Ele sacou a arma, se apressou em direção à escada e começou a subir.

Luis Rodriguez parou e ficou escutando com atenção, ávido, como um lobo. Ela estava perto, muito perto. Podia ouvir sua respiração entrecortada, resultado da dor provocada pelo tiro.

Com a arma firme na mão, ele avançou furiosamente em direção ao som. Quando a alcançasse, mesmo naquele breu, ele encontraria o pescoço dela, iria prendê-la contra o chão e daria um segundo tiro bem no meio de sua cabeça.

Vadia. Nikki Roberts tentara fazer uma lavagem cerebral em Anne, tentara tirá-la dele. Luis não pararia enquanto não explodisse o cérebro "brilhante" da Dra. Roberts, fazendo-o se espalhar pelas paredes como vômito.

— Cadê você? — resmungou, enquanto arrastava os pés.

Ela não tinha para onde ir. A única forma de escapar seria passando por ele pelo corredor estreito. Ainda assim, quando se abaixou para tatear, não sentiu nada além do ar. *Onde essa desgraçada se meteu?*

Foi então que a dor o atingiu como uma bala. Um punho fechado, forte e determinado acertou-o com violência entre as pernas. Luis se curvou, seu gemido de dor se transformando em ânsia de vômito conforme se ajoelhava. Às suas costas, ouviu o som de um movimento rápido, como um rato correndo para se esconder em um buraco.

Ela passou por mim! Essa piranha passou se arrastando bem por baixo das minhas pernas e está indo para a escada!

Ainda curvado, sentindo uma dor agonizante, ele girou o tronco e atirou a esmo no escuro.

— Eu vou te matar! — gritou, rouco. — Eu vou te matar!

Eu consegui! Escapei.

Nikki ouviu os tiros no momento que chegou ao topo da escada de incêndio, mas a euforia tinha dominado o medo. Ali, havia uma parca iluminação noturna vinda do térreo. Tudo o que precisava fazer era descer as escadas e alcançar a rua. Com certeza teria alguém passando pelo lugar. Alguém a ajudaria. Alguém a salvaria. Mas precisava se apressar. Logo, logo Rodriguez estaria atrás dela.

Agarrada ao corrimão da escada, ela deu um passo, depois outro, e de repente deslizou até o chão, se contorcendo de agonia. *Minha perna!* Até ali a adrenalina havia cumprido seu papel, anestesiando a dor, mas agora Nikki começava a sentir os efeitos da bala alojada em sua perna. Não conseguia se mexer. A dor era devastadora. Quando caiu na escada, suas costas bateram no metal duro, fazendo-a perder a consciência por um momento enquanto descia rolando até o mezanino. Ela se esforçou para recobrar os sentidos e usou o pouco que lhe restava de força para se arrastar até o canto do patamar e se encolher num espaço minúsculo na parede de concreto.

Por um instante Nikki sentiu uma tristeza avassaladora. Seus olhos ficaram marejados. Dava para *ver* a saída. Em meio às sombras, conseguia enxergar a porta de incêndio a pouco mais de cinco metros dela. *Estou tão perto!* Mas não conseguia chegar até lá. Não conseguia mover um músculo que fosse. Nikki teve certeza de que aquele lugar, aquele pequeno espaço, era o fim da linha para ela.

Ao fechar os olhos, um calor estranho tomou conta de seu corpo. Era uma sensação bem agradável, na verdade.

Tão de repente quanto chegou, a tristeza foi embora — e, com ela, a dor e o medo. Em seu lugar, Nikki sentiu a exaustão dominá-la como se fosse um cobertor quente e grosso.

Dormir. Preciso dormir agora.

*

Ao alcançar o topo da escada, Goodman finalmente se levantou, pressionando as costas contra uma coluna de tijolos para se manter escondido e forçando a vista para enxergar no escuro. A luz natural que invadia o lugar através das janelas altas e sujas era mínima àquela hora da noite, mas, depois da escuridão do porão, seus olhos se ajustaram rapidamente, e ele pôde desligar a lanterna. Reparando que estava sozinho — o andar inteiro era um único ambiente grande e vazio —, ele começou a avançar furtivamente na direção do elevador de serviço na parede oposta, mas uma voz familiar o fez parar na hora.

— Goodman! Você está aqui?

A voz nasalada e rouca de Mick Johnson, com seu sotaque irlandês de Boston, ecoou pelas paredes.

Não. Como é possível? Como foi que esse gordo preguiçoso veio parar aqui?

— Cadê você, Lou?

O sangue de Goodman gelou. Agora teria de ficar atento a *dois*: Rodriguez *e* Johnson. Ele precisava encontrar Nikki antes de seu parceiro. Era isso ou matar Mick para impedir que ele fizesse qualquer coisa. Goodman esperava não ter de chegar a esse ponto. Apesar de tudo, sentia uma espécie de afinidade por Johnson, um resquício de afeto depois daquele um ano em que foram companheiros. Mas aquela era uma situação de vida ou morte. Não podia haver espaço para sentimento ou hesitação.

Ele saiu em disparada.

Mick Johnson praguejou quando sua cabeça bateu no teto baixo do porão. A lanterna que segurava caiu no chão, fazendo barulho. *Maldito Goodman*. Johnson havia encontrado o carro do parceiro a alguns quarteirões dali e seguira pelo que imaginava ser o caminho que Lou fizera até o armazém. Assim como Goodman, Johnson parou diante da passagem estreita pela lateral da construção, e foi aí que percebeu a grade deslocada e juntou as peças. Com certo esforço, conseguiu passar seu corpo roliço pelo buraco e, assim como seu parceiro, chegou à sala de energia que ficava no porão do armazém.

Era óbvio que Goodman havia feito aquele caminho. Havia marcas dos sapatos e das mãos dele espalhadas por todos os lados na poeira. Ao se abaixar para pegar a lanterna, Johnson acabou encontrando, naquele chão imundo, um lenço de algodão branco com o monograma de Goodman. Ele devia tê-lo deixado cair na confusão do blecaute.

Que tipo de idiota carrega lenços de tecido hoje em dia?

Não muito tempo antes, Johnson teria se irritado com a vaidade e as frescuras de Goodman. Mas agora, não. Agora Goodman tinha passado de "irritante" para "perigoso", uma ameaça que deveria ser interrompida a qualquer custo.

Nikki Roberts nunca devia ter se envolvido com ele. Mas a boa doutora havia cavado a própria cova. Mick Johnson sabia o que tinha de fazer — isso se Luis Rodriguez, *o chefe*, já não tivesse feito por ele.

Johnson ligou a lanterna e logo encontrou a caixa de fusíveis. Ao ligar o interruptor principal, a luz inundou o espaço apertado, cegando-o por um instante. Ele ouviu passos de alguém correndo no andar de cima.

— Luis! — gritou, a voz ecoando pelo lugar.

E então começou a subir.

Luis Rodriguez protegeu os olhos da luz ofuscante. Ele grudou as costas na parede por instinto e ergueu a arma mesmo sem enxergar nada. Podia ouvir alguém chamando seu nome lá embaixo, mas não deu atenção. Depois lidaria com isso. Agora estava à caça, farejando o cheiro de sangue. O sangue da Dra. Roberts.

A ideia de matar o deixava excitado. Ele praticamente conseguia sentir o gosto dela.

— Estou chegando! — gritou ele, como se estivesse cantarolando, provocando Nikki como uma criança brincando de esconde-esconde.

Quando seus olhos começaram a se adaptar à luz, ele viu respingos escuros de sangue no chão traçando um caminho até a escadaria. Suas partes íntimas ainda pulsavam, mas a dor não era nada comparada à emoção da perseguição. Matar Willie Baden havia sido um prelúdio, uma mera distração antes do evento principal. Depois de tanto tempo, ele finalmente conseguiria o que tanto queria. Iria executar aquela puta. Então ele e Anne poderiam viver felizes para sempre.

— Apareça! Apareça onde quer que esteja!

Ele abriu a porta que dava para as escadas.

Nikki estava desacordada quando a luz voltou, ofuscando sua visão. Então lentamente começou a recuperar a consciência. *De volta ao mundo dos vivos.* Mas não por muito tempo, se não agisse rápido. Rodriguez iria encontrá-la e matá-la, assim como tinha matado Baden. Ela sabia disso agora. Não conseguia se mexer, e ninguém estava vindo salvá-la. Mas ela não se importava.

Em breve estaria junto com Doug. Então finalmente saberia a verdade. Ou isso ou estaria num lugar onde a verdade não teria a menor importância.

Estou tão cansada.

As pálpebras de Nikki tremiam. Ela olhou, sem se abater, para a ferida ensanguentada abaixo do joelho. Sua perna estava rígida e era como se já não fizesse mais parte de seu corpo. Ainda doía, mas não era a dor aguda e pungente de antes. Estava mais para uma sensação incômoda, como quando se está nadando no mar gelado.

A porta acima dela se abriu com um baque. Ela ouviu a voz de Rodriguez, cheia de escárnio, carregada de crueldade e exasperação.

— Cadê você, doutora? Estou chegando.

Inesperadamente, o medo retornou. Nikki foi tomada por um instinto primitivo de sobrevivência, que falava mais alto que a exaustão e a dor. Encolheu-se ainda mais no esconderijo, o pavor crescendo a cada passo lento e deliberado que Luis dava em sua direção. Primeiro ela viu as botas dele, pretas e polidas, depois as pernas da calça social. Então ouviu um gemido de medo e submissão, antes de perceber, envergonhada, que o som havia saído dos próprios lábios.

— Ah, aí está você, minha querida. — Ele pairou sobre ela como um gigante cruel, as pernas entreabertas, segurando a arma casualmente ao lado do corpo conforme Nikki se encolhia no chão. — Olhe para mim, por favor.

Nikki balançou a cabeça, como que em súplica.

— EU MANDEI OLHAR PARA MIM, SUA PUTA! — berrou Luis, a voz reverberando nas paredes da escadaria como o estrondo de um canhão.

O medo a fazia tremer descontroladamente, e Nikki obedeceu a ele. Ela se viu encarando um rosto que poderia ser bonito se não estivesse tomado pelo ódio. Os olhos de Luis eram duas pedras marrons, duras e carregadas de crueldade, que brilhavam ao lançar para sua vítima um olhar frio e impiedoso. Ele ergueu a mão lentamente, saboreando o momento com um sorriso voraz que se escancarava por seus lábios finos e sádicos.

— Rodriguez! Levante as mãos! É a polícia!

A voz de Goodman soou distante para Nikki. Irreal, como em um sonho.

Ao que parecia, Luis Rodriguez sentia o mesmo, pois continuou com a arma empunhada e sorrindo tranquilamente.

— Estou bem atrás de você, Luis. Não atire nela.

Foi então que Nikki viu Goodman no patamar acima, com a arma apontada diretamente para as costas de Rodriguez. Ele estava à paisana, mas irradiava confiança e autoridade. Sua mandíbula estava firme e tensionada, o tom de voz, decidido ao dar o comando.

Ele veio me salvar! Vai ficar tudo bem.

Uma sensação de alívio tomou conta de Nikki. Ela olhou de Goodman para Rodriguez e de novo para Goodman. Por um longo momento de tensão, nenhum dos dois se mexeu. Então, com o sorriso ainda estampado no rosto, Rodriguez lentamente abaixou a pistola e a deixou cair no chão.

Ele parecia estranhamente relaxado ao dar meia-volta e cumprimentar Goodman como se ele fosse um velho amigo.

— Está vendo, detetive? Não atirei. Tenho certeza de que ela gostou do seu gesto romântico. — Ele deu uma risadinha como se tudo aquilo não passasse de uma grande brincadeira. — E agora o que você vai fazer? Vai me prender?

Ainda sorrindo, ele esticou os braços como se estivesse se oferecendo para ser algemado.

Ele é maluco, pensou Nikki, perguntando-se como não se dera conta disso antes. *Não é só uma pessoa ruim. É um louco, pirado, perturbado.*

Ela levantou a cabeça e olhou com gratidão para Goodman, esperando que o policial desse ordem de prisão a Rodriguez. Nikki se perguntou se haveria outros policiais a caminho. Não iria se sentir completamente segura até que Rodriguez estivesse algemado e detido. Mesmo sem a arma, ele era um homem forte e...

Um único tiro foi disparado.

À queima-roupa, o crânio de Rodriguez explodiu. Pedaços de osso e tecido cerebral se espalharam pelas paredes da escadaria. A blusa, o rosto e as mãos de Nikki ficaram completamente banhadas de sangue.

Goodman passou por cima do cadáver de Rodriguez com toda a calma, caminhou até o esconderijo onde Nikki estava encolhida e se agachou ao lado dela.

— Você atirou nele — murmurou ela, em choque, a respiração entrecortada e irregular.

— Sim. — Goodman esticou o braço e, com delicadeza, pousou a mão sobre a bochecha de Nikki, coberta de sangue.

— Você não tentou prendê-lo.

— Não — afirmou o policial, tranquilamente. — Não tentei.

Nikki começou a tremer de maneira violenta. Em seguida, se debulhou em lágrimas, deixando escapar soluços longos e trêmulos de alívio.

— Obrigada! — Ela ergueu os braços e envolveu o pescoço de Goodman.

Ela ficou um tempo abraçada a ele, inalando a essência tão familiar, a essência de segurança, normalidade e esperança. Quando Nikki finalmente o largou, voltou a se encostar à parede, sem forças. Sua perna já estava completamente dormente agora, como uma pedra. Ela precisava ser levada a um hospital, e rápido.

— Você salvou a minha vida — disse Nikki, com gratidão, os olhos dela procurando os dele.

Mas, quando seus olhares se cruzaram, ela ficou confusa por um segundo. A expressão de Goodman era igual à de Rodriguez. Cruel.

— Você é mesmo uma mulher muito idiota — desdenhou Goodman enquanto pressionava a arma contra a têmpora de Nikki.

Lá fora, na rua, uma costureira ouviu outro estampido alto vindo de dentro do armazém vazio. Depois tudo ficou em silêncio.

Acelerando o passo, ela se apressou para chegar logo ao ponto de ônibus, então entrou no primeiro que apareceu.

E não olhou para trás.

CAPÍTULO TRINTA E OITO

Fiona McManus adorava seu trabalho no Hospital Bom Samaritano. Não que enxergasse a enfermagem como um "trabalho" em si. Para ela, estava mais para uma vocação. Um chamado para ajudar os outros, para servir. "Se for um chamado que pague as contas, tudo bem", gostava de dizer Jenny, a mãe de Fiona, com ironia.

Por sorte, não precisava se preocupar com isso. O salário era bom, os médicos e enfermeiros com quem trabalhava a enchiam de inspiração, e os pacientes... bom, os pacientes variavam. Alguns eram bastante corajosos. Muitos também eram bondosos e respeitosos, e se mostravam gratos pelo tratamento e pelos cuidados que recebiam de Fiona e de seus colegas. Mas é claro que também havia o outro lado. Às vezes alguns alcoólatras e dependentes químicos eram agressivos. Havia ainda pessoas que estavam morrendo de dor ou em alguma situação desconfortável, aqueles em sofrimento ou cheios de tristeza, e os que não tinham mais salvação ou cujas feridas ou doenças não tinham cura.

Fiona abriu as cortinas para deixar o sol entrar no quarto e olhou para o leito no qual a pessoa ali deitada descansava em paz. Ferimentos a bala podiam ser bem difíceis de tratar. Mesmo depois de uma cirurgia bem-sucedida, havia a possibilidade de o paciente ter um colapso ou entrar em choque e sofrer uma parada cardíaca ainda que já tivessem se passado dias, horas ou até semanas do acidente. Para Fiona, a pessoa que descansava ali parecia melhor do que no dia anterior, com as bochechas mais coradas e bons níveis de oxigênio no sangue. Embora talvez fosse efeito da morfina.

Enquanto colocava um vaso de flores no parapeito, Fiona olhou para baixo, pela janela, na direção da multidão de repórteres e equipes de TV ainda aglomerada no estacionamento como urubus esperando carniça. Assim como os policiais parados do lado de fora da sala, no corredor daquela ala privada, os repórteres eram um lembrete de que aquela pessoa era alguém importante. Não por ser quem era, mas pelas circunstâncias que a levaram até ali. E essas circunstâncias ainda ganhavam destaque em todos os noticiários, mesmo depois de quarenta e oito horas desde que tudo havia acontecido.

— Oi...

Uma voz supreendentemente forte veio do leito.

Fiona se virou.

— Ai, meu Deus! Você acordou. Vou chamar o Dr. Riley.

A enfermeira já estava a caminho da saída quando um gemido de angústia a fez parar.

— Por que estou aqui? Eu não devia estar aqui.

— Está tudo bem. Tente se acalmar — disse Fiona em um tom tranquilizador. — Você está no Hospital Bom Samaritano. Trouxeram você aqui depois de...

— NÃO! — gritou a pessoa no leito. — EU MORRI!

Então ela tombou no travesseiro, desacordada. Uma cacofonia de bipes ressoou pelo quarto conforme, um a um, os sinais vitais começaram a cair.

Fiona escancarou a porta e gritou no corredor.

— Precisamos do Dr. Riley aqui. Agora!

Sam Riley entrou no quarto a toda. Normalmente o cirurgião mais cobiçado do Bom Samaritano teria parado para flertar com McManus, a linda ruiva que trabalhava como enfermeira no hospital. Mas hoje não havia tempo para isso. Aquela pessoa precisava viver. A luta de Sam para salvá-la fora dura demais para que ela tivesse outro destino.

— O que aconteceu? — perguntou ele em tom de acusação enquanto ia até a pessoa e erguia suas pálpebras, uma de cada vez. O bipe tinha parado, e a frequência cardíaca, estabilizado, mas essas perdas de consciência abruptas não eram bom sinal.

— Não aconteceu nada — defendeu-se Fiona. — Eu abri as cortinas, e ela acordou. Então disse "Oi". Inicialmente estava calma, mas logo ficou agitada. Disse que estava morta, que não devia estar aqui. Então simplesmente desabou.

O Dr. Sam Riley olhou para o rosto adormecido de Nikki Roberts. Já a tinha visto antes, no noticiário. Ela era a famosa psicóloga de Beverly Hills envolvida no mistério do Assassino Zumbi. Ela parecia linda na tela. Sem dúvida esse foi um dos motivos pelos quais a história rendera por tanto tempo, apesar de não ter havido mais vítimas nem nenhuma prisão. Mas, pessoalmente, mesmo toda machucada, ela era ainda mais bonita. Tinha a pele delicada, olhos castanhos e traços femininos e frágeis. Riley não havia prestado atenção nisso antes — estivera ocupado demais tentando salvar a perna de Nikki e reparar o dano causado pela bala de Luis Rodriguez, que havia dilacerado a pele dela e os ligamentos.

A operação correra bem, conforme Sam esperava, mas sempre havia risco de infecção, assim como o de insuficiência cardíaca no pós-operatório.

— Suspenda a morfina — instruiu o médico.

— É para reduzir a dosagem? — perguntou Fiona, inocente.

Sam a encarou com um olhar penetrante.

— Foi isso que eu disse?

— Bom, não — gaguejou Fiona.

O Dr. Riley não costumava ser tão rabugento, mas todo mundo estava se sentindo muito pressionado com relação àquela paciente em particular, graças a toda a atenção da mídia.

— Mas e quanto à dor, Dr. Riley? Ela vai precisar de alguma coisa.

— Ela precisa ficar acordada — afirmou Sam, antes de tirar a morfina do acesso venoso com as próprias mãos e substituir a bolsa por soro fisiológico. Então, observando a pele ferida e arranhada de Nikki, acrescentou: — Além do mais, suspeito que essa moça tenha alta tolerância à dor. Tenho certeza de que está acostumada a ela.

Ele estava certo. Uma hora depois, Nikki acordou lúcida, apesar da sensação de que alguém estava jogando ácido em sua ferida na perna direita aos poucos. Cerrando os dentes, ela pediu à enfermeira analgésico para a dor.

— Posso lhe dar uma dose alta de ibuprofeno com codeína — disse Fiona em tom de quem pedia desculpas. Já era fim de tarde, e o sol formava grandes sombras no quarto, estendendo-se da janela até a cabeceira do leito de Nikki. — Infelizmente o Dr. Riley mandou suspender a morfina e qualquer outro medicamento à base de ópio.

Nikki virou o rosto para o outro lado, resignada. A dor tinha seu lado bom: servia de lembrete para ela de que ainda estava viva, embora não soubesse como isso era possível. Sua última lembrança era de Lou Goodman — seu amigo e salvador, e o homem que poderia ter amado — pressionando a arma contra sua cabeça e se preparando para atirar.

Você é mesmo uma mulher muito idiota. Essas tinham sido suas últimas palavras para Nikki. E ele devia ter razão — afinal, ela não fazia ideia do por que Lou Goodman poderia querer matá-la. Por que outro motivo então ele havia matado Luis Rodriguez, senão para protegê-la? Não fazia sentido. Nada daquilo fazia sentido.

Depois disso, porém, Nikki não conseguia se lembrar de mais nada.

Ela tomou os analgésicos que a enfermeira lhe deu e lutou para combater uma onda de náusea. Então começou a fazer perguntas. A mulher parecia não saber de nada do que havia acontecido no armazém, nem era capaz de explicar como Nikki tinha sobrevivido.

— Você levou um tiro na perna e a ambulância a trouxe para cá — foi tudo o que ela disse.

Por outro lado, ela se mostrou mais prestativa com relação ao que aconteceu depois que Nikki saiu do armazém. Assim que chegou ao hospital, a psicóloga foi levada para a sala de cirurgia, onde permaneceu por nove horas. Segundo o Dr. Riley, o médico responsável, a operação na perna direita havia sido um sucesso. Ele tinha "esperança" — o que quer que isso significasse — de que ela não teria sequelas.

— Ele vai poder lhe dar mais informações assim que vier ver você — explicou a enfermeira, com um sorriso. — Mandei uma mensagem avisando que está acordada. E tem também um visitante à sua espera. Acho que ele não saiu do hospital desde que você foi levada para a cirurgia. — Ela sorriu, e pela primeira vez Nikki se deu conta de como a enfermeira era bonita, com aquele cabelo ruivo e suas sardas. *Saudável* foi a palavra que surgiu na mente de Nikki.

— Quem é?

— O policial — respondeu a enfermeira. — O que trouxe você para cá. Ele veio com você na ambulância. O coitado está morrendo de preocupação.

A mente de Nikki foi a mil, inundada por imagens confusas. Goodman a levara para o hospital? Mas ele não havia tentado matá-la? Ou será que tudo aquilo não passara de sua imaginação, uma espécie de delírio provocado pela hemorragia ou... alguma outra coisa?

— Posso vê-lo? O policial, digo.

— Claro que pode! — A enfermeira se animou. — Desde que esteja disposta, claro. Vou dar um pulinho ali fora para chamá-lo.

— Mas você vai voltar, né? — Nikki apressou-se em perguntar, de repente cheia de medo. — Quer dizer, você vai ficar aqui comigo enquanto ele estiver aqui, não é? No quarto? Só para o caso de eu... precisar de alguma coisa?

Fiona encarou a paciente com curiosidade. Até então a Dra. Roberts havia demonstrado uma bravura física incrível. A maioria das pessoas com uma ferida daquela teria pulado de dor até o teto assim que a morfina fosse suspensa. No entanto, essa corajosa mulher estava visivelmente amedrontada naquele momento.

Talvez, depois de tudo pelo que havia passado, fosse uma reação previsível.

— Claro, eu posso ficar, sim — respondeu Fiona, em tom amável. — E não se preocupe, se você se sentir cansada ou precisar repousar, eu o tiro daqui na mesma hora.

Então saiu, deixando Nikki ali, deitada, esperando seu retorno pelo que pareceu uma eternidade.

O que Nikki diria a Goodman? O que perguntaria a ele? Ela tentou pensar em explicações possíveis e racionais para o que ele tinha dito e feito no armazém, mas não encontrou nenhuma. Por outro lado, ele salvara a vida dela — duas vezes. E a levara até ali também. Nikki começou a suar nas palmas das mãos. Ela sentia medo e dor, então cravou as unhas na pele para tentar desviar a própria atenção.

Depois de um tempo, ouviu passos e a voz da enfermeira.

— Ela está aqui dentro. Mas ainda está muito cansada por causa da operação, portanto tente ser paciente.

A porta se abriu. Nikki prendeu a respiração.

— Olá, Dra. Roberts — Um sorriso se abriu no rosto corado e gordo do detetive Johnson. — Bem-vinda de volta!

CAPÍTULO TRINTA E NOVE

— Você...?

Nikki estreitou os olhos enquanto observava as feições familiares que ela tanto odiava do detetive preconceituoso que havia deixado sua vida tão insuportável ao longo das últimas semanas.

— O que *você* está fazendo aqui?

— Esperando você acordar — respondeu Johnson, animado, enquanto se sentava ao lado do leito dela. Ou ele não tinha percebido o tom hostil de Nikki ou preferiu ignorá-lo. — Soube que você não vai perder a perna. Que boa notícia, doutora. Suas pernas são lindas.

Nikki fechou a cara. Será que pelo menos uma vez na vida aquele sujeito horrível não podia deixar o sexismo, o racismo ou a agressividade de lado?

— Sabe, você é uma mulher linda, mas ficaria ainda mais bonita se sorrisse de vez em quando — prosseguiu Johnson, piorando a situação. — Quer dizer, sem querer me gabar, mas eu salvei a sua vida, sabe?

— Como assim? — Nikki se sentou no leito e se contraiu de dor quando puxou a perna. Ela odiava o detetive Johnson, mas sua necessidade de entender o que havia acontecido era mais forte que o instinto de expulsá-lo dali. — Como foi que *você* salvou a minha vida? O que aconteceu lá?

Foi a vez de Johnson se empertigar. Inclinando a cabeça como um cachorro curioso, ele a encarou.

— Sério? Você não lembra?

Nikki balançou a cabeça.

— Lembro algumas coisas. — Ela franziu o cenho, confusa. — Fui lá para me encontrar com a Anne. Ela me ligou quando eu estava no deserto. Eu me lembro de ter visto Willie Baden morto, pregado a um pedaço de madeira como um pedaço de carne. — Nikki contraiu o rosto de nojo ao se lembrar da imagem grotesca.

— E o que mais?

— Dois homens apareceram lá e levaram Anne. O marido dela estava lá. Luis Rodriguez. Ele a espancara e a forçara a ligar para mim.

— Se eu fosse você, não me preocuparia tanto com Anne Bateman — disse Johnson bruscamente. — Mesmo tendo sido espancada, ela devia saber que estava atraindo você para a morte.

— E depois Luis tentou atirar em mim. Duas vezes! — Nikki começou a ficar agitada conforme as lembranças voltavam. — Ele me contou tudo. Que matou Charlotte Clancy e que fez Carter Berkeley assistir. Que Willie Baden tentou passar a perna nele, por isso ele o torturou e o matou, e ainda obrigou Anne a assistir. Que contratou Brandon para me matar. E aí as luzes se apagaram, justo no momento em que ele atirou. Deve ter sido por isso que ele acertou a minha perna. Eu dei um soco nele, entre as pernas, eu acho, e fugi.

Johnson assentiu.

Fiona, que estava no quarto, se aproximou de Nikki.

— Tente se acalmar agora, Dra. Roberts. Seu corpo passou por um trauma muito grande. É importante não...

— Estou bem. Estou calma — interrompeu Nikki, com um gesto de desdém, como um cavalo balançando o rabo sem paciência para afastar uma mosca. Ela precisava falar sobre aquilo, precisava se lembrar. Iria ajudá-la. — Isso foi quando as luzes se apagaram. Na segunda vez que Luis tentou me matar... eu estava na escada?

Ela olhou para Johnson, esperando uma confirmação.

— Isso mesmo.

— Rodriguez estava prestes a acabar com a minha vida quando Goodman apareceu. *Ele* me salvou. — Nikki encarou Johnson outra vez. — *Ele* matou Rodriguez. Explodiu os miolos dele na mesma hora.

Fiona fez uma careta ao ouvir aquele detalhe repugnante, mas Johnson permaneceu impassível. Na verdade, pareceu até feliz por constatar que Nikki tinha uma lembrança tão vívida.

— Ótimo — disse ele. — É isso mesmo. E depois?

Nikki ficou pálida. Então começou a tremer. Estava se lembrando de tudo — o rosto de Goodman, com aquela expressão cruel de escárnio, surgiu diante de seus olhos.

— Depois disso eu... eu não lembro.

— Acho que lembra, sim — insistiu Johnson. — Goodman ia atirar em você depois.

— Não... — Nikki balançou a cabeça. — Ele não teria feito isso. Sei que não. Ele... nós éramos amigos.

— Assim como você era amiga de Brandon Grolsch? — O detetive Johnson deu uma risada, mas ele também estava com raiva. Raiva da cegueira voluntária de Nikki. — Lou Goodman era um mentiroso e um impostor, e, se eu não tivesse matado aquele desgraçado naquela hora, ele teria explodido seus miolos naquela escada assim como fez com Rodriguez.

— NÃO! — Nikki se sentou ereta. — Não é verdade! Não pode ser verdade!

— Claro que é verdade — retrucou Johnson, irritado. — Goodman estava na folha de pagamento de Rodriguez fazia pelo menos dois anos, talvez até mais. Goodman era pobre na infância... ele chegou a contar isso a você, não foi? Ele sabia como era perder tudo. Desde o suicídio do pai, a única motivação dele era ganhar dinheiro. Riqueza. Segurança. Então veio Rodriguez oferecendo um caminho rápido para fazer milhões de dólares, e ele agarrou a oportunidade com aquelas mãos gananciosas. Mas nem isso foi o suficiente. Ele queria comandar o espetáculo.

— Mentira! — Nikki ficou ofegante, sentindo-se tonta de repente.

A enfermeira não conseguiu mais ficar quieta.

— Chega. Fora daqui! — ordenou ela ao detetive Johnson. — Falei para você lá fora que ela precisa *descansar*. Se eu soubesse que iria irritá-la desse jeito, não teria nem deixado você entrar aqui.

Johnson se levantou com raiva.

— E, se eu soubesse que ela continuaria se iludindo desse jeito mesmo depois de *tudo*, mesmo depois de eu ter salvado a droga da *vida* dela, teria deixado meu parceiro atirar!

A enfermeira McManus abriu a boca para retrucar, mas Johnson fez um gesto para fazê-la se calar.

— Não precisa falar mais nada. Já estou de saída — disse, então virou-se para Nikki. — E *você*... se não acredita em mim, assista ao noticiário. Boa sorte para você, Dra. Roberts.

E, como uma nuvem de tempestade e fúria, Johnson foi embora.

— Sinto muito — desculpou-se Fiona, ajeitando nervosamente os travesseiros de sua paciente. Se o Dr. Riley descobrisse que ela havia permitido a entrada de uma visita e que por isso o estado da paciente tinha piorado... — Eu não fazia ideia de que ele poderia aborrecer você desse jeito. Ele parecia tão bonzinho na sala de espera, e o tempo todo pareceu tão preocupado, fazendo vigília durante toda a cirurgia e depois também.

— Não tem problema — respondeu Nikki, impassível, esforçando-se para processar tudo o que Johnson havia falado. O pior era que a versão dele batia com suas lembranças fragmentadas. Goodman de fato estivera prestes a atirar nela. Alguém — Johnson, provavelmente — deve tê-lo impedido, do contrário Nikki não estaria ali agora, viva, questionando-se sobre o que acontecera. Estaria? E agora Goodman estava morto, e Luis Rodriguez também. Mais dois corpos para a contagem dos cadáveres: Doug, Lenka, Lisa, Trey, Williams. Um a um, todos ao redor dela foram sendo abatidos.

Mas eu ainda estou aqui.

Será que devo agradecer ao babaca do Johnson por isso?

— Por que ele me mandou assistir ao noticiário? — perguntou à enfermeira.

— Ah, por nada — respondeu a enfermeira, fazendo pouco-caso. — A imprensa vem fazendo várias matérias do tiroteio no armazém. Ele devia estar falando disso. Mas é melhor você descansar. Vou mandar uma mensagem para o Dr. Riley e já volto.

Nikki esperou ficar sozinha para pegar o controle remoto da TV, preso a um fio do lado do leito. Ela trocou de canal para assistir ao noticiário do ABC, e ficou chocada ao se deparar com uma foto do seu rosto preenchendo a tela. Era uma foto profissional antiga, tirada meses antes do acidente de Doug, e se seu nome não estivesse logo abaixo da imagem, Nikki teria tido dificuldade para reconhecer aquela mulher jovem, bonita e despreocupada.

"A psicóloga de Beverly Hills, Dra. Nicola Roberts, figura central no infame caso do Assassino Zumbi, continua internada no Hospital Bom Samaritano. Ao que tudo indica, seu estado é estável e ela está bem após o tiroteio de quarta-feira à noite na San Julian Street, no centro da cidade, onde Willie Baden, dono do LA Rams, foi encontrado morto."

Eu não diria "confortável", pensou Nikki, encolhendo-se com a dor que sentia na perna enquanto prestava atenção, ansiosa, na voz do repórter.

"No local, também foram encontrados os corpos de um policial, o detetive Lou Goodman, e do empresário e filantropo mexicano Luis Rodriguez. Ambos foram mortos a tiros. A causa da morte do Sr. Baden ainda não foi confirmada pela polícia, mas tudo indica que não foi causada por ferimento a bala. E ainda não temos informações de qual era a ligação entre as três vítimas, embora se saiba que Willie Baden havia admitido ter um caso com Lisa Flannagan, a primeira vítima do suposto Assassino Zumbi. Parece que há muitas possibilidades com relação aos desdobramentos dessa história."

A foto do rosto de Nikki sumiu da tela, e foi substituída por imagens ao vivo do armazém e das ruas ao redor, interditadas com a fita de isolamento amarela da polícia.

"A Dra. Roberts foi retirada deste prédio", a repórter apontou por cima do ombro para o armazém às suas costas, "pelo detetive Michael Johnson, um dos policiais responsáveis pelo caso do Assassino Zumbi junto com o falecido detetive Goodman. A polícia de Los Angeles ainda não se pronunciou sobre os acontecimentos da noite de quarta-feira. No entanto, podemos confirmar que nas quarenta e oito horas seguintes ao tiroteio houve diversas prisões e, ao que parece, elas estão relacionadas a uma quadrilha de tráfico de drogas com a qual o Sr. Rodriguez *talvez* tivesse algum envolvimento... Como eu disse, Chase, neste momento ainda há poucos detalhes."

"Certo, Karina." A imagem cortou para o estúdio de TV, onde um âncora bonito mas comum, usando terno e gravata, continuou a narrativa da bancada do telejornal. "A história por trás do caso ainda está bastante confusa, mas tudo indica que haja relação com as drogas e que as mortes de quarta-feira, e isso também inclui a de Willie Baden, podem ter sido parte de uma longa batalha pelo controle do tráfico na cidade de Los Angeles, que hoje é disputado entre gangues mexicanas e russas. Ontem à noite foi presa a célebre violinista Anne Bateman, da Orquestra Filarmônica de Los Angeles, que era mulher de Luis Rodriguez, morto no confronto. A Srta. Bateman foi detida na pista do Aeroporto John Wayne, onde pretendia embarcar em um jato particular para a Cidade do México. E, como você sabe, Karina, hoje de manhã o banqueiro Carter Berkeley foi preso em sua mansão milionária, assim como o famoso cirurgião Haddon Defoe. Além deles, Frankie Jay, alto funcionário da prefeitura de Los Angeles, também foi detido. Segundo as fontes, os três foram acordados ainda na cama por policiais armados, como parte de uma mesma operação. A polícia também pretende falar com a Sra. Valentina Baden, mas há relatos de que ela sofreu um colapso nervoso após a morte do marido e, por ora, não se encontra em condições de ser interrogada."

Imagens de Haddon, Carter e dos Baden em momentos mais alegres passaram em uma sequência rápida diante dos olhos de Nikki, como se fosse um sonho. *Então Haddon também fazia parte disso?*

O âncora prosseguiu:

"Bom, ainda não podemos confirmar, mas o *LA Times* publicou uma matéria afirmando que fontes confidenciais dentro do FBI revelaram que tanto as prisões como o tiroteio fazem parte da mesma operação. Também informaram que as vítimas, Rodriguez e as pessoas detidas estão envolvidas no fornecimento de uma droga conhecida como *krokodil*."

"Exatamente, Chase." A imagem cortou para a repórter no armazém, e Karina começou a explicar o que era a *krok* e seus terríveis efeitos nos usuários. Nikki já não estava mais escutando, mas não conseguia tirar os olhos da tela, onde apareciam imagens de Haddon Defoe, ainda de pijama, sendo conduzido a uma viatura com o rosto impassível, mas sem resistir à prisão.

"Parece que a polícia está fechando o cerco contra uma quadrilha sofisticada envolvida num esquema de corrupção e talvez até lavagem de dinheiro do tráfico de *krokodil*. O interessante é que algumas fontes também estão nos informando que essas prisões têm ligação com a morte de Charlotte Clancy, que aconteceu há cerca de dez anos. Você se lembra desse caso, Karina?", perguntou Chase.

Ao ouvir o nome de Charlotte, Nikki voltou a prestar atenção ao noticiário.

"Claro que sim", respondeu a repórter. Ela devia estar recebendo as informações pelo ponto no ouvido. "Charlotte era de San Diego e trabalhava como *au pair* na Cidade do México quando desapareceu No entanto, ainda não se sabe como exatamente as vítimas de quarta--feira se encaixam nesse cenário complexo, Chase" acrescentou Karina, prestativa. "Assim que tivermos novas informações, voltaremos com as notícias sobre o caso."

Nikki desligou a televisão com o controle remoto e olhou para o teto.

Tudo tinha a ver com a tal quadrilha.

A quadrilha sobre a qual Williams lhe falara.

Goodman fazia parte dela. Haddon também. E Carter. E os Baden.

E o único homem que Nikki havia detestado desde o começo, a única pessoa que ela teve *certeza* de que era um mentiroso, um intolerante e um corrupto — o detetive Johnson —, acabou se revelando a única maçã boa no meio de um cesto inteiro de maçãs podres.

Ele salvou a minha vida.

Ela ainda encarava o teto quando o cirurgião entrou no quarto.

— Como você está? — perguntou ele. Quando viu as lágrimas de Nikki, no entanto, começou a pedir desculpas por ter suspendido a morfina, se equivocando ao supor que ela estava chorando de dor.

— Sei que está doendo para caramba e sinto muito mesmo. Mas agora é muito importante que você realmente *sinta* a dor. Que se mantenha conectada com a realidade, por mais dura que seja.

— Eu compreendo — disse Nikki, as lágrimas escorrendo pelo rosto.

E, pela primeira vez em meses, ela realmente compreendia.

CAPÍTULO QUARENTA

Dois meses depois.

— Tia Nikki! Tia Nikki! Olha pra mim!

Lucas Adler se equilibrava precariamente no guidom da bicicleta (em movimento) usando apenas as mãos. O afilhado de Nikki, e filho mais velho de sua melhor amiga Gretchen, estava com os braços esticados e as pernas erguidas no ar. Um movimento em falso e ele poderia cair e quebrar o pescoço.

Ainda bem que está brincando na grama, pensou Nikki, nervosa, assistindo à cena da varanda dos fundos enquanto seu afilhado, aquele promissor projeto de acrobata, disparava pelo vasto gramado.

Já fazia dois meses que ela estava morando em um dos inúmeros quartos de hóspedes da mansão de Gretchen e Adam, em Beverly Hills. Era o lugar ideal para se recuperar: um lar lindo e sofisticado e também feliz, cheio de crianças, risadas, barulho e companhia. Havia muito com que se distrair dos pensamentos sombrios que costumava ter — isso, claro, nos dias em que ela queria se distrair. Nos dias em que não queria, Gretchen ficava em cima dela, recusando-se a aceitar um não como resposta, animando-a e praticamente obrigando Nikki a não deixar a depressão dominá-la. Tudo isso com uma firmeza pragmática que, Nikki tinha certeza, salvara sua vida.

— Você está viva, Nik — era o que Gretchen sempre dizia a ela. — Você sobreviveu. Tem um motivo para isso.

— Eu não sobrevivi — respondia Nikki. — Eu fui salva. Tem uma diferença. E salva por um homem que defende tudo o que eu abomino. Um sujeito racista, sexista, mentiroso...

Nikki tinha uma lista infinita de adjetivos para descrever o detestável Mick Johnson. Por outro lado, parte dela sabia que a raiva que sentia do policial que salvara sua vida na verdade era raiva de si mesma. Por ter feito um julgamento errado sobre ele — pelo menos em parte. Assim como estivera errada com relação a tantas outras pessoas.

— Bom, eu não quero nem saber se ele mora debaixo da ponte e come carne de bode — respondeu Gretchen, cheia de energia. — Para mim, qualquer um que salve a sua vida é uma boa pessoa. Além do mais, não estamos falando dele, e sim de você, Nik. O que *você* vai fazer de agora em diante? Porque, por mais que a gente adore a sua companhia, você não pode simplesmente ficar sentada na nossa varanda lendo o jornal pelo resto da vida.

Isso era verdade.

Seguindo o conselho da amiga, Nikki havia fechado o consultório e cancelado o contrato de aluguel da sala no prédio em Century City. Além disso, pusera à venda a casa dela e de Doug em Brentwood — "aquele mausoléu", como Gretchen costumava chamar.

— Você é rica, linda, saudável, inteligente — insistiu Gretchen, certo dia, enquanto preparava a lancheira das crianças. Então entregou a Nikki mais anúncios de condomínios luxuosos em Nova York. Gretchen havia se tornado levemente obcecada em instigá-la a se mudar para Nova York para "recomeçar do zero", e Nikki começava a suspeitar que aquela talvez fosse uma espécie de fantasia de fuga da amiga. — Você ainda é nova, Nik.

— Eu não sou nova! — Nikki deu uma risada. — Nem você.

— Bom, velhas nós não somos — retrucou Gretchen, passando ainda mais manteiga de amendoim e geleia nas fatias do pão sem casca. — Você não vai querer ficar sozinha pelo resto da vida.

Será?, perguntou-se Nikki.

Enquanto observava a cena, Lucas desfez a pirueta com habilidade, sentou-se de volta no assento da bicicleta e deu um soco no ar para comemorar. Nikki abriu um sorriso e ergueu o polegar em sinal de positivo para o afilhado antes de voltar a atenção para o jornal.

Hoje era o primeiro dia do julgamento de Haddon Defoe, acusado de lavagem de dinheiro e corrupção. Ao que parecia, desde a morte de Doug, e talvez até antes disso, Haddon vinha usando a instituição de caridade deles para lavar dinheiro de drogas de Luis Rodriguez — e noventa por cento desse dinheiro era lucro do tráfico de *krokodil*. De acordo com os promotores, Haddon Defoe havia faturado milhões de dólares em comissões, assim como os outros integrantes da "quadrilha", incluindo os Baden. Willie tinha feito fortuna lavando o dinheiro de Rodriguez, transferindo fundos para todo tipo de empreendimento, desde a construção de shoppings pelo sul da Califórnia até seu amado time de futebol americano. Quanto a Valentina, sua conexão com o cartel já durava décadas. A instituição que administrava, a Desaparecidos, lucrava com sequestros e tráfico sexual, além de atuar de fachada para atividades ilícitas e até homicidas, exatamente como Derek Williams havia suspeitado.

E a coisa só piorava. De acordo com a promotoria, a Sra. Baden era uma pessoa perturbada, e podia até ter participado do desaparecimento da própria irmã décadas atrás. Velhos amigos de família começaram a aparecer e falar abertamente sobre a inveja obsessiva que Valentina sentia de María, que sempre fora a mais bonita das duas irmãs. Assim como tantos outros americanos, Gretchen não se cansava de acompanhar a história. O julgamento de Valentina demoraria pelo menos alguns meses para começar, isso se chegasse de fato a acontecer. Desde o assassinato de Willie, ela estava internada em um instituto psiquiátrico de alta segurança perto de Oxnard. Mas os tabloides já faziam seu próprio julgamento, e era fascinante.

Williams estava certo sobre tanta coisa, pensou Nikki, triste. Antes de morrer, ele já havia cantado a pedra a respeito da Desaparecidos. E o mais importante: foi o primeiro a dedurar a vida secreta de Rodriguez e seu envolvimento com casos de corrupção. Mas era o FBI que estava levando todo o crédito, assim como alegava ter "resolvido" o mistério do desaparecimento de Charlotte Clancy — agora oficialmente considerado assassinato.

Na morte ou na vida, Williams teve seu reconhecimento roubado, pensou Nikki. *Pobre Derek.*

Ela havia tentado ignorar toda a cobertura que a mídia vinha fazendo dos julgamentos. Mas com o *LA Times* dedicando várias páginas por dia à história e tantas chamadas de programas de fofoca relatando as últimas novidades do caso, não foi tão fácil assim se desligar. Não era sempre que caía nas mãos dos repórteres de Los Angeles um caso envolvendo tantas figuras da elite da cidade, de políticos a banqueiros, de cirurgiões a policiais, de filantropos a advogados, e até juízes; e havia ainda o sensacional "elemento estrangeiro", com a guerra territorial em pleno solo americano entre russos e mexicanos. Com certeza era uma mudança e tanto em relação às costumeiras fofocas de celebridades que contavam nesses programas. E não era só Gretchen que parecia superinteressada nas últimas reviravoltas da história: Los Angeles inteira estava vidrada no caso.

— Ei!

Nikki pulou de susto quando Gretchen chegou discretamente por trás dela, esticou a mão por cima da espreguiçadeira de vime e arrancou o jornal de suas mãos.

— Você prometeu não olhar, lembra?

— Eu sei — disse Nikki. — Mas é o julgamento do Haddon. Tem uma foto enorme dele na primeira página.

— Mais um motivo para não ler — retrucou Gretchen, dobrando o jornal e colocando-o debaixo do braço.

— Ele está tão acabado... — comentou Nikki. — Parece que envelheceu uns dez anos.

Gretchen fechou a cara.

— Espero que não esteja sentindo *pena* dele. Meu Deus, Nik. Depois de tudo o que Haddon Defoe fez com você? Depois de todas as mentiras? Isso sem contar os pobres coitados que tiveram a vida destruída por aquela droga horrível.

— Eu sei — concordou Nikki, triste. — Você tem razão.

— Ah, mas eu tenho mesmo! — exclamou Gretchen, indignada. — Primeiro ele lucra com o vício delas, depois age como se fosse o salvador dessas pessoas. Pense em como toda essa publicidade gratuita valorizou o trabalho dele como cirurgião, isso sem contar os milhões que recebeu de Rodriguez! — Ela balançou a cabeça com uma expressão amargurada. — Ele traiu Doug e você também, sabe? Espero que coloquem esse desgraçado na cadeia e joguem a chave fora.

Nikki assentiu, deprimida demais para responder. Tudo o que Gretchen tinha dito era verdade, e às vezes ela se sentia da mesma forma. Mas também era difícil mudar sua opinião e seus sentimentos sobre uma pessoa da noite para o dia. Não era como Lucas, ficando de cabeça para baixo e depois voltando ao normal em cima da bicicleta, de forma bem natural. Nikki conhecia Haddon havia anos, décadas, não só como amigo, mas como um *bom homem*. E tudo bem que aquela vez que tentara lhe agarrar havia manchado a imagem dele, mas agora Nikki precisava aceitar não só que ele era um *homem mau* como também que sempre tinha sido. Como conseguiria fazer isso? Por onde começar? Fatos são fatos e podem mudar de uma hora para outra, mas sentimentos? Com sentimentos nada nunca é tão simples.

Mesmo em se tratando de Lou Goodman, com quem havia mantido contato durante poucos meses e de quem nunca se aproximara de verdade, aceitar a realidade já estava sendo um grande desafio. E Goodman havia apontado uma arma para sua cabeça e a teria matado se Johnson não tivesse aparecido. Ele a teria matado por dinheiro.

Isso era fato.

Ele também havia matado Derek Williams a sangue-frio.

Isso, por mais trágico que fosse, era outro fato — fato que um oficial da polícia tivera de explicar a Nikki dias depois de ela receber alta do hospital: "Infelizmente, não resta dúvida. Encontramos o silenciador nos pertences do detetive Goodman, além de respingos de sangue do Sr. Williams nas roupas dele."

Mas Nikki ainda não havia se adaptado à nova realidade. Por mais irracional que fosse, parte dela ainda sofria pela morte de Goodman, ainda lamentava a infância dolorosa que ele tivera e os demônios que tanto o atormentaram. Nikki parecia incapaz de esquecer a imagem que tinha construído de Goodman, assim como não conseguia colocar Johnson no papel de herói só porque os "fatos" indicavam isso.

— Ah, vamos lá — disse Gretchen, percebendo o caminho sombrio dos pensamentos de Nikki. — O Adam vai passar o dia no set, então vou levar as crianças a Pasadena. Pensei em fazermos um passeio pelo Huntington Gardens e almoçar no templo no Chinese Garden. Você pode me ajudar a ficar de olho nos três.

— Estou bem aqui. Acho que vou ficar e descansar.

— Ah, mas eu não estou pedindo — declarou Gretchen, firme, largando um frasco de bronzeador e um mapa do lugar no colo de Nikki. — Você *vai*.

Sem perder a pose, ela se virou para o jardim e gritou:

— Lucas! Desça dessa bicicleta antes que você se machuque! E me ajude a encontrar os seus irmãos! Quero vocês todos no carro em cinco minutos!

O jardim botânico no Huntington era incrível, mas muito quente. Mesmo localizado a menos de quarenta quilômetros de Beverly Hills, a temperatura ali estava quase vinte graus mais alta, próxima dos quarenta. Nikki, Gretchen e os garotos passeavam por caminhos e mais caminhos de rosas, plantas do deserto e jardins orientais com direito a laguinhos de carpas, pontes e minitemplos fervilhando de vida com inúmeras espécies de borboletas.

Nikki ainda caminhava devagar e com a ajuda de uma bengala graças ao ferimento que Luis Rodriguez havia deixado em sua perna direita e se esforçava para acompanhar Gretchen e as crianças. Ela suava no rosto e entre os seios, e estava se sentindo grudenta e desconfortável. Pior que o calor, porém, eram os olhares e sussurros de desconhecidos, que com certeza a reconheceram dos jornais ou dos noticiários de TV.

Em Nova York eu vou voltar ao anonimato, pensou, tentando ser otimista. *E o clima também vai ser mais frio. Lá, de fato existem as quatro estações.*

Ela sentia falta das estações do ano.

Ao ver um banquinho de pedra à sombra de um salgueiro, ela se sentou para recuperar o fôlego e beber um gole de água. Ficou surpresa ao ouvir o toque do celular, alertando-a que havia recebido uma mensagem. *De quem pode ser?* Ninguém mais falava com ela. Fazia algum tempo que Nikki havia se distanciado de familiares e amigos, à exceção de Gretchen. A investigação da polícia terminara, e seu consultório estava fechado. Só usava o celular agora para gravar as façanhas dos filhos de Gretchen.

Nikki sentiu um embrulho no estômago ao olhar para a tela do aparelho em sua mão. Ela reconheceu o número de imediato, embora tivesse apagado o contato do celular já fazia muito tempo.

A mensagem do detetive Johnson era, como sempre, curta, arrogante e grosseira.

Me encontre amanhã. Denny's Pico/34th.

E só. Nada de "por favor". Nada de "Como vai?". Nenhuma explicação do motivo do encontro. Ele nem quis saber se a hora e o local eram convenientes para ela.

Nikki pensou em responder *Pode esquecer*, mas acabou decidindo que ficar em silêncio transmitiria a mesma ideia de maneira mais eficaz. Ao levantar a cabeça, ela viu Gretchen se aproximando e deletou a mensagem imediatamente.

— Está tudo bem? — Gretchen olhou para o celular da amiga meio desconfiada. — Você não está vendo a cobertura do julgamento de Haddon, está?

— Não. Juro.

Ela imaginou Mick Johnson sentado no Denny's sozinho, aguardando todo confiante a chegada dela até começar a perceber, lentamente, que ela não iria. Nunca mais.

Ele já não tinha mais nenhum poder sobre ela. Nikki sorriu.

E foi então que se deu conta pela primeira vez.

Agora eu o odeio ainda mais que antes.

Eu o odeio por ter salvado minha vida.

Na sala de visitantes da Prisão Estadual Valley, Jerry Kovak coçava seu pescoço vermelho, ansioso. Fazia bem mais de quarenta graus em Chowchilla, e o sol tinha queimado a pele dele durante o pouco tempo que andara do pátio da cadeia de volta para sua cela.

— Ela respondeu?

Mick Johnson abaixou a cabeça e olhou para o celular.

— Ainda não.

A coceira piorou.

— Mas você acha que ela vai responder? Quer dizer, você acha que vai conseguir se encontrar com ela?

Mick odiava ver Jerry daquele jeito. Tão amedrontado. Tão desesperado.

— Ah, pode ter certeza de que vou, sim — declarou ele. — Pode contar com isso. Ainda tenho assuntos a tratar com a Dra. Roberts.

— Ele parece puto — murmurou a garçonete, enchendo o bule de café.

— Muito puto — sussurrou a amiga. — Você acha que ele ainda vai ficar esperando por mais quanto tempo?

As garçonetes do Denny's conheciam bem o detetive Mick Johnson. Ele era cliente assíduo dali havia anos e, embora não fosse de falar muito, costumava dar gorjetas generosas. De vez em quando aparecia ali com outros policiais, mas em geral comia sozinho, pilhas gigantescas de panquecas e bacon, a qualquer hora do dia. Hoje, porém, tinha mencionado que estava esperando "uma pessoa" e pediu uma mesa nos fundos, "um lugar com privacidade".

Era óbvio que a "pessoa" era uma mulher, e a garçonete se sentiu mal por ele ter levado um bolo na frente de todo mundo. Estava prestes a ir até lá para encher a xícara de café dele pela terceira vez quando uma morena, baixinha e magra, entrou no estabelecimento e foi direto para a mesa de Johnson.

— Uau! — murmurou a amiga. — Ela é linda. Não é possível que seja a namorada dele.

A garçonete deu de ombros.

— Quem sabe? Talvez ele tenha uma montanha de dinheiro escondida em algum lugar.

A amiga deu uma risada.

— Ah, claro. É por isso que ele vem comer aqui quatro vezes por semana. Sei lá, talvez ele seja bem-dotado. — Ela deu uma piscadinha.

— Carla! Isso é coisa que se fale? Bom, vou lá anotar o pedido deles.

Ela pegou dois cardápios plastificados e foi até a mesa de Johnson.

— Olá! — Ela sorriu para a moça, que parecia estranhamente familiar. — Posso anotar seu pedido?

— Não vamos querer nada — cortou Johnson, rude. — A gente precisa de privacidade, está bem?

A garçonete recuou, ofendida. *Que babaca!* É impossível agradar certas pessoas. E pouco antes ela estava ali, sentindo pena dele...

Johnson encarou Nikki do outro lado da mesa com os olhos semicerrados e uma expressão irritada.

— Demorou, hein? — resmungou ele.

— Você teve sorte de eu ter aparecido — rebateu Nikki com indiferença. — Eu nem pretendia vir.

O rosto de Johnson ficou tão vermelho que ele parecia estar fervendo por dentro.

— Você é inacreditável, Dra. Roberts, sabia?

— Ah, *eu* é que sou inacreditável?

— Eu salvei a sua vida! — retrucou Johnson, levantando a voz.

— Eu não pedi que fizesse isso — rebateu Nikki. — Eu nem queria que tivesse me salvado!

— Ah, é? Vai me dizer agora que queria morrer naquele armazém? Que queria que o seu namoradinho Goodman metesse uma bala na sua cabeça? Porque garanto que não foi isso que pareceu quando você estava lá, deitada, choramingando e implorando pela própria vida.

— Ele não era meu namoradinho. Nós nunca tivemos nada. — Nikki tremeu de raiva. — E sim, eu queria viver. Quem não quer? Só não queria que fosse *você* quem... eu te odeio! — vociferou. — A minha vida virou um inferno por sua causa, desde que esse pesadelo começou.

— Por minha causa? — Johnson parecia genuinamente estupefato. — Como assim?

Nikki o encarou, incrédula.

— É sério? Você tentou me culpar pela morte da Lisa e do Trey. Chegou a me acusar de ter provocado a morte do meu próprio marido.

— Eu não tentei "culpar" ninguém por nada — resmungou Johnson, na defensiva. — Eu achei mesmo que você era culpada. Pelo menos no começo.

— Com base em quê? — Nikki abriu os braços, exasperada. — Num *palpite*? No seu *instinto de policial*?

— Ah, vá em frente. Pode caçoar dessas coisas. Porque você entende *muito bem* o que significa ser um policial, não é, doutora? Você, uma psicóloga tão inteligente e tudo o mais...

Nikki se sentiu mal com a alfinetada, mas tentou não demonstrar. Estava feliz por ter ido encontrar Johnson, feliz por estar ali, finalmente colocando tudo em pratos limpos com ele, falando na frente daquela cara gorda e ignorante dele o que realmente pensava a seu respeito.

— Ah, eu cometi erros — disse ela. — Sou a primeira a admitir. Cometi erros graves e paguei por eles, detetive. Mas isso não torna sua opinião racista, sexista e homofóbica de homem das cavernas menos repulsiva. Você fez uma falsa acusação contra mim, me colocou como culpada pela morte das pessoas que eu amava. Meu marido, meu amigo, minha paciente. E tudo isso só porque não ia com a minha cara. Por que *você* não *me* explica em que mundo isso é aceitável?

Johnson abriu a boca para gritar com Nikki — seu sangue estava fervendo, como sempre acontecia quando se encontrava com aquela mulher irritante —, mas pelo menos dessa vez ele se conteve. Claro, estava com raiva. Mas também queria, *precisava*, que ela o entendesse. Um deles tinha de ceder.

Erguendo as mãos, como se dissesse: "Ok, vamos nos acalmar", Johnson fez um esforço para controlar seu tom de voz.

— Tudo bem, olha, é verdade. Eu achei mesmo que você estava envolvida no começo. E me enganei quanto a isso. Embora só Deus saiba como você me deu motivos para suspeitar. Mas você precisa entender que eu *não* estava mentindo nem tentando incriminá-la. Eu acreditei de verdade que você era a responsável pelos assassinatos.

— Por quê? Porque eu ocultei informações? — perguntou Nikki no mesmo tom de voz de Johnson. — É um motivo meio fraco, não acha?

— Não foi só isso. Você tinha um motivo.

Nikki ergueu a sobrancelha.

— Eu tinha?

— Claro que sim. Seu marido a traiu. Além do mais, você era a única herdeira dele. Isso é um motivo para assassiná-lo. Lisa Flannagan tinha um caso, e você odiava amantes. Isso é um motivo para querer matá-la.

— E Trey?

— Quanto a Trey eu não sei. — Johnson deu de ombros. — Achei que ele podia ter informações sobre você e seu marido, coisas que você não queria que fossem reveladas. Ou talvez que ele tivesse escondido de você o caso do seu marido. O fato é que todas as vítimas tinham alguma ligação com você, doutora. Você tinha motivo, teve oportunidade e tinha grana para cometer os crimes. E também tinha o cérebro, a astúcia.

— Fora que você não ia com a minha cara, não é, detetive? — perguntou Nikki, amargurada. — Uma mulher bem instruída, bem-sucedida, uma mulher que não se deixava impressionar pelo seu distintivo e sua fanfarrice.

— Que tal acrescentar "mentirosa" a essa lista? — retrucou Johnson, esforçando-se para não deixar a raiva tomar conta dele. — Você mentiu para nós sobre Brandon Grolsch. Disse que nunca tinha ouvido falar dele.

Nikki ficou ruborizada.

— É verdade. Acho que eu... eu tinha para mim que vocês não iriam tratá-lo de forma justa.

— Ah, certo. Você não confiou na gente. E isso foi o quê? Um palpite? Um *instinto de psicólogo*?

Touché, pensou Nikki.

— Eu errei ao mentir sobre Brandon — admitiu ela. — Mas isso não dava a você o direito de me perseguir...

— Eu não persegui você, não, senhora. — Johnson balançou a cabeça. — Só estava fazendo meu trabalho investigando os assassinatos. Eu tinha motivos para suspeitar de você, mas assim que comecei a investigar mais a fundo, outras pistas surgiram e me fizeram mudar de opinião. Eu já estava suspeitando que o caso tinha a ver com drogas e havia começado a investigar Rodriguez, graças a alguns dos meus amigos da Entorpecentes. Não ajudou em nada quando Williams se meteu no meu caminho e mexeu com testemunhas em potencial — acrescentou ele, sem conseguir se segurar. — Mas não gosto de ficar falando mal dos mortos.

Johnson fez o sinal da cruz, e Nikki decidiu deixar para lá. Não tinha direito de ficar com raiva por Derek Williams. Se não fosse por ela, o detetive ainda estaria vivo.

— Como soube que eu estaria no armazém? — perguntou Nikki.

— Tive sorte. Goodman foi negligente. Deixou e-mails deletados no servidor, e eu já tinha hackeado as mensagens dele. Depois que interroguei os traficantes nas ruas do bairro de Trey e compreendi melhor a guerra territorial que a gangue de Rodriguez vinha travando com a russa pelo controle do tráfico de *krokodil*, soube que alguém na polícia devia estar ajudando Rodriguez. Suspeitei de Goodman logo de cara, mas só tive certeza um dia antes de você aparecer na delegacia. Foi quando coloquei o rastreador no carro dele.

Nikki estremeceu. Sem o rastreador e a perspicácia de Johnson, ela com certeza não estaria viva.

— Olhe, eu sou grata — disse ela

— Sério? — Johnson fez uma careta. — Você tem um jeito bem estranho de demonstrar gratidão.

— O que você fez foi muito corajoso. Mas não apaga tudo o que aconteceu antes. Você é um lunático, um arrogante. — Ela contava as falhas de caráter dele nos dedos, como se fosse uma professora desapontada. — Você mente descaradamente no tribunal para proteger seus colegas.

— Eu sou leal aos meus amigos! — defendeu-se Johnson. — E você também, doutora. Olhe só como protegeu Brandon. A única diferença é que os meus amigos são pessoas decentes que colocam suas vidas em risco para servir à população, enquanto os seus são viciados imprestáveis que aniquilam inocentes para comprar a próxima dose.

Nikki se retraiu. Queria de todo coração que essa não fosse uma descrição precisa de Brandon Grolsch. Mas era. Mesmo que estivesse apenas cumprindo ordens de Luis Rodriguez e Valentina Baden, Brandon tinha de ser responsabilizado pelas coisas horríveis que fizera.

— Você se lembra de Jerry Kovak? — perguntou Johnson, de repente.

Kovak. A memória de Nikki despertou com alguma lembrança, mas ela não conseguia dizer exatamente o que era.

— Detetive Jerry Kovak, Divisão de Entorpecentes. Excelente policial. Perdeu a mulher, se envolveu num incidente com um traficantezinho de merda no começo dos anos 2000. Foi condenado a vinte anos de cadeia.

— Kovak... — Nikki murmurou o nome. — Não é o cara que espancou e quase matou aquele garoto negro?

— Aquele "garoto negro" era um traficante e um assassino cruel chamado Kelsey James. — Johnson cuspiu o nome como se fosse veneno. — Jerry, por outro lado, era um detetive condecorado, além de um ótimo marido e pai. Na época estava arrasado pela perda que tinha sofrido. Mas você testemunhou contra ele. Disse à juíza que ele estava mentalmente são, e aquela piranha o enfiou na cadeia por duas décadas. Destruiu completamente a vida do cara.

Nikki podia ver a raiva e o ressentimento estampados no rosto de Johnson. *Ele realmente acha que foi uma injustiça.*

— Eu me lembro — disse ela, escolhendo as palavras com cuidado. — Foi uma tragédia.

— Não precisava ser. Foi o seu testemunho que assinou a sentença dele, doutora.

Nikki encarou Johnson.

— Eu quis dizer que foi uma tragédia para todos. Para o seu amigo, sim, mas também para o garoto e para a família dele.

— Claro que era isso que você estava dizendo... — resmungou Johnson, amargurado.

— O luto é um sentimento terrível. Sei disso muito bem. Mas não se pode sair por aí espancando as pessoas por causa disso.

— Kelsey James não era uma "pessoa". Era um lixo. Ele, a família dele e todo aquele bando de desgraçados que andava com ele. Você acha que eu sou racista, doutora? Já se perguntou por quê?

— Não, eu não me pergunto isso — respondeu Nikki, ainda em tom desafiador, mas demonstrando menos raiva do que antes. Conseguia ver agora que Mick Johnson não era um homem ruim por natureza. Ele era apenas mal orientado. — Porque o motivo não importa. Errado é errado. O que o seu amigo fez foi errado. E ponto final.

— "Ponto final" — repetiu Johnson, balançando a cabeça num misto de diversão e desespero. — Você vive num mundinho confortável, onde tudo é preto no branco, Dra. Roberts. Para nós, policiais que estamos na rua, não é assim, sabe? Estou falando dos caras que arriscam a vida para salvar a sua. Nada é preto no branco. O mundo é cinza para nós.

Nunca vamos concordar, pensou Nikki. *Ele nunca vai enxergar o mundo do meu jeito e nunca vai me fazer enxergar do jeito dele. Mas nós dois só estamos tentando viver de acordo com o que acreditamos.*

Ela sentiu o resquício de raiva que tinha por Johnson se dissipar, e um profundo sentimento de alívio tomou seu lugar.

— Por que me chamou aqui hoje, detetive Johnson?

Ele a encarou, pensativo, como se estivesse considerando a melhor forma de resolver um problema complexo. O que não deixava de ser verdade.

— Para pedir um favor. — Ele pigarreou. — Ou quem sabe não seria uma troca? Eu salvei a sua vida. Então talvez você possa fazer uma coisa por mim em retribuição.

— Se eu puder... Qual é o favor?

— Jerry Kovak tem uma audiência de condicional no mês que vem. — Johnson a encarou sem pestanejar. — Quero que fale em defesa dele.

Nikki fechou a cara.

— Caramba, detetive. Seja razoável. Você sabe que não posso fazer isso.

— Claro que pode.

— Ele foi culpado daquele crime. Não estava mais louco que eu ou você. Minha opinião não mudou. Sinto muito.

— Isso não tem a ver com culpa ou inocência — rebateu Johnson, abanando a mão como se estivesse desdenhando das objeções de Nikki. — Tem a ver com misericórdia. Tem a ver com mostrar compaixão por um homem de bem.

Nikki hesitou. Conforme conversavam, ela foi se lembrando de detalhes do caso Kovak. Os ferimentos horríveis no rosto de Kelsey James o deixaram irreconhecível até para a própria família. A reação do amigo de Johnson foi a de um animal, de uma fera selvagem. Nenhum "homem de bem" teria feito uma coisa daquelas, quaisquer que fossem as circunstâncias. E o histórico de Kovak revelava que aquele não havia sido o primeiro incidente motivado por racismo que ele tinha nas costas. Havia uma série de supostos casos de violência contra vítimas negras em seu passado, muitos anos antes da morte de sua esposa.

— Sinto muito. — Ela abaixou a cabeça e olhou para as próprias mãos. — Não posso fazer o que está me pedindo.

— Hmm. Imaginei que você diria isso. — Para surpresa de Nikki, Johnson parecia decepcionado em vez de furioso. — Bom, nesse caso, acho que não posso compartilhar com você a cópia do arquivo sobre a amante do seu marido que acabei de conseguir com o FBI. Amante *grávida*, devo acrescentar. Outra informação que você *sabiamente* escolheu esconder de nós. Ah, puxa. Que pena.

Johnson deixou uma nota de vinte dólares na mesa, levantou-se e se preparou para ir embora.

— Espere! — gritou Nikki.

Ele continuou andando.

— Detetive Johnson! Espere, por favor.

Johnson parou e deu meia-volta, sorrindo.

— O que aconteceu, doutora? — provocou ele. — Seu mundo começou a ficar cinza, como o nosso?

Johnson a deixara em maus lençóis, e ambos tinham consciência disso. Nikki não sabia se ficava com raiva ou se ria. No fim, por motivos que não conseguia explicar, escolheu a segunda opção.

— Tudo bem — concordou ela. — Você venceu. Vou testemunhar na audiência de condicional.

— E vai falar em favor dele? Sem deixar margem para dúvida?

Aquilo era errado. Mas tudo tinha seu preço. E Nikki venderia sua alma para saber quem Lenka Gordievski realmente era e como havia conseguido colocar as garras em Doug.

— Vou — respondeu Nikki. — Agora, por favor, me mostre o que conseguiu.

*

Dez minutos depois, Nikki levantou a cabeça e olhou para Johnson, desolada.

— Isso aqui não me diz nada.

Enquanto ela lia o arquivo sobre Lenka, Johnson pediu a segunda pilha de panquecas à garçonete ainda irritada e já havia devorado mais da metade quando Nikki abriu a boca para falar.

— Para mim, diz muita coisa — discordou ele, limpando com um guardanapo os cantos da boca sujos de melado enquanto engolia uma grande garfada de panqueca. — Lenka foi a intermediária que ajudou Luis Rodriguez a importar de Moscou seus carregamentos iniciais de *krokodil*. Ela havia mudado o nome para Gordievski fazia cinco anos, depois de ter virado testemunha do estado contra um dos cartéis de São Petersburgo. Foi por isso que seu amigo Williams não conseguiu encontrar nenhuma informação. Antes disso o nome dela era Natalia Driskov.

— Não me interessa o nome dela! — disse Nikki, exaltada. — Quero saber do relacionamento dela com meu marido.

— Está tudo interligado, meu bem — explicou Johnson, sem ser grosseiro. — Lenka apresentou Rodriguez à rede de fornecedores e mulas do tráfico na Rússia. Ela já morava em Los Angeles e conhecia bem as redes daqui. Imagino que tenha sido bem recompensada, mas esse é sempre um jogo muito perigoso de se fazer parte. As gangues russas não teriam gostado de saber que alguém trouxe um cartel mexicano para o terreno deles.

— Então você acha que os russos implantaram um vírus eletrônico no carro de Doug para matar Lenka? — perguntou Nikki. — Está dizendo que ele foi dano colateral?

Johnson deu de ombros.

— Você leu o relatório, o mesmo que eu li. Sim, para mim, está claro que seu marido foi dano colateral. Mas não acho que foram os russos que provocaram o acidente. Eu diria que foi Rodriguez.

Nikki pareceu confusa.

— Mas... se Lenka trabalhava para Rodriguez...?

— Ela não tinha mais utilidade — explicou Johnson. — O mesmo caso de Willie Baden. E você viu com os próprios olhos o que aconteceu com ele.

Nikki ficou arrepiada.

— No começo do ano passado, o pessoal de Rodriguez já dominava o mercado de *krok* na Costa Oeste — prosseguiu Johnson. — Com a ajuda de Goodman, eles tiraram os russos da jogada e estavam produzindo a própria droga na Cidade do México. Ele já tinha instalações gigantescas lá antes disso, mas para o processamento de cocaína. Charlotte Clancy descobriu essas instalações há muitos anos, e foi por isso que ela acabou sendo morta. Luis só teve que reajustar a operação, transformar aquilo num laboratório gigante de fabricação de *krok*. Depois disso, não precisaria mais de Lenka. Quer saber minha teoria sobre ela e seu marido?

— Claro — concordou Nikki, cansada.

— Acho que essa mulher sabia que já estava com as horas contadas. Então ela tentou ser útil para Rodriguez de outras formas. É nesse ponto que o seu marido entra. Ela se ofereceu para se aproximar dele, na esperança de arrancar informações sobre você e seus pacientes. Ela fez Haddon Defoe apresentar os dois, e a coisa partiu daí. Afinal, a essa altura, Carter Berkeley já era seu paciente, e ele era um dos homens-chave da grana de Rodriguez aqui em Los Angeles, além de testemunha do assassinato de Charlotte Clancy. Para mim, o caso que Lenka teve com seu marido foi uma última tentativa de se manter relevante para Rodriguez. Relevante e viva. No fim das contas, não foi lá um grande plano.

Nikki lançou um olhar inexpressivo pela janela. *Então foi minha culpa? Lenka foi atrás de Doug para chegar a mim?* Depois de um bom tempo, ela se virou para Johnson.

— A questão é que — começou Nikki, entristecida — esse relatório não me diz por que *Doug* fez isso comigo. Digamos que você tenha razão sobre as motivações de Lenka e as de Rodriguez. E é provável que esteja certo, porque tudo se encaixa. Ainda assim, isso não responde à pergunta mais importante de todas, pelo menos para mim. Por que o *meu* marido *me* trairia com essa pessoa? Essa estranha. Em um minuto estamos felizes, felizes de verdade, e no seguinte tudo que tínhamos foi destruído. Por que ele fez isso?

Mick Johnson encarou Nikki cheio de pena.

— Não sei, meu bem. Talvez ela tenha inventado alguma história triste. Vai ver confessou que se envolveu com os cartéis e com Rodriguez e disse que estava querendo sair daquela vida. Pelo que ouvi dizer, seu marido adorava ajudar pessoas em apuros. Tinha todo esse papo de segunda chance, não é?

— A mulher *engravidou* dele! — exclamou Nikki, com os olhos marejados.

— Vai ver isso também fazia parte do plano. Ele tenta ajudá-la, eles se aproximam, ele comete um erro e dorme com ela. E lembre-se de que, durante todo esse tempo, ela está tentando sobreviver, fazendo de tudo para seduzir seu marido, para se aproximar dele, porque a vida dela depende disso. E talvez ele tenha se arrependido, mas aí *bum!* ela engravida, e o que ele vai fazer? Talvez essa seja a única chance que ele tem de se tornar pai, porque vocês dois não conseguem ter filhos. Deve ser bem difícil ignorar uma coisa dessas, não acha?

Nikki assentiu sem dizer nada. *Talvez.* O arquivo de Johnson apresentava fatos sobre Lenka, e Johnson apresentava teorias. Mas fatos e teorias não explicavam sentimentos. Nem consertavam um coração partido.

Nikki suspirou e devolveu a ele a pasta com os papéis.

— Ah, não precisa — disse Johnson. — Esses documentos são seus. Pode ficar com eles.

— Não, obrigada. É hora de deixar o passado para trás. Então, por que não começar com isso?

Um silêncio constrangedor recaiu sobre a mesa. Colocando de lado o prato com os restos frios de panqueca, Johnson fez um sinal para a garçonete fechar a conta.

— Bom... hmm... quais são seus planos agora? — perguntou ele, com a sensação de que alguém tinha de dizer alguma coisa. — Vai voltar a trabalhar?

— Não — respondeu ela com uma firmeza que surpreendeu a si mesma. — Fechei meu consultório aqui e coloquei minha casa à venda. Cheguei a cogitar a possibilidade de abrir um consultório em Nova York, mas mudei de ideia. Tenho certeza de que vou fazer alguma coisa por lá, mas ainda não descobri o quê. Por sorte, posso me dar ao luxo de esperar. Descansar um pouco.

— Você vai se mudar para Nova York? — perguntou Johnson, surpreso. — Quando?

— Agora, acho. — Nikki deu de ombros. — Quer dizer, em breve. Não há nada que me prenda aqui. Acho que só hoje tive plena consciência disso.

— Entendi... Mas o nosso acordo ainda está de pé, certo? — perguntou Johnson, desconfiado. — Você vai falar bem do Jerry na audiência de condicional, não vai? É daqui a um mês.

— Claro. — Nikki deu um leve sorriso. — Trato é trato, detetive. Eu volto para a audiência. E quanto a você?

— Eu o quê? — Johnson ergueu a sobrancelha.

— Quais são os seus planos?

— Meus *planos*? — Johnson pareceu achar graça da pergunta. — Eu sou um policial. Esse é o único plano que eu tenho. Vou pegar o próximo caso, e depois o seguinte, até bater as botas. E não estou reclamando — acrescentou, rapidamente. — Eu adoro o meu trabalho.

Como alguém pode adorar esse trabalho?, pensou Nikki enquanto Johnson pagava sua parte da conta. Trabalhar na polícia significava ganhar um salário baixo e viver em perigo constante, e no fim das contas eles nem tinham mais o respeito da população, não depois de tantos escândalos de corrupção. Ela ainda não concordava com o modo como Mick Johnson conduzia sua vida profissional, nem com seu jeito arrogante de se comportar. Ele era a personificação do homem branco privilegiado. Mesmo assim, depois de tudo o que havia passado, ela começava a compreendê-lo. Devia ser exaustivo ter de viver num estado de alerta permanente. Nikki tinha certeza de que não seria capaz de ter uma vida assim.

— Enfim, não sei se você soube — murmurou Johnson meio sem jeito —, mas vão me dar uma medalha, tipo uma medalha por honra ao mérito. Por aquela noite no armazém.

— Ah, vão? — Um sorriso sincero se abriu no rosto de Nikki. — Parabéns! Que incrível!

— Bom, você deve estar ocupada. — Johnson estava tão corado de vergonha que mais parecia um adolescente. — Mas eu pensei, sei lá, que se você quiser aparecer... você seria bem-vinda.

— Seria uma honra. — Nikki ficou comovida. Sabia como devia ter sido difícil para Johnson fazer aquele convite. Os dois passaram por muita coisa, e ela imaginava que esse gesto era o jeito dele de pedir uma trégua. — É só me dizer a data que eu estarei lá. — Por fim, ela se levantou e apertou a mão dele. — Se cuide, detetive.

— Você também, doutora.

Mick Johnson apertou a mão de Nikki e ficou observando a psicóloga sair do restaurante e desaparecer porta afora.

Ela era mesmo inacreditável. Mas também era uma sobrevivente.

E Mick Johnson a respeitava por isso.

Ele torcia para que ela encontrasse a felicidade que procurava em Nova York, embora, de alguma forma, duvidasse disso. A tristeza parecia pairar constantemente sobre ela como a bruma no mar.

Bom, paciência. Ele tinha feito o possível.

Como a própria Nikki dissera, era hora de deixar o passado para trás.

CAPÍTULO QUARENTA E UM

Era mais um dia de calor escaldante no centro de Los Angeles. A temperatura já passava dos trinta e cinco graus, mas, dentro do Grand Ballroom, no Hollywood and Highland Entertainment Complex, o clima estava fresco. Sentada nos fundos do auditório lotado, bem embaixo de uma saída do ar condicionado, Nikki lamentou não ter colocado um cardigã.

Era o dia da cerimônia em que o detetive Johnson receberia a medalha de honra ao mérito, e ela havia pegado um voo para Los Angeles mais para cumprir a promessa do que por vontade de estar ali. Era doloroso voltar à cidade tão cedo, mas pelo menos ela conseguiria matar três coelhos com uma cajadada só com aquela viagem: assistiria à cerimônia de Johnson, compareceria à audiência de Kovak e assinaria os papéis da venda da casa em Brentwood. Depois disso, podia voltar para Nova York e nunca mais olhar para trás. Em tese, pelo menos.

— Estamos aqui hoje para celebrar um ato de extraordinária coragem — anunciou, orgulhoso, o chefe de polícia Brian Finnigan no palco. — Integrantes da nossa força policial são chamados em serviço todos os dias para desempenhar atos de bravura. E todos esses atos são dignos de reconhecimento. Mas, às vezes, um ou uma oficial vai além do que compete ao seu dever...

O chefe de polícia continuou seu monótono discurso por alguns minutos diante de uma plateia absorta, quase completamente composta por policiais e suas famílias. Ao lado de Finnigan, estava Mick Johnson, mais desajeitado e pesado do que nunca em seu uniforme formal superapertado, com a barriga saltando por cima do cinto e o peito amplo parecendo prestes a rasgar a camisa engomada, no melhor estilo Superman, os botões voando para todos os lados como balas. *Coitado*, pensou Nikki. Ele merecia a honraria e estava orgulhoso por receber a medalha, mas era nítido que preferia recebê-la pelo correio, sem estardalhaço.

Ciente da presença da mídia — qualquer coisa ligada ao caso do Assassino Zumbi e à quadrilha de *krok* de Rodriguez, por menor que fosse a conexão, fazia aquela gente brotar do fundo da terra —, Nikki havia sinalizado a Johnson que estava ali, mas depois disso voltou furtivamente para as sombras, evitando chamar atenção. Ela usava um vestido básico cinza e óculos escuros, não tinha se maquiado e havia prendido o cabelo agora meio grisalho e mais longo num coque desgrenhado. Estava irreconhecível comparada à glamorosa Nikki Roberts de quem as pessoas se lembravam dos noticiários da TV.

Enquanto o chefe da polícia continuava a divagar, a mente de Nikki voou para longe.

Havia se mudado da casa de Gretchen três semanas antes, mas parecia que fazia anos. No dia da viagem, circulava em todos os canais de TV de Los Angeles a notícia de que o principal suspeito do caso do Assassino Zumbi, Brandon Grolsch, finalmente havia sido encontrado. Os detalhes sórdidos de seu caso com Valentina Baden já começavam a aparecer, e a cobertura ao vivo mostrava o apartamento onde ele estava, em Fresno, num silêncio carregado de expectativa, no momento em que a polícia invadiu o local.

Dias antes, os restos mortais de Charlotte Clancy haviam sido encontrados numa cova rasa nos arredores da Cidade do México. O local exato fora revelado por Carter Berkeley como parte de seu acordo de colaboração com a Justiça para que ele pudesse ser considerado testemunha do estado. Vídeos da família Clancy chorando, cheios de raiva, eram exibidos pelos canais de televisão. Eles estavam furiosos por saber que Carter tinha sido condenado a apenas quatro anos de prisão por lavagem do dinheiro e por acobertar a morte de Charlotte, enquanto o Dr. Haddon Defoe, uma figura muito menos importante na quadrilha, recebera a pena de dez anos. O pior de tudo foi ver a mídia bajular Anne Bateman, a linda e jovem violinista que tinha sido casada com Rodriguez e que alegava não ter conhecimento de nenhum crime do ex-marido. O julgamento de Anne só começaria dali a alguns meses, e a lista de acusações da promotoria contra ela era maior e mais complexa do que a de outros envolvidos no caso.

Para Nikki, porém, o dia em que encontraram Brandon Grolsch foi o pior. Ela e Gretchen estavam no quarto de Nikki, na casa da amiga, as duas paradas diante da mala já meio arrumada, assistindo aos policiais armados derrubarem a porta do apartamento de Brandon e invadirem o lugar. Nikki prendeu a respiração e esperou. Ainda estava à frente da televisão quando, uma hora e meia depois, os mesmos homens saíram carregando um saco com um cadáver sobre uma maca. Brandon tinha morrido, ao que tudo indicava, de overdose. Naquela mesma tarde, informaram que o cadáver já estava em estado de decomposição quando foi encontrado. E que ele devia estar morto, o corpo intocado, havia muitos dias, senão semanas.

Nikki afundou na beira da cama, de repente se sentindo sem ar.

— Não deixe essas coisas afetarem você — aconselhou-a Gretchen.
— Ele tentou te matar.
— Eu sei disso.
— Você não pode salvar todo mundo, Nik.
— Também sei disso.

O problema era que, aparentemente, Nikki não podia salvar ninguém. Se tivesse conseguido salvar Brandon, se pelo menos tivesse conseguido ajudá-lo, Lisa Flannagan ainda estaria viva. E Trey também — talvez.

As coisas pioraram na hora do jantar, quando Adam já estava em casa, no último dia de Nikki com a família de Gretchen.

— Adivinhem só — anunciou ele, inocente, cumprimentando tanto a mulher quanto Nikki com um beijo na bochecha enquanto todos se sentavam à mesa. — Ouvi dizer que vão fazer um filme sobre o caso do Assassino Zumbi.

— Legal! — O afilhado de Nikki, Lucas, ficou empolgado. — A tia Nik vai aparecer? Quem vai fazer o papel dela?

— Você não pode estar falando sério. — Nikki encarou Adam com uma expressão horrorizada.

— Estou, sim, muito sério — disse ele, enchendo a tigela com a salada tailandesa de carne feita por Gretchen e pegando uma cerveja gelada. — O roteiro da trilogia já está sendo desenvolvido pela Warner. A parte um é o caso Charlotte Clancy, ambientada na Cidade do México no começo dos anos 2000. A parte dois avança para os assassinatos de Flannagan e Raymond, com algumas cenas da guerra pelo tráfico de *krok*. Imagino que a sua personagem seja fundamental nesse segundo filme.

— Show! — exclamaram os três filhos do casal ao mesmo tempo.

— E a parte três tem foco na quadrilha de Rodriguez, mostrando como ela foi destruída, terminando com o assassinato de Willie Baden e a cena do tiroteio no armazém. Acho que essa parte tem uma vibe mais *Velozes e furiosos*, do Michael Bay, enquanto os dois primeiros roteiros são mais lentos. Como *Traffic*. Já viram esse filme? É com o Michael Douglas.

Nikki ficou ali, sentada, paralisada, em estado de choque. O marido de Gretchen era um amor, ele nunca tentaria magoá-la de propósito. Ainda assim, o homem parecia estranhamente alheio ao quão horrível era para ela ouvir sobre aqueles assassinatos como se fossem algo divertido. Como se Lisa, Trey, Brandon e a própria Nikki fossem personagens de ficção, a serem lapidados, retocados e por fim interpretados na tela para a diversão do público geral.

— Sei que não quer nem falar desse assunto agora — prosseguiu Adam, sem o menor tato. — Mas no fim das contas isso pode render ótimos frutos para você, Nikki. Se esses filmes saírem do papel, ou mesmo se nem sequer passarem do estágio de desenvolvimento, as pessoas vão bater à sua porta e chamá-la para trabalhar como consultora, talvez até produtora executiva. Esses trabalhos podem ser muito lucrativos.

Se ainda restava alguma gota de hesitação ou arrependimento em Nikki por ir embora de Los Angeles, aquele jantar acabara com ela. Aquela cidade era insana e podre até o último fio de cabelo. Até pessoas boas de verdade, como os Adler, acabavam sendo contaminadas depois de um tempo. Já Nikki estava mais "imersa" que contaminada, envolta por um cheiro tão fétido de corrupção, violência, morte, mentiras e imundície que não sabia se um dia seria capaz de se livrar dele por completo.

Uma salva de palmas interrompeu seu devaneio. De repente ela estava de volta ao auditório. Ao detetive Johnson. A cerimônia de entrega da medalha.

— E agora, sem mais delongas — dizia o chefe da polícia —, é meu dever e honra oferecer a Medalha de Honra ao Mérito do Departamento de Polícia da cidade de Los Angeles ao detetive Michael Johnson, da Divisão de Homicídios. Detetive Johnson, por favor, venha até aqui.

Nikki assistiu enquanto Johnson se levantava meio sem jeito e caminhava até o centro do palco para receber o prêmio. A plateia batia palmas e comemorava, e, em questão de segundos, a maioria ficou de pé. Nikki se levantou junto com eles, aplaudindo o homem que salvara sua vida e que havia passado a ver, ainda que tarde, como mais do que um simples caipirão preconceituoso e retrógrado — embora esse lado dele ainda estivesse vivo e saudável. Nikki estava feliz por eles terem feito as pazes, mas, por outro lado, não se sentiria nem um pouco mal por finalmente poder se livrar do detetive Johnson e do restante da polícia de Los Angeles, junto com todos os pequenos lembretes diários daquele terrível caso.

Nikki foi embora antes de a cerimônia terminar e caminhou pela Grand Avenue rumo à estação de trem Union. Ela pegaria um Uber de volta ao hotel, e não um trem, mas a estação era um prédio antigo tão bonito e um lugar por onde podia caminhar naquele dia quente e ensolarado.

Ao passar por uma floricultura, Nikki parou e comprou um buquê de peônias para enfeitar seu quarto no hotel. Nos últimos tempos ela vinha seguindo o conselho de Gretchen e tentando dar valor às pequenas coisas, como flores frescas ou um dia quente de céu azul. Talvez fosse piegas, mas, do alto de sua experiência como psicóloga, Nikki sabia que aquele era o melhor jeito de combater a depressão. Um passo de cada vez.

À sua esquerda e à sua direita, torres altas e brilhantes de vidro, concreto e aço erguiam-se como os colossos de riqueza e status que de fato eram. Alguns prédios eram bancos ou seguradoras. Outros eram escritórios de advocacia. Em um fluxo contínuo, trabalhadores apressados e bem-vestidos entravam e saíam dos edifícios como cupins minúsculos, as mulheres com penteados, parecendo desconfortáveis em suas saias lápis e em seus saltos altos, os homens suando por baixo de seus ternos e gravatas.

Nas calçadas, sob a sombra desses prédios, moradores de rua estavam em pé, sentados ou deitados, alguns empurrando carrinhos de compras cheios de cobertores, roupas e outros míseros pertences, outros maltrapilhos, imundos e até descalços. Para Nikki, parecia que os Estados Unidos estavam em guerra, uma guerra entre os que tinham posses e os que não tinham nada, uma guerra que os membros do segundo grupo estavam perdendo. Se essa guerra estava acontecendo mesmo, então Los Angeles só podia ser a linha de frente. Havia tanta riqueza, fama e glamour ali, tanto luxo, mas ao mesmo tempo tanto desespero.

Num beco a pouco mais de meio quilômetro da estação de trem, uma jovem chamou a atenção de Nikki. Era uma garota esquelética, de cabelo louro ralo e maçãs do rosto saltadas sob a pele pálida. Estava usando um short jeans puído, camiseta e sandálias tipo plataforma de plástico, como uma prostituta, mas não parecia estar procurando trabalho. Encostada no muro de uma garagem, ela lançava um olhar vazio para a frente, apesar de não haver ninguém ali. Em outras circunstâncias, a garota devia ser bonita. Mas, agora, Nikki via os antebraços verdes e inchados típicos de um viciado em *krokodil*. As pernas dela ainda não tinham começado a gangrenar, mas a pele parecia papel ressecado, ou a casca de eucalipto.

Houve uma época, não muito distante, em que Nikki teria ajudado a garota, teria se aproximado, perguntado o nome dela e tentado levá-la a alguma clínica de reabilitação. Sua compaixão ainda estava ali. Mas era a esperança que tinha perdido. Isso e a fé na própria capacidade de julgamento.

Quem sou eu para tentar ajudar todo mundo?, perguntava incansavelmente uma voz dentro da cabeça de Nikki. *Na maior parte do tempo eu não consigo ajudar nem a mim mesma.*

Ela acelerou o passo rumo à estação de trem, mas já não tinha mais prazer algum em caminhar, nem em sentir o sol batendo em suas costas. Ela chamou um Uber, e entrou no carro, ainda segurando o buquê de peônias como se fosse um talismã, e seguiu para o hotel em Malibu — se era para voltar a Los Angeles, concluíra Nikki antes de ir, ela queria ficar o mais perto possível do mar e o mais longe dos velhos lugares conhecidos. Então, sentada no carro, ficou olhando, distraída, pela janela.

Sua depressão vinha em ondas, indo e voltando, e ela havia aprendido a conviver com isso, cumprimentando a tristeza que agora fazia parte dela como uma velha amiga. Ela imaginou que seu estado mental era parecido com as dores do parto — uma dor poderosa e exaustiva que se aproximava, chegava ao ápice e ia embora. Era como uma contração à qual você podia tentar resistir — o que só pioraria a dor — ou aceitar. *Respire tranquilamente até passar*, era o que diziam todos os livros sobre maternidade. Claro que Nikki só teria como saber como seria de fato essa experiência por intermédio dos livros e da imaginação. Era tarde demais para ser mãe agora, assim como era tarde demais para muitas outras coisas.

Em certos dias, ela sentia como se tivesse mil anos.

— Será que posso pedir para você fazer uma paradinha bem rápida no meio da viagem? Você poderia me esperar um minutinho? — Ela deu um novo endereço ao motorista.

— Nós não podemos fazer paradas — respondeu o homem. — Eu posso levar você até lá, e depois você pede outro Uber para voltar.

— Vai ser rapidinho. É entrar e sair, eu juro.

O cemitério era pequeno e muito bem-cuidado, com cercas vivas bem aparadas em ambos os lados de caminhos sinuosos de cascalho, permitindo aos visitantes andar entre as lápides.

A lápide de Doug era simples e sem muitos adornos, como ele teria preferido, com uma placa cinza com seu nome e as datas de nascimento e de morte.

Nikki colocou o buquê de peônias diante dela e tirou algumas folhas mortas de cima. Em seguida, por um instante, ficou olhando para o que havia restado de sua antiga vida feliz e do amor que, no passado, tinha sido tudo para ela.

Eu sempre vou amar você, Doug.

Mas acho que nunca vou te perdoar.

Nikki se virou e, sem olhar para trás, caminhou de volta para o carro que a aguardava.

Ela sabia que nunca mais voltaria ali.

AGRADECIMENTOS

Meus sinceros agradecimentos a Alexandra Sheldon e a toda a família Sheldon pelo apoio e pelo incentivo que sempre me deram. Agradeço também às minhas editoras maravilhosas, Kimberley Young e Charlotte Brabbin, e a toda a equipe da HarperCollins em Londres, que trabalhou de forma tão incansável neste livro. Tem sido um prazer trabalhar com vocês. Agradeço ainda aos meus agentes, Hellie Ogden, em Londres, e Luke Janklow, em Nova York, por tudo o que vocês fazem e por aguentarem minhas rabugices. E, por último, mas não menos importante, agradeço à minha família, em especial a meu marido Robin e ao nosso quarteto fantástico, nossos filhos: Sef, Zac, Theo e Summer. Amo muito vocês todos.

A viúva silenciosa é dedicado à minha linda irmã Alice. Todo o amor do mundo para você, Grande Al, e espero que goste do livro.

TB 2018.

Este livro foi composto na tipografia Minion
Pro, em corpo 11/16, e impresso em
papel off-white no Sistema Cameron da
Divisão Gráfica da Distribuidora Record.